新版 1からはじめる インプラント治療

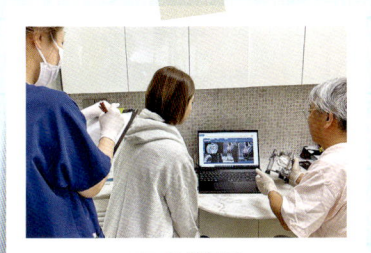

患者説明 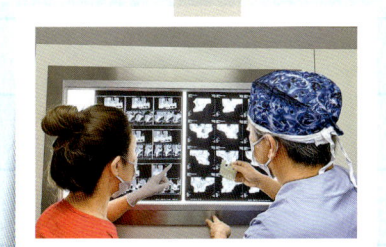 画像診断 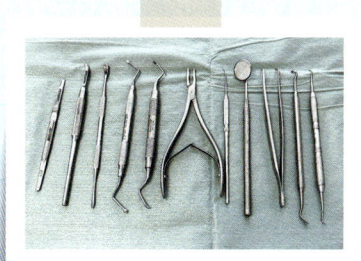 器具準備

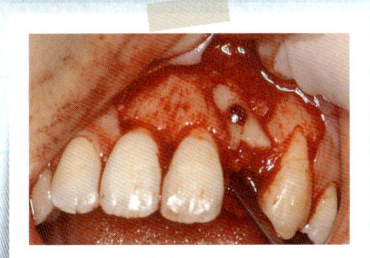

外科処置 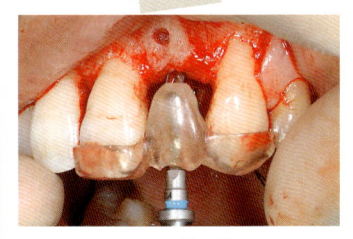 埋入術式 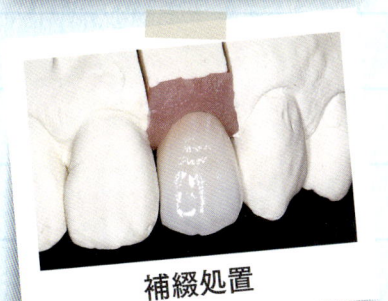 補綴処置

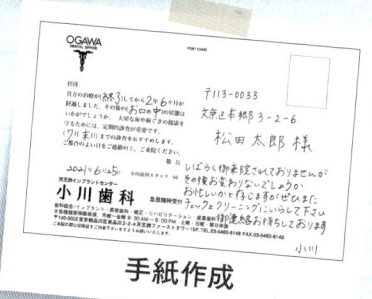

手紙作成

完全マニュアル

小川 勝久 著

クインテッセンス出版株式会社　2021

QUINTESSENCE PUBLISHING

Berlin | Chicago | Tokyo
Barcelona | London | Milan | Mexico City | Moscow | Paris | Prague | Seoul | Warsaw
Beijing | Istanbul | Sao Paulo | Zagreb

推薦の辞

　小川勝久先生の前書『1からはじめるインプラント治療』が出版されて8年が経ちました。

　インプラント治療はその後も広く普及し、欠損補綴の中心的オプションとなっています。一方で、失敗例や問題点もクローズアップされてきました。その原因を追及すると、治療技術の不足や無理な治療、診断や症例選択の不備、歯科治療の基本的対応の不足などが挙げられます。患者さんの口腔の状態は多様で生活習慣もさまざま、そして欠損部位の歯周環境や咬合状態も千差万別です。

　前回の推薦文で、インプラント治療は反省期に入っていると申し上げましたが、インプラント治療後に何らかのトラブルが生じて来院する患者さんを診ると、「この患者さんはインプラント以外の治療法で対応したほうが良かったのではないか」と思われることが多々あります。インプラント治療の問題点の一つは、除去を含めたやり直しが容易ではないことです。また、再治療に患者さんが同意されないこともあります。一度治療した後に起こる他の部位の欠損にも、外科処置と高額な治療費、患者さんの高齢化などで、変化に対応することが困難な場合も少なくありません。極端な例ですが、加齢や歯周病が原因でインプラントだけが取り残された口腔内を見ることもあります。

　言うまでもなく、歯科治療は生涯を通して対応しなければならない宿命を背負っています。いわゆるメインテナンスとリカバリーが不可欠なのです。その一方で、長期的(少なくとも10年から20年)に機能して問題のない症例もたくさんあります。良好に経過した症例を分析すると、欠損はあるものの全身状態が良く、良好な歯周環境で強いブラキシズムなどがなく、十分な骨質と骨量のあるところへ的確にインプラントを埋入し、適切な咬合関係を確立した例が多いのは当然でしょう。

　本書には、臨床家ならではの、本当に基本的なことがステップごとにわかりやすく書かれています。要するに、インプラント治療の成功の秘訣は、知識と技能、使用器材を含めて、いま現在、わかっている基本的なことを確実に行うことといえると思います。

　これからインプラント治療(インプラント補綴)を確実に学ぼうとする若い先生方には「本書全編が著者からのメッセージです」とお伝えしておきます。推薦する私も、インプラント治療歴35年になりましたが、本書から学ぶことが多々ありました。どうやら成功への近道は、基本的なことの積み重ねにあるようです。

明海大学歯学部臨床教授／埼玉県開業

田端義雄

緒言

　初めてインプラント手術に臨むあなたは、不安と緊張とで心穏やかではない気持とお察しする。切開線の位置・範囲は？　埋入位置へのドリリングは？　周囲の骨量や神経管との距離は？　埋入の位置・角度・深さは…。この結果は、予後だけでなく、最終上部構造の形態や大きさ、審美性にも大きくかかわってくる。

　インプラント治療は従来の歯科治療と大きく異なる概念の治療法である。生体にとっては異物であるチタン製の構造物を顎骨内に埋入し、その状態で生物学的にも力学的にも機能させなければならない。そのため、口腔外科学・歯周病学・補綴修復学などを網羅した専門的知識・技術が必要不可欠となる。無事に施術を終えることができれば、患者さんも喜び、歯科医師として達成感を得られるすばらしい治療法となる。

　しかしながら、経済的負担も大きく、患者さんの期待も高い一方で、期待と異なる時には、患者さんの悲しみは、より大きな代償として術者・医院にのしかかってくる場合もあることを覚えておいてほしい。また、インプラント治療は歯科医師一人で行えるものではなく、介助にあたる歯科衛生士・歯科助手との連携やアシスタントワークも重要となり、術式だけでなく使用する器具・器材の確認や操作についても術前カンファレンスでの申し送り含め、医院全体として治療に臨まなければならない。そのため、この新版では、スタッフとのより良い連携のために施術時のアシスタントワークについても検証・加筆した。

　本書を出版するにあたって、クインテッセンス出版の北峯康充社長と担当編集の松田俊介氏にご高配をいただいた。この場を借りて感謝の意を表したい。加えて、前書同様、使用した器具・器材を含め、ジンマー・バイオメット・デンタル合同会社、株式会社ヨシダ、株式会社ナカニシなど、多くのメーカーから資料・写真の提供および協力をいただいた。厚く御礼を申し上げる。

　最後に、日々の臨床を支えてくれている、当院の歯科衛生士、歯科技工士、歯科助手とスタッフたちに改めて「ありがとう」と伝えたい。

　本書が、これからインプラント治療に臨む歯科医師や経験の浅い先生方の一助になれば望外の喜びである。

医療法人社団清貴会 小川歯科・天王洲インプラントセンター
神奈川歯科大学 口腔統合医療学講座 補綴・インプラント学分野　客員教授
歯学博士　**小川勝久**

目次

第1章　正しい検査・診断と患者説明

1-1　検査・診断および初期治療 …………………10
1）検査・診断の重要性 ……………………………10
- 検査・診断から把握すべき患者さんの概要 ……10
- 問診時のポイント ………………………………10
- 口腔内写真撮影に使用した器具 ………………11
- X線写真撮影に使用した器具 …………………12

2）実際に行った初期治療の手順 …………………12
- 咬合診断に使用した器具 ………………………13
- 根管治療／プロビジョナルクラウン製作に使用した器材 …13

1-2　患者さんへの説明 ……………………………14
- 筆者が本症例の患者さんに提示した治療計画書 …14
- 知っておこう！ブリッジにするか、インプラントにするかの判断基準 …………17
- 当時の治療を振り返って 今ならこうする！こうも使える！歯科用コーンビームCTの活用 …………19
- 口腔スキャナを用いた診断とカウンセリング ……21
- 第1章 紹介器具・器材の関連製品／同種製品 …23

第2章　治療計画立案後に行った矯正的挺出とCT画像診断

2-1　矯正的挺出の応用 ……………………………26
- 矯正的挺出について知っておくべきこと ………26
- 矯正的挺出に用いた器具 ………………………28

2-2　CT画像診断 ……………………………………29
- CT画像診断の有用性 …………………………29
- パノラマX線とCTの比較 ………………………30
- 当時の治療を振り返って 今ならこうする！こうも使える！ブラケットとワイヤーを用いない矯正的挺出 …………31

第3章　コンピュータガイドシステムによる術前シミュレーションとモデルサージェリー

3-1　インプラント埋入シミュレーション …………34
- Simplant® を用いて行ったインプラント埋入シミュレーション …………………………………34
- 進化し続けるコンピュータガイドシステム ……36

3-2　光造形模型を用いたモデルサージェリー ……37
- 光造形模型を用いた骨補填量の診断、骨移植方法の検討 …37
- 光造形模型を用いたドリリング、インプラント埋入の練習 …………………………………38

- コラム　努力なしに得られる技術・知識は存在しない ……38
- 知っておこう！審美領域での抜歯後即時インプラント埋入に関する考察 …………39
- 当時の治療を振り返って 今ならこうする！こうも使える！抜歯後即時インプラント埋入＋骨移植という選択肢 ………40
- 第3章 紹介器具・器材の関連製品／同種製品 …43
- 付録　国内で販売されているコンピュータガイドシステム …………………………………44

第4章　術前に準備すべき器具・器材と院内のチームワーク

4-1　術前の準備 ……………………………………46
1）手術室の環境 ……………………………………46
- インプラント手術に必要な手術室の環境 ………46

2）各スタッフとの連携 ……………………………47
- インプラント手術前に確認すべきチームワークと各担当の仕事 …………………………………47

3）器材の準備、手術環境づくり …………………48
- 清潔な手術環境づくりと器材の準備 …………48
- 本症例で準備したおもな外科器具 ……………49

4）口腔内環境と術前評価 …………………………50
- 口腔内外の環境づくり …………………………50

4-2　静脈内鎮静法の正しい活用術 ………………51
1）静脈内鎮静法の概要 ……………………………51
- 静脈内鎮静法に用いる薬剤 ……………………51

2）患者さんへの術前の通達 ………………………52
- 静脈内鎮静法に関する患者さんへの術前の通達 …52

3）静脈内鎮静法の留意点 …………………………………53
　●静脈内鎮静法を行う際に準備すべき器材 ……………53
　●コラム　手術室の中に掲示する手術のタイムスケジュール …54
●当時の治療を振り返って 今ならこうする！こうも使える！
　手術前に準備する接着性のテンポラリークラウン …………55
●第4章 紹介器具・器材の関連製品／同種製品 ……………58

第5章　骨移植の基本手技と基礎知識

5-1　自家骨の採取・固定・充填 …………………………60
　1）切開・剥離と軟組織の除去 …………………………60
　　●切開および軟組織の除去に用いた器具 ……………60
　2）ブロック骨の採取 ……………………………………61
　　●自家骨の切除・採取に用いた器具 …………………61
　3）ブロック骨の固定・充填 ……………………………62
　　●自家骨の固定・充填に用いた器具 …………………62

5-2　骨移植に関するさまざまな考察 ……………………63
　●考察ポイント① 自家骨移植について …………………63

●考察ポイント② 骨補填材の使用について ………………64
●考察ポイント③ ピエゾサージェリーの有効性について ……65
●骨移植のアシスタントワーク ……………………………66
●当時の治療を振り返って 今ならこうする！こうも使える！
　前鼻棘からの骨移植 ………………………………………68
●付録　国内で販売されているおもなピエゾサージェリー ……70
●付録　国内で販売されているおもな骨補填材 ……………71
●付録　国内で販売されているおもなメンブレン ……………72

第6章　軟組織移植の基本手技と基礎知識

6-1　軟組織移植の基本手技 ………………………………74
　1）骨移植した部位の診断／切開線の設定 ……………74
　　●骨移植した部位の診断／切開線の設定の手順 ……74
　2）上皮下結合組織の採取 ………………………………75
　　●トンネル形成／上皮下結合組織の採取の手順 ……75
　3）上皮下結合組織の挿入 ………………………………76
　　●上皮化結合組織の挿入の手順 ………………………76
　4）縫合 ……………………………………………………77
　　●縫合の手順 ……………………………………………77
　　●本症例で用いた拡大鏡およびマイクロスコープ ……77

6-2　軟組織移植に関するさまざまな考察 …………………78
　●考察ポイント① インプラント周囲の
　　biologic width について ………………………………78
　●考察ポイント② さまざまな軟組織移植・造成法を知る ……79
　●軟組織移植のアシスタントワーク ……………………80
　●コラム　自分の力量を知り、周囲と連携を図る勇気をもつ …81
　●コラム　拡大鏡の有効性 ………………………………82
　●第6章 紹介器具・器材の関連製品／同種製品 …………84

第7章　インプラント埋入の術前・術中・術後に必要な処置と作業

7-1　インプラント埋入手術前の再診断 …………………86
　●CTによる術前の再診断 ………………………………86
　●Simplant®による診断／インプラント、
　　サージカルテンプレートの選択 ………………………87

7-2　インプラント埋入の手順 ……………………………88
　●インプラントホール形成／インプラント埋入の手順 ……88
　●考察ポイント 正しいインプラントの埋入位置と
　　ズレないための秘訣 ……………………………………92

●当時の治療を振り返って 今ならこうする！こうも使える！
　骨移植後、インプラントではなく接着性ブリッジを応用 …94
●インプラント埋入のアシスタントワーク ………………96

7-3　インプラント埋入手術後の注意事項 …………………98
　●筆者の医院が患者さんに提示している
　　インプラント手術後の注意事項 ………………………98
　●コラム　手術後に患者さんへ電話をしていますか？ ……99
　●第7章 紹介器具・器材の関連製品／同種製品 ………… 100

第8章 二次手術と印象採得

8-1 二次手術の手順と用いる器具 ……………… 102
- 二次手術時の切開 ……………… 102
- 封鎖スクリューの除去、ヒーリングアバットメントの装着 … 103

8-2 印象採得の手順と用いる器具 ……………… 104
- 印象用コーピングの試適、オープントレーの製作 ……… 104
- トレーと印象パーツの固定、咬合関係の記録 …………… 105

- 考察ポイント① オープントレー法とクローズドトレー法… 106
- 考察ポイント② 審美領域のインプラント治療に必要な歯肉圧排の技術 ……………… 107
- 当時の治療を振り返って 今ならこうする！ こうも使える！口腔内スキャナを用いた印象採得 ……………… 108
- 第8章 紹介器具・器材の関連製品／同種製品 ……… 110

第9章 プロビジョナルレストレーションの製作と試適

9-1 プロビジョナルレストレーションの製作手順と用いる器具 ……………… 112
1) ガム模型の製作 ……………… 112
- ガム模型製作の手順 ……………… 112

2) プロビジョナルレストレーションの製作 ……… 113
- プロビジョナルレストレーションの製作手順①（ワックスアップ） ……………… 113
- プロビジョナルレストレーションの製作手順②（レジンの流し込み、重合） ……………… 114
- プロビジョナルレストレーションの製作手順③（研磨） ……… 115

9-2 プロビジョナルレストレーションの試適とティッシュスカルプティング ……………… 116
- プロビジョナルレストレーションの試適とティッシュスカルプティングの手順 ……………… 116
- 当時の治療を振り返って 今ならこうする！ こうも使える！審美領域のプロビジョナルクラウン ……………… 118
- コラム 「いつの日か」を夢見て ……………… 119
- 第9章 紹介器具・器材の関連製品／同種製品 ……… 120

第10章 アバットメント製作と技工操作

10-1 軟組織形態の再確認とアバットメントの選択 ……… 122
1) 軟組織形態の再確認 ……………… 122
- 本症例で用いた軟組織形態の確認方法 ……………… 122
- カスタムインプレッションコーピングを用いた場合の軟組織形態の確認方法 ……………… 123

2) アバットメントの選択 ……………… 123
- 本症例で使用したアバットメントの特徴と選択基準 ……… 124

10-2 アバットメント製作・調整の手順 ……………… 125
1) アバットメントの製作・調整 ……………… 125
- アバットメント製作・調整の手順 ……………… 125

2) フレームの製作 ……………… 126
- フレーム製作の手順 ……………… 126
- コラム つねに歯科技工士さんへの敬意を忘れないこと …… 127
- 当時の治療を振り返って 今ならこうする！ こうも使える！スクリュー固定式補綴 ……………… 128
- 第10章 紹介器具・器材の関連製品／同種製品 ……… 130

第11章 最終補綴装置の製作と装着

11-1 カラーマッチングおよび陶材築盛に必要な器具・器材と作業手順 ……132
1) カラーマッチング ……132
  ● カラーマッチングのための写真撮影 ……132
  ● カラーマッチングおよび陶材築盛に用いた器具・器材と技工環境 ……133
2) 陶材築盛 ……134
  ● 陶材築盛の手順 ……134

11-2 最終補綴装置装着の手順 ……135
1) 最終補綴装置(最終グレーズ前)の調整 ……135
  ● 最終補綴装置(最終グレーズ前)の試適および調整の手順 …135
2) 仮着セメントを用いた最終補綴装置の装着 ……136
  ● 仮着セメントを用いた最終補綴装置装着の手順 ……136
  ● コラム 歯科医師は、歯科衛生士や歯科助手、歯科技工士に支えられている ……137
  ● 第11章 紹介器具・器材の関連製品/同種製品 ……138

第12章 メインテナンスの手順と必要事項

12-1 メインテナンスの手順と使用する器具 ……140
  ● 筆者の医院が行っているメインテナンスの項目 ……140
  ● 口腔内検査、口腔衛生指導(OHI)、プロフェッショナルケアに用いた器具 ……141
  ● 術後1年6ヵ月、3年の状態 ……143
  ● 術後12年の状態 ……144

12-2 リコールに応じてもらうための工夫 ……145
  ● リコールに応じてもらえない患者さんに送る書類(リコールハガキ) ……145
  ● ハガキや電話でリコールを勧めても返事がない患者さんに送る手紙の例 ……146
  ● 自院の患者さんの転院先が決まったときの挨拶の例 ……147
  ● 第12章 紹介器具・器材の関連製品/同種製品 ……148

第13章 特講：歯科医師が患者さんに詫びるとき

13-1 治療結果に問題が生じ、患者さんに謝罪と対応を行った事例 ……150
1) 症例1：インプラント埋入後、歯頸部歯肉が根尖側方向へ退縮したケース ……150
  ● 症例1：インプラント埋入後、歯頸部歯肉が根尖側方向へ退縮したケース ……151
  ● 症例1のインプラント手術後に患者さんに送ったお詫び状 ……152
2) 症例2：インプラント埋入後に下唇とオトガイ部に麻痺が発症したケース ……153
  ● 症例2：インプラント埋入後に下唇とオトガイ部に麻痺が発症したケース ……153
  ● 症例2のインプラント手術後に患者さんに送ったお詫び状 ……154

13-2 医事紛争を未然に防ぐためのポイント ……155
  ● 患者さんに署名してもらう手術承諾書の例 ……155
  ● 患者さんに提示する手術同意書の例 ……156
  ● 付録：患者さん側の弁護士が裁判所向けに作成した証拠保全申立書の例 ……158

● **本書で供覧した症例の総括および反省点** ……160

本書で解説する症例に行った治療の流れ

①口腔内写真、X線による検査・診断 → ②治療計画書の提示と説明  → ③矯正的挺出

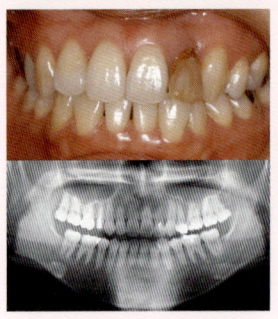

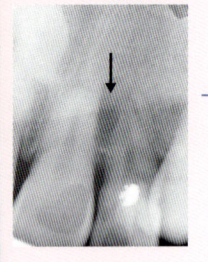

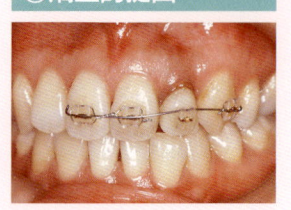

④CT撮影 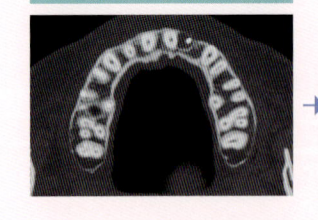 → ⑤シミュレーション 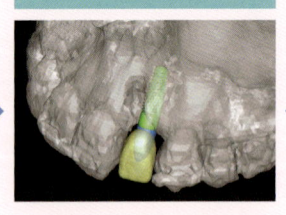 → ⑥光造形模型の活用 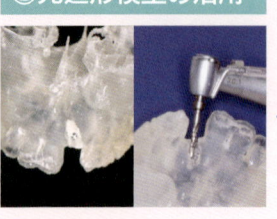 → ⑦手術環境・器具の準備

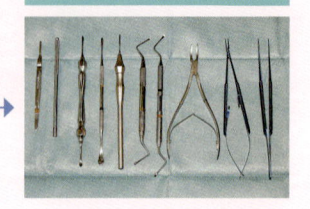

⑧自家骨移植 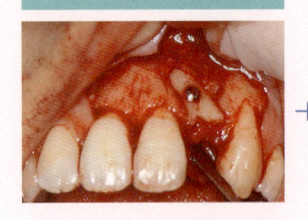 → ⑨軟組織移植 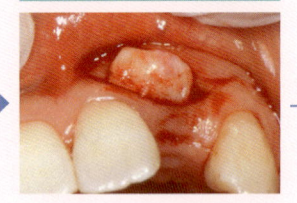 → ⑩再度のシミュレーション 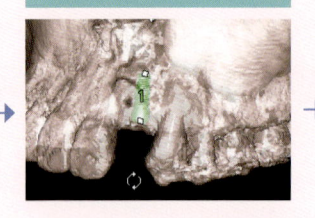 → ⑪インプラント埋入

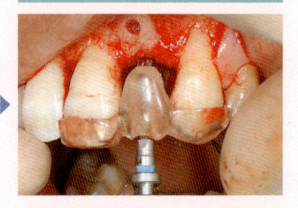

⑫二次手術 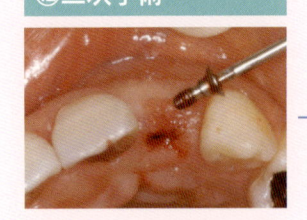 → ⑬印象採得 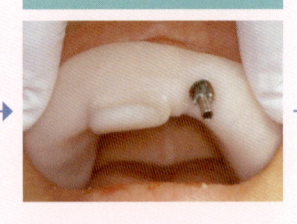 → ⑭ガム模型の製作 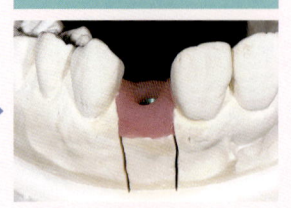 → ⑮プロビジョナル装着

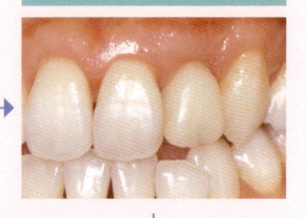

⑯アバットメント製作 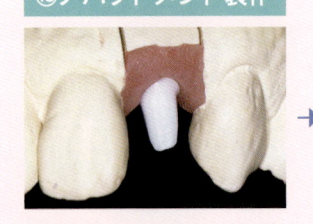 → ⑰最終補綴装置製作 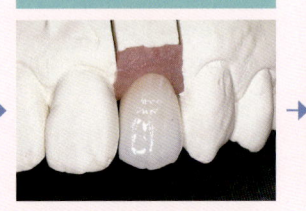 → ⑱最終補綴装置装着

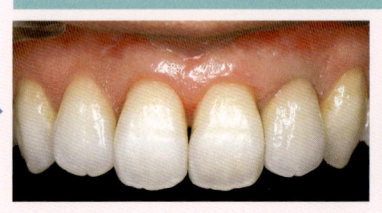

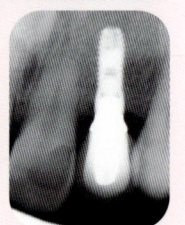

第1章
正しい検査・診断と患者説明

1 検査・診断および初期治療
2 患者さんへの説明

　本章では、患者さんへの検査・診断に関して、必要な手順・把握すべき概要とそこから得られた治療計画書について解説する。デジタルX線などの精度の高い検査は、口腔内の情報を把握するための口腔内写真の記録とともに、担当する歯科衛生士や歯科技工士にとっても共有すべき重要なものである。また、患者さんへの治療計画の説明は口頭だけではなく、説明責任や義務からも文書での提示が不可欠になってきている。

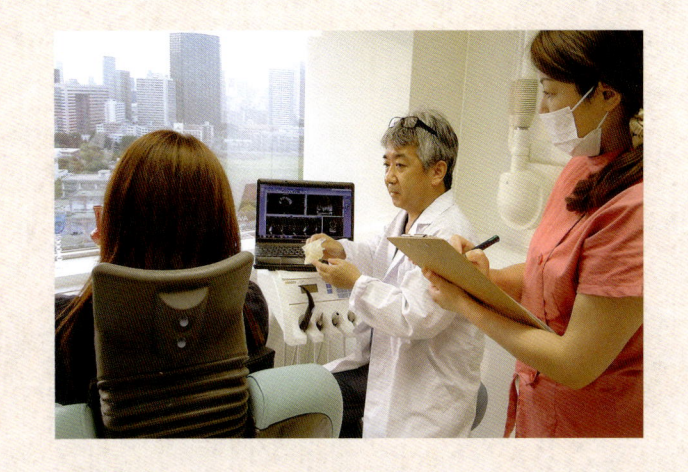

1-1 検査・診断および初期治療

1）検査・診断の重要性

インプラント治療の検査・診断においては、一般的な口腔内所見に加え、デジタルX線に代表される精度の高い検査が必須である。さらに、本章末と次章において詳述するが、CTでの骨幅や骨量の診断は必要不可欠な検査事項である。また、口腔内の状況を把握するための口腔内写真の記録は、歯科衛生士や歯科技工士との情報を共有する意味でも、重要な検査項目の一つである[1]。

▼検査・診断から把握すべき患者さんの概要

患者さんは2008年5月初診の20代女性。|2の違和感と強い審美的回復を主訴に来院した。本書は、この患者さんの症例を通してインプラント治療を解説していく。当該歯・歯冠部は褐色に変色し、パノラマ、デンタルX線写真から、当該歯根根尖部に小指頭大の病変を有し、腫脹と動揺（動揺度2）を呈していた。

また、本症例ではフェイスボウトランスファーによるスタディモデルからの咬合診断や一般的歯周検査から、当該部以外に大きな問題は見当たらなかったが、隣接する1 3が健全歯だったことに加え、中切歯根が短いことなどを考慮した。

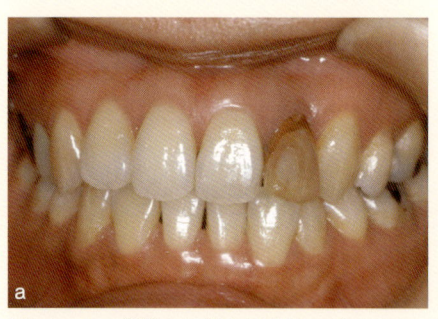

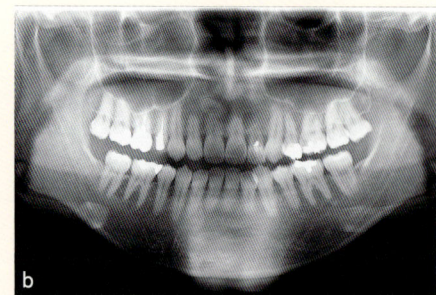

図1-1a、b　術前の口腔内写真およびパノラマX線写真。|2の変色と周囲組織の炎症を認めるものの、他の部位においては大きな問題はない。

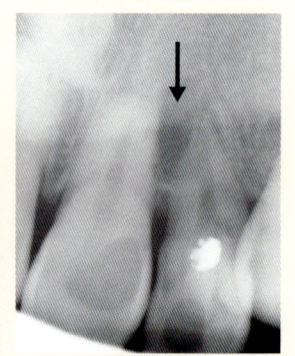

図1-2　同デンタルX線写真。根尖病変を認める（↓）。

▼問診時のポイント

初診時の問診では、患者さんの何気ない仕草やチェアへの座り方、表情、髪形・服装なども観察しながらお話をうかがうことから始める。患者さんは、多くの場合、緊張し、不安な気持ちであることから、チェアに寝かせたままではなく、安心した姿勢で、患者さんと同じ目線に立って行うことが重要である。なお、歯科医師や歯科衛生士・スタッフは清潔感ある服装で、節度ある言葉遣い・態度でなければならない。

口腔内写真撮影に使用した器具

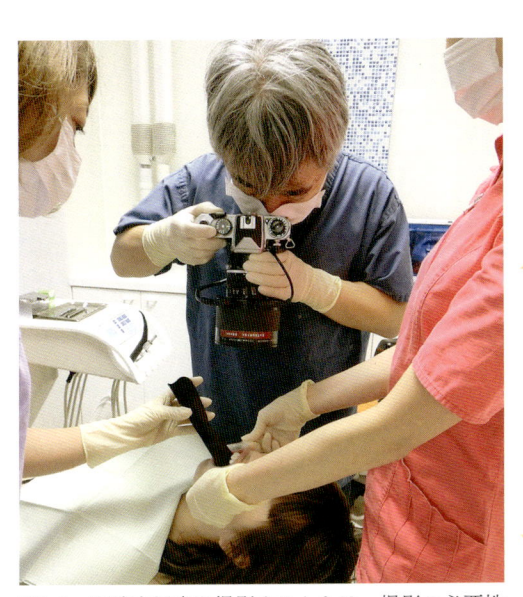

図1-3　口腔内写真を撮影するときは、撮影の必要性を丁寧に説明し、理解してもらったうえで行う。口唇を開いたりコントラスターを使用する際には、痛みや違和感が強いこともあるので、スタッフ相互で撮影練習を行い、患者さんの気持ちを知っておくことは大切な気配りとなる。

図1-4　口腔内写真撮影に用いたカメラおよびレンズ（メディカルニッコール：ニコン社製）*。メディカルニッコールはストロボの光量が一定で、倍率に合わせて絞りが自動に調節できることから、口腔内の規格写真撮影に適している。
＊2008年当時。現在はデジタル1眼レフカメラを使用。
☞23ページにて同種製品紹介

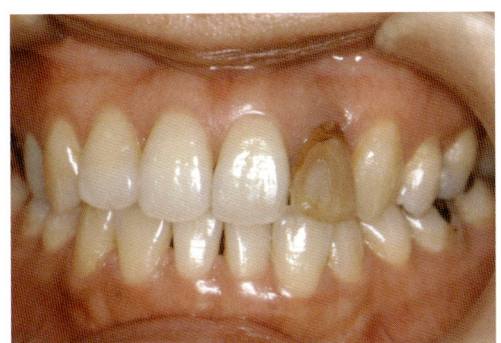

図1-5　術前・術後の比較・検討を行うため、倍率・構図が規格化されたものが望ましい。

図1-6a、b　撮影時に用いたコントラスター(a)および口角鉤(b)（いずれも YDM 社製）。口角鉤やコントラスターを用いて口腔内の状況を都度記録することで、治療の経過を的確に把握し、再確認しながら今後の治療に生かすことができる。

第1章　正しい検査・診断と患者説明

11

X線写真撮影に使用した器具

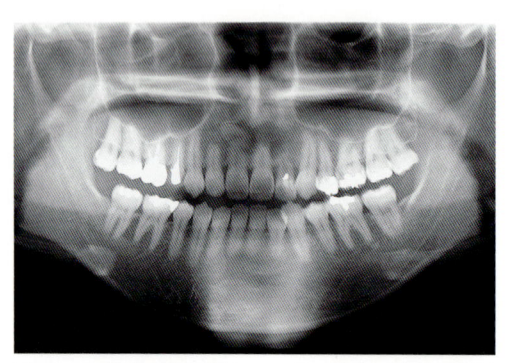

図1-7 口腔内全体に関して、歯・歯列・顎骨の状況を左右差を含めて比較・検査する。特にインプラント治療では、下顎管や上顎洞の位置関係を大まかに把握することは重要である。

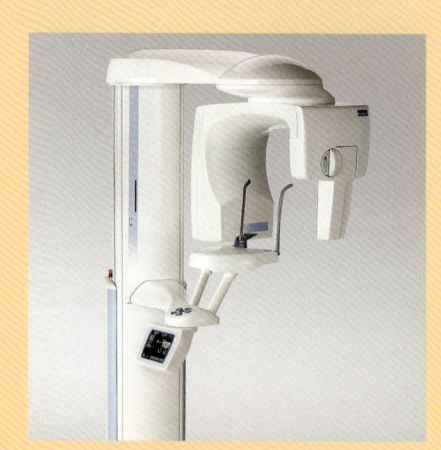

図1-8 使用したデジタルパノラマX線（PLANMECA ProMax；PLANMECA社製／問い合わせ先：PLANMECA JAPAN社）。現在この機種には3Dイメージ画像機能を含むCT撮影可能なものが用意されている。
☞24ページにて同種製品紹介

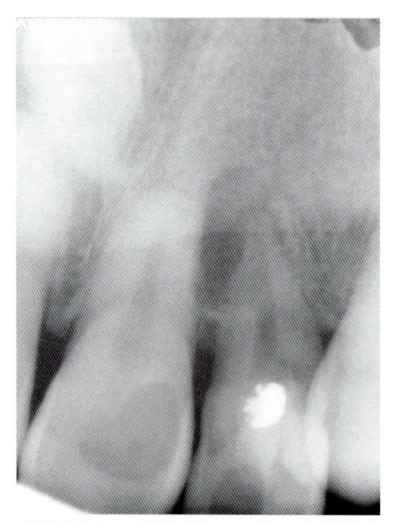

図1-9 当該部位の歯根形態、う蝕の進行範囲や歯髄との関係、根尖病変の大きさ、歯周疾患による骨吸収の状況などを、隣接歯を含めて検査する。

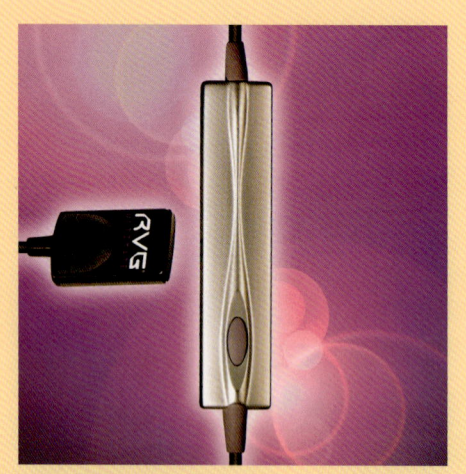

図1-10 使用したデジタル・デンタルX線（コンピュレイ；トロフィー社製／問い合わせ先：ヨシダ社）。従来のデンタルX線に比べ、10分の1の被曝量で、瞬時に画像表示されるだけでなく、適正濃度での診断や距離測定も行える。
☞24ページにて同種製品紹介

2）実際に行った初期治療の手順

当日は、当該歯の審美的回復を図る目的でプロビジョナルクラウンを製作し、同時に消炎を目的とする根管治療を行った。根管治療中においては、全顎にわたる歯への歯周基本治療（歯石・歯垢の除去、口腔衛生指導）も行い、今後の歯科治療における口腔衛生への理解と同意を得た（歯周基本治療およびメインテナンスに用いる器具は第12章にて解説）。

また、当該歯はう蝕が進行しており予知性もないことから、抜歯せざるをえないことは理解していただいた。

咬合診断に使用した器具

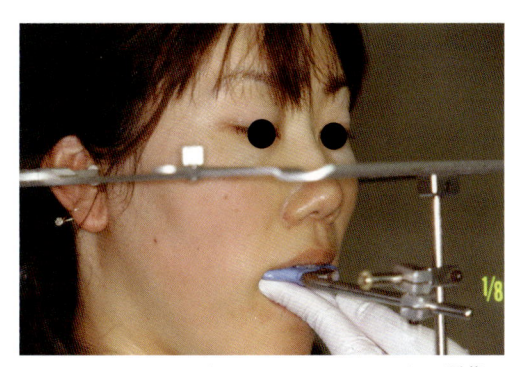

図1-11 フェイスボウトランスファーにより、頭蓋に対する上顎歯列の位置関係を咬合器上に再現することは、生体の下顎運動軸と咬合器の開閉軸を一致させることから、咬合診断の基本といえる。

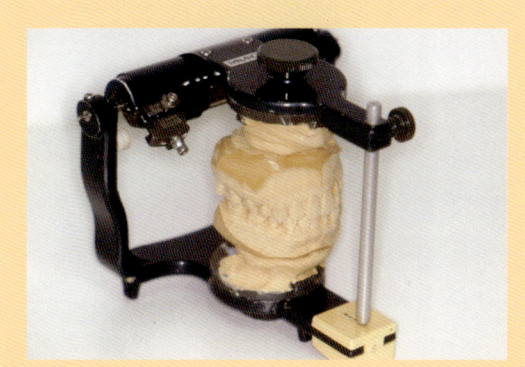

図1-12 咬合関係・歯列の検査のための咬合診断には、フェイスボウトランスファーできる調節性咬合器が有用である[2]（パナホビー咬合器：シオダ社製）。

根管治療／プロビジョナルクラウン製作に使用した器材

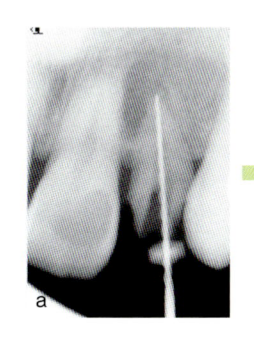

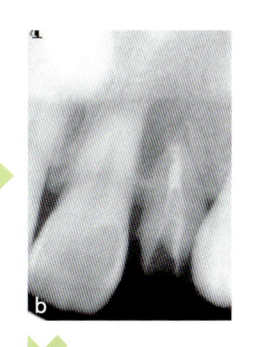

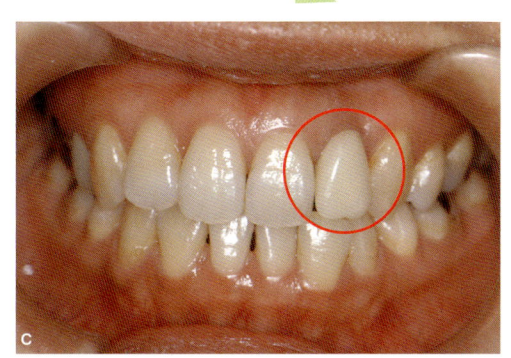

図1-13a〜c 若い女性であり審美的要求も強いことから、応急処置として根管治療を行いプロビジョナルクラウンを装着した。ここまで処置したうえで、今後の治療計画や方針を患者さんと相談する。

図1-14 プロビジョナルクラウンはJM POLY-CROWN（モリタ社製）を使用した。これは、前歯部別にS／M／L／XLの4つの大きさがあることから、審美的要求に応えることができる。

1-2 患者さんへの説明

　当該歯はう蝕の進行や感染のため予後不良と判断し、その後の治療計画を立案することとした。

　歯科医療の日常臨床の現場において、「治療計画書」や「手術説明書」の文書を患者さんに提示し、治療内容や手術方法、治療費や明細について説明を行うといったコンサルテーションは、近年に至るまでなされていなかったように思われる。しかしながら今日、組織再生医療やインプラント治療・審美治療の進歩から、従来では成しえなかった医療が行えるようになった反面、その医療に対する説明責任や義務も強く求められている。

　筆者の医院ではこのような背景から、治療にあたっては綿密な治療計画書を作成・提示し、患者さんの理解を得るようにしている。実際に当院で提示する治療計画書は、大きく以下の3つの項目から構成されている。

項目① 　患者さんの「現在のお口の中の状況」
項目② 　取り入れられるいくつかの治療方法やその説明の「治療における考え方」
項目③ 　治療費と明細を示した「お勧めする治療方法・治療費」

筆者が本症例の患者さんに提示した治療計画書

○○ ○○ さま

治療計画書ご説明

2008年6月2日

項目①

■現在のお口の中の状況　前歯について

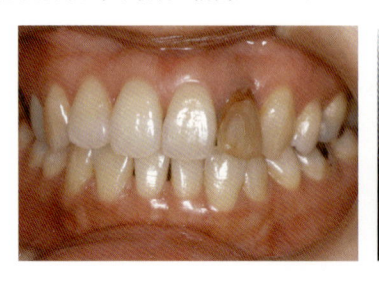

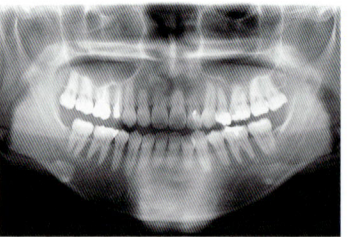

　左上の前歯（側切歯）は、根の中まで虫歯が進行し、周囲の骨を溶かしています。なおかつ「根」の長さが短く、根の治療を行っても、この歯が長く持つ予知性はございません。

　また、下の噛み合う歯の位置が多少前にズレているために、この下の前歯も多少の噛み合わせの調整が必要と思われます。

> 行う治療方法などに関して患者さん自身で状況を確認できるように、口腔内写真やX線を添付している。

> 口腔内に根管治療や修復・補綴が施されている場合でも、これらを細かく記載することで、当該部の現状をわかりやすく端的に伝えるよう心がけている。

ポイント　治療が広範囲にわたり、内容が複雑な場合は、文章だけでは説明が難しい部分も多い。その時は、患者さんへの説明時に手書き絵や図にて補足している。
本症例は根尖病変を有する|2以外には特に大きな問題がなかったことから、当該歯の現状と抜歯への理解について記述するにとどめている。

項目②

■治療における考え方

　従来、失った歯に対する治療方法には大きく3つの方法があります。取り外し式の「部分入れ歯法」、両隣の歯を支えにしてつなぐ「ブリッジ法」、そして、人工の根から入れて治す「インプラント法」です。

　部分入れ歯法ではハリガネやプラスチックの違和感が強く、また安定しづらいのでしっかり噛むことができません。

　ブリッジ法では健康な歯や支えとなる歯を削ったり、失った歯の噛み合わせも残った歯で負担するため、負担過重となることが問題です。

　○○さまの場合は、部分入れ歯法やブリッジ法では、残っている健康な歯の犠牲が大きく、満足していただくには非常に難しい状況です。

　インプラント法にも「手術」という負担があり、健康保険適応外の診療となるため、ご理解が必要です。また、全体的な状況、周囲の骨質・骨量から、咬合再構成治療(噛み合わせの治療)にインプラント法の適応が大変有効な方法です。

　しかし、取り入れた治療方法において、すべてが最良の結果に導かれるものではないこともご理解ください。

　なお、外科手術には万全を期して行いますが、治癒の経過・審美性の結果には個人差がある旨はご理解ください。

―インプラント治療について―

　一般的なインプラント治療では、抜歯後、骨や周囲の歯肉の治癒を待ち、その後インプラントを埋入し、その3ヵ月後に義歯を作っていく方法が勧められています。(手術においては、ご希望があれば、麻酔科医による全身管理のもと無痛的治療も可能です)

　○○さまの場合、歯の根の先の骨が溶けているため、その治療も行い、骨を溶かしている原因を除去し、その後、周囲の歯肉を増やすため(インプラント手術で歯肉が痩せるために前もって増やしておくためです)に矯正治療を行うことが必要です。

　また、多少の骨移植が必要となり、下顎の一部から少量の骨を採取して行います。

「治療における考え方」は、筆者が示す「治療計画書」の中では一番重要な項目である。この箇所で当該治療に対していくつかの方法を提示し、それぞれの利点・欠点を説明することで、選択する治療方法についての患者さんの納得・協力を得たいという意図がある。

本症例の場合は、|2を抜歯せざるをえない場合、ブリッジ法では隣接する健全な1|3を削合することや、矯正治療やインプラント治療では健康保険適応外での診療になることに加え、骨移植やインプラント埋入のような外科処置が必要となる旨を提示した。また、「いずれの治療法を用いたとしても、すべて最良の結果が得られるわけではない」旨を記述することが必要である。

外科処置や審美性の獲得についても、その仕上がりには個人差があることも含め患者に理解してほしいとの考えを伝えている。

第1章　正しい検査・診断と患者説明

ポイント　この治療計画書での説明に理解をしてもらってから、CT撮影や咬合診断や矯正治療でセットアップ模型の製作などを行い、再度、細かな治療方法を説明している。

項目③

■お勧めする治療方法・治療費

▼左上側切歯へのインプラント治療
- インプラント1本：40万円（オールセラミックスの場合：45万円）
  ＊手術費、CT撮影費、材料費、セラミックス製作費など、すべて含む
- 静脈内鎮静法：7万円（麻酔科医にお支払いいただく費用です）
  ＊ほぼ無痛治療です。直接、痛み止めや化膿止めも静脈から入れることができるため、治療後の痛みも腫れもほぼない方法です。
- 矯正治療：10万円（インプラント手術で歯肉が痩せるために前もって増やしておくための処置です）
- 骨移植：1箇所につき10万円（下顎の一部から少量の骨を採取して行います）
  ＊場合によっては「歯肉の移植」を行う必要があることもございます（この場合には別途5万円が必要となります）

▼総合計67万円（消費税別途）

▼期間は4ヵ月程度。手術以外であれば20日に1回程度の通院となります。

＊なお、当院はインプラント治療での教育機関に指定され、若い歯科医師やこれからインプラント治療を始めようとする先生方への見学や講義も行っています。

　最後に、治療、手術にあたっては、歯科医師・小川勝久／井上匠人、麻酔科医・南波香織、矯正専門医・山田幸治、歯科衛生士・簑口頼子／平野伊美／印南裕加、助手・斉藤亜祈子、歯科技工士・浅見晃朗らが万全の体制にて治療にあたりますが、万が一何らかの問題が生じた場合には真摯に対応することをお約束いたします。

　　　　　　　　　　　　　　　　　医療法人社団清貴会　小川歯科
　　　　　　　　　　　　　　　　　　天王洲インプラントセンター
　　　　　　　　　　　　　　　　　　　　　歯学博士　小川勝久

「お勧めする治療方法・治療費」では、いくつかの異なった方法を提示したのちに、歯科医院側が患者さんに勧める治療法を簡単にまとめ、治療費も含めて記述している。

治療計画書が単なる治療費の記載にならないように、個々の治療内容の金額に明細を記入するように心がけている。また、本症例のように、歯肉の移植やオールセラミックスに変更などの治療の付加的オプションによっては、治療費の増額・減額なども設けている。治療途中から治療費を増額することは、患者の不安や不信をまねく恐れもあるので、選択した治療に対する費用の総額については明確に記載しておくべきであろう。

「最後に、治療、手術にあたっては…」の部分では、担当する医師や介助者の名前・役割を記載する。また、「何らかの問題が生じた場合には真摯に対応することをお約束いたします」の一文を加え、患者さんに対する責任を明記することで、安心してもらえるように心がけている。

ポイント

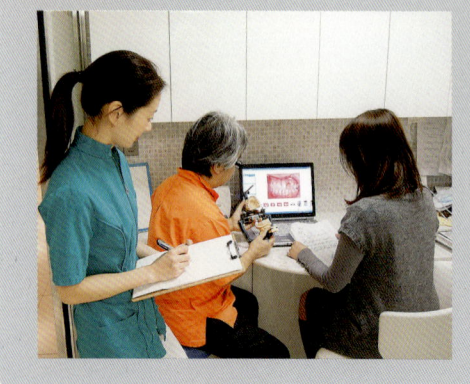

　治療計画書の説明を行う場所は、チェアサイドではなく、他の患者さんの視線が気にならず、落ち着いて患者さんと同じ目線で話ができ、模型やX線写真などの資料が提示できる場所が望ましい。さらに筆者の医院では、スタッフに同席させ、患者さんの質問やその返答を、メモとして治療計画書の控えに記録・記載している。

　なお、筆者の医院では数年前から、インプラント治療や矯正治療においてはすべての患者さんに上記のような治療計画書を提示していたが、同意の確認となる署名・サインはもらっていなかった。しかしながら、術後になって治療内容や治療費に関するトラブルも起こったことから、現在では、「治療計画の説明を受けた」あるいは「治療計画の内容を理解した」との意味合いで、**治療計画書に署名・サイン**をしてもらっている。なお、印鑑などによる捺印は要求していない。

▼ 知っておこう！ ブリッジにするか、インプラントにするかの判断基準

　審美領域の欠損補綴の選択において、一般的なブリッジ治療では、エナメル質の40〜75％に及ぶ切削が必要とされ、歯髄への損傷や治療が必要となる懸念に加え、失った歯の咬合を負担せざるをえない（図1-15）。本症例では接着性ブリッジでの治療方法もあわせて検討したが、当該歯の抜歯後の状況では周囲硬・軟組織の吸収が予測され、歯周組織の改善を含めての審美的回復は望めないこととなる[3]。

　また、ブリッジ治療に比べ単独インプラント治療の予知性や長期生存率が高いことに加え、失った骨や軟組織はブリッジ治療では補えないことから、近年ではインプラント治療が推奨されることも少なくない（表1-1、1-2）[4]。しかしながら、一方で一般的に上顎前歯部の唇側骨は非常に薄く（図1-16）、感染や外科的侵襲により大きく吸収することから[24,25]、インプラント埋入にあたっては埋入位置や方向が大きく制限されることになる[26〜28]。その結果、審美的要素を満足させるためには、骨移植や軟組織移植といった難度の高い付加的手術を要求されることとなり[29]、さらに、顔貌や口唇との関係、喫煙、患者の審美的要求度を含めて、十分に患者・術者（歯科医師）の双方が理解しておくことも重要となる。本症例ではこのような状況に加え、健全な両隣接歯を犠牲にしたくないという患者の要望を踏まえ、抜歯後に吸収する当該周囲硬・軟組織を少しでも補償するため、矯正的挺出の必要性も検討に加えた。そして、硬・軟組織の移植も含めたインプラント治療を選択肢の一つとして提示した。

　なお、日本補綴歯科学会は、「歯の欠損の補綴診療ガイドライン」の中で、"1歯中間歯欠損においてインプラント治療はブリッジよりも有効であるか？"とのクリニカルクエスチョン（臨床的疑問）の回答として、隣接歯の削合からの保全や負担荷重の軽減という、いくつかの利点は認めるものの、1歯中間歯欠損の治療においてインプラントがブリッジより有効であるというエビデンスは存在しないとしている[30]。さらに、後述する接着性ブリッジの近年の臨床的報告を含めると、2021年時点においても、インプラント治療が前歯部欠損補綴において第一選択肢であると結論づけるのには慎重でいたい。

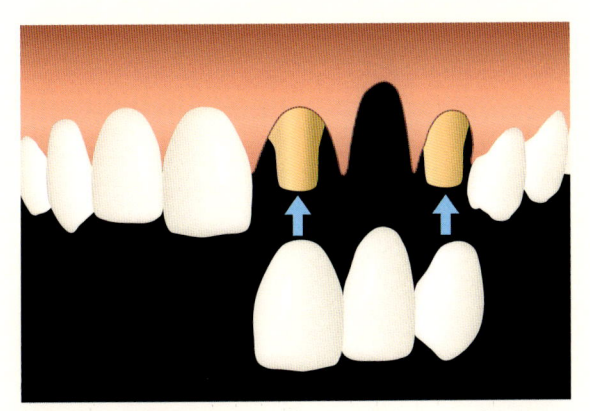

図1-15　本症例でブリッジを適応した場合、アンダーカットの除去の必要性から多くのエナメル質を削合しなければならない。また、陥凹した歯周組織の審美性の確保も限界がある。

表1-1　失敗分析研究にみるブリッジの寿命（文献4より引用・改変）

著者	発表年	ブリッジの寿命（年）
Schwartz ら[5]	1970	11.2
Walton ら[6]	1986	7.7
Foster[7]	1990	6.2
森田ら[8]	1995	8
黒田ら[9]	1995	9.2

失敗研究のデータは補綴部の機能期間のある一面を表しているが、調査の時点で何の問題もなく機能している補綴装置は評価されていないため、これらの寿命は真の補綴装置の寿命を過小評価している側面がある。

第1章　正しい検査・診断と患者説明

表1-2 失敗分析研究にみるブリッジの寿命（文献4より引用・改変）

補綴方法	著者	発表年	生存率（%） 5年後	10年後	15年後
ブリッジ	Valderhaug[10]	1991	96	88	68
	Kerschbaum ら[11]	1991	95		64
	Creugers ら[12]	1994	96	90	74
	Leempoel ら[13]	1995	98	92	
	Scurria ら[14]	1998	93	87	69
	Aquilino ら[15]	2001	97	92	
	Näpänkangas ら[16]	2002		84	64
	Walton[17]	2002	96	87	85
インプラント	Scheller ら[18]	1998	96		
	Scholander[19]	1999		98	
	Sullivan[20]	2003		96*	
	Salinas ら[21]	2007	95		
	Misch ら[22]	2008		98	
	Jemt[23]	2008			95

＊前歯部であってもこの成績が得られる。
ブリッジの生存率は5年後では約95％にも及ぶものの、10年後では90％を下回り、15年後では、その30％以上が機能しなくなると考えられる。

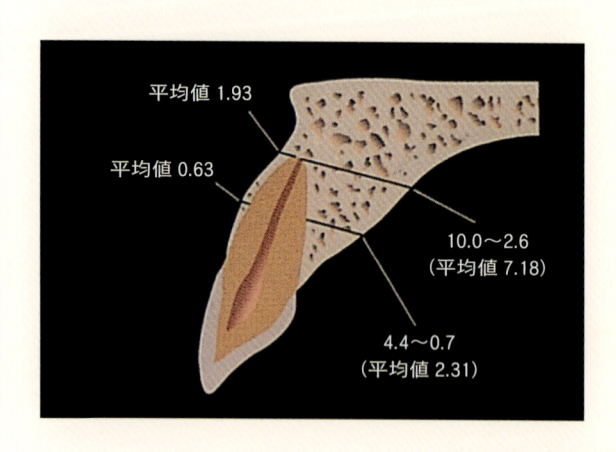

図1-16 硬・軟組織移植を併用したインプラント治療の術前・術後の周囲骨幅。唇側は0.63mmと薄いことから、感染や炎症によって容易に吸収されやすい（文献24より引用・改変）。

平均値 1.93
平均値 0.63
10.0〜2.6（平均値 7.18）
4.4〜0.7（平均値 2.31）

当時の治療を振り返って
今ならこうする！こうも使える！
歯科用コーンビーム CT の活用

　本症例の検査・診断を行った2008年当時、筆者の医院に CT はなかったが、2011年3月から歯科用コーンビーム CT を導入している。現在であれば、患者さんの承諾を得た後ただちに CT 撮影を行い、チェアサイドでも当該周囲の骨形態や骨量の状況、隣接歯との関係、インプラントを選択した場合の骨量との関係も含めて、患者さんにわかりやすく説明することになる。

　次章以降で詳述するが、現在、日本国内で発売されている歯科用 CT の多くは、従来の断層画像だけでなく、3D 画像や骨密度の表示、距離の計測機能、さらにはアーチファクトの除去も簡単に行えることから、鮮明でリアルな画像が得られる。また、インプラント埋入のシミュレーションソフトが組み込まれていることから、適応するインプラント形態や埋入位置・本数も含めて的確に治療計画を検討できるようになっている。

　図1-17は、CT 導入後に来院した、本症例と似た条件を有した症例である。患者さんは30代女性で、4年前に外傷にて|2を失い、その後、接着性義歯にて応急処置を施されていた。初診時当日・問診後に患者さんの承諾を得て CT 撮影を行い、欠損している当該周囲骨や隣接する歯根との関係も含めて現状を説明し、治療方針を決定した。

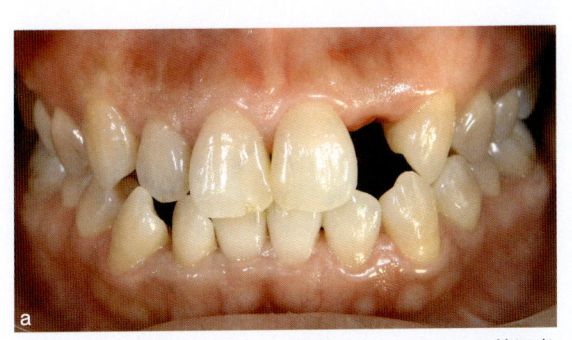

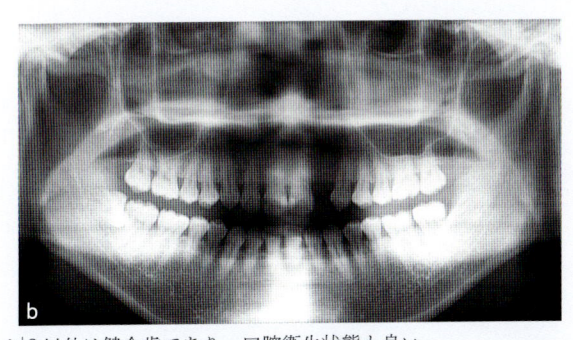

図1-17a、b 初診時の口腔内の状況およびパノラマX線写真。失った|2以外は健全歯であり、口腔衛生状態も良い。

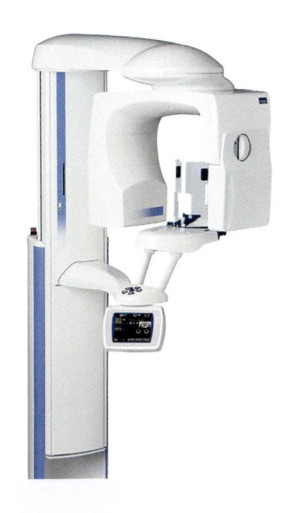

図1-18 筆者が導入した ProMax 3D Max(PLANMECA JAPAN 社製)。従来の X 線装置の大きさでパノラマ撮影と低被曝で鮮明な3D 画像（CT 画像）を得ることができる X 線撮影装置である。パノラマ撮影では一度の撮影で異なる焦点画からもっとも最適な画像が再構成され、豊富な画像処理機構でより正確な診断が行える。さらにフラットパネルディテクタと3D 再構成アルゴリズムからなる高解像度画像が得られるコーンビーム CT を併せ持っている。インプラント治療においては多くのメーカーのインプラント形状で埋入シミュレーションが行える機能が備わっている。

第1章　正しい検査・診断と患者説明

19

CT画像と3D画像は、従来のパノラマX線の画像に比べて当該骨量・骨形態がより正確に診断できるだけでなく、口腔内のクラウンやコアなどからのアーチファクトの除去やHU（ハンスフィールドユニット値）を含めた骨質の目安も瞬時に表示される。これは、患者さんにとっても自身の状況を確認しやすい画像であり、治療に対する判断力の向上や、より深い理解につながる。

　また、インプラント埋入シミュレーション機能を用いるときは、骨量（骨幅・骨形態）、神経管・上顎洞などの解剖学的問題点を確認しながら、埋入するインプラントの位置や方向を検討し、インプラントの直径や長さもそのつど、瞬時に変更しながら選択・修正することができる。

　CTを完備するためには経済的問題も考慮しなければならないが、インプラント治療だけでなく、根管治療や歯周病の診断、下顎埋伏智歯のような下顎管と近接した状況の把握にも非常に有効なツールであることは間違いない。現在、CT撮影が一部、健康保険にも取り入れられたことから、今後、多くの歯科医院が日常臨床にCT検査を取り入れ、歯科診療全体の質が向上することを筆者は期待している。

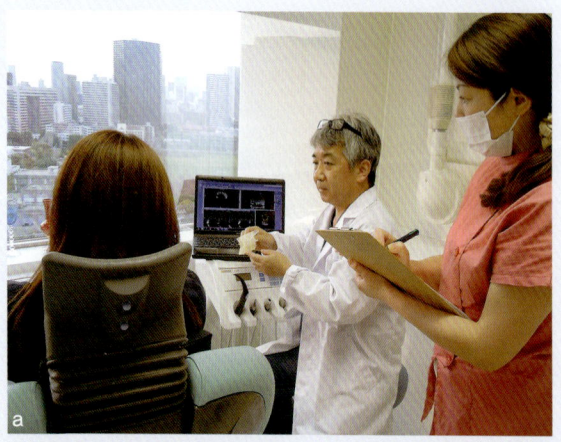

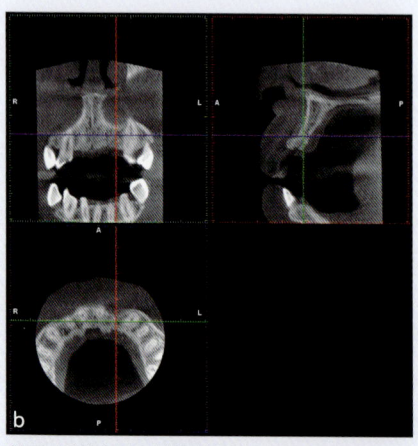

図1-19a、b チェアサイドでもCT画像にて欠損部の状況や骨形態の提示、骨幅などの計測が行えるため、患者さんの理解も深まることが多い。

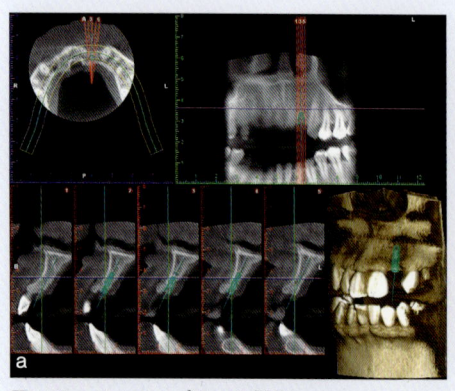

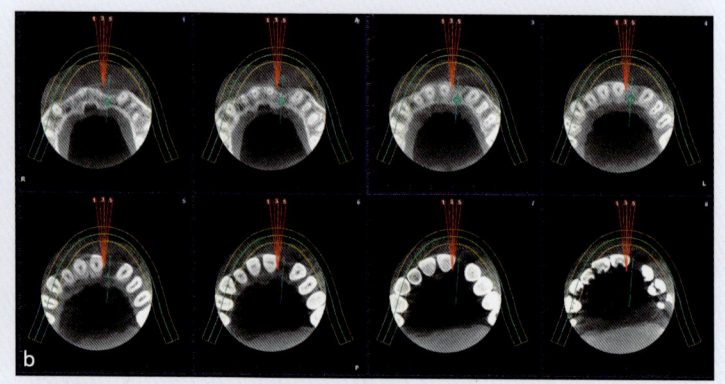

図1-20a、b インプラント埋入シミュレーションでは、多数のインプラントシステムの表示を行うことができ、骨幅や状況に合わせたリアルな表示を瞬時に出すことができるため、患者・術者双方にとって非常に有効である。

口腔内スキャナを用いた診断とカウンセリング

　当院では、従来患者さんへの治療説明は、手鏡やX線を用いてきた。それに加え、口腔内写真や口腔内模型を提示し理解を得てきた。近年、口腔内スキャナ(Intra Oral Scanner；IOS)の進歩・普及から、初診時や術前にIOSを用いることで、口腔内や当該歯の状況を一方向の状況や画像ではなく、あらゆる方向から咬合関係も含め詳細に診ることができるようになっている。

　筆者の用いているIOSは「iTero エレメント 5D（インビザライン・ジャパン社）」で、矯正治療では術前から術後のある程度のシミュレーションや、その3Dデータからクラウン・ブリッジの印象・補綴装置の製作のみならず、インプラント治療においてもスキャンボディと呼ばれる光学印象用パーツを用いて、上部構造を作製できるシステムである。

　あわせて、口腔内カメラと顕微鏡機能を兼ね備えた、ネクストビジョン（ヨシダ社）を使用し、口腔内や当該歯の状況を4K画像（最大80倍）の鮮明な画像や動画で詳細に説明できる。患者さんの理解を得るのにも非常に有効であり、カウンセリングにも活用している。

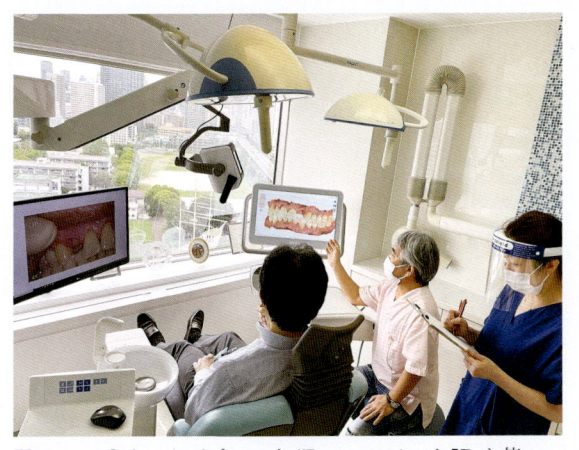

図1-21a　ネクストビジョンとiTero エレメント5Dを使い、患者さんに口腔内の状況を説明。

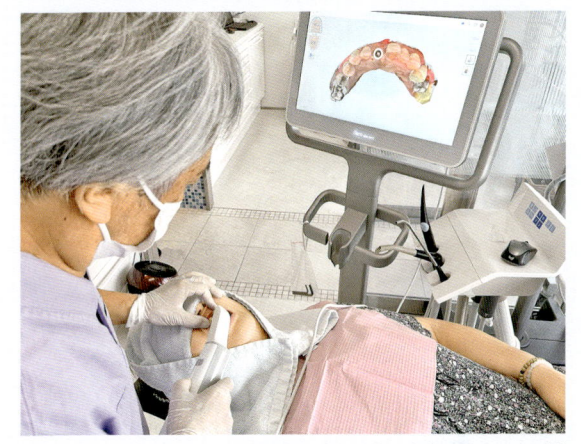

図1-21b　iTero エレメント5Dを用いた口腔内スキャンの様子。

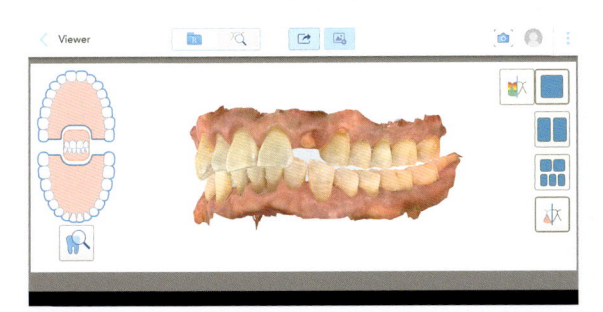

図1-21c　口腔内の状況を口腔内カラー写真および近赤外光画像にて多方向から確認できる。

図1-21d　残根の状況・噛み合わせなどもあわせて説明しやすい。

本章のまとめ

治療法の選択にあたっては、検査・診断により患者さんの現状を十分に把握したうえで、インプラント治療およびそれ以外のブリッジ治療などの利点と欠点、取り入れた術式や治療方法での限界、外科手術のリスクなどをより詳しく説明し、患者さんの希望や要求に応えなければならない。

そのためにも治療計画書の提示は必須であるが、的確でわかりやすい計画書を作成するためには、患者さんの状況を正しく診断し、幅広い知識のもとに治療方法を検討できる力が求められる。繰り返しになるが、状況や症状に対し、歯科医師が最適だと考える術式に関して理解や同意・納得を得て、治療に協力してもらうことが患者さんとの信頼関係維持につながり、治療を成功へ導くと考える。

参考文献

1. 貞光謙一郎．デジタルカメラによる口腔内撮影術（1）．口腔内カメラの必要性―資料採得と患者とのコミュニケーション．DENTAL DIAMOND 2009；34(1)：66-71.
2. 阿部晴彦．咬合器に対する考察（第1回）．咬合器の器種と選択．QDT 2008；33(10)：52-64.
3. 日本歯科補綴学会（編）．接着ブリッジのガイドライン．日本歯科補綴学会雑誌 2007；51(2)：435-484.
4. 矢谷博文．補綴装置失敗のリスクファクターに関する文献的レビュー．日本歯科補綴学会雑誌 2007；51(2)：206-221.
5. Schwartz NL, Whitsett LD, Berry TG, Stewart JL. Unserviceable crowns and fixed partial dentures : life-span and causes for loss of serviceability. J Am Dent Assoc 1970；81(6)：1395-1401.
6. Walton JN, Gardner FM, Agar JR. A survey of crown and fixed partial denture failures : length of service and reasons for replacement. J Prosthet Dent 1986；56(4)：416-421.
7. Foster LV. Failed conventional bridge work from general dental practice : clinical aspects and treatment needs of 142 cases. Br Dent J 1990；168(5)：199-201.
8. 森田 学，石村 均，石川 昭，小泉和浩，渡邊達夫．歯科修復物の使用年数に関する疫学調査．口腔衛生学会雑誌 1995；45(5)：788-793.
9. 黒田百樹，荒川 明，松本信彦，宮地建夫．歯冠修復物の耐用年数・上．補綴臨床 1995；28(3)：415-426.
10. Valderhaug J. A 15-year clinical evaluation of fixed prosthodontics. Acta Odontol Scand 1991；49(1)：35-40.
11. Kerschbaum T, Paszyna C, Klapp S, Meyer G. Failure-time and risk analysis of fixed partial dentures. Dtsch Zahnarztl Z 1991；46(1)：20-24.
12. Creugers NH, Käyser AF, van't Hof MA. A meta-analysis of durability data on conventional fixed bridges. Community Dent Oral Epidemiol 1994；22(6)：448-452.
13. Leempoel PJ, Käyser AF, Van Rossum GM, De Haan AF. The survival rate of bridges. A study of 1674 bridges in 40 Dutch general practices. J Oral Rehabil 1995；22(5)：327-330.
14. Scurria MS, Bader JD, Shugars DA. Meta-analysis of fixed partial denture survival : prostheses and abutments. J Prosthet Dent 1998；79(4)：459-464.
15. Aquilino SA, Shugars DA, Bader JD, White BA. Ten-year survival rates of teeth adjacent to treated and untreated posterior bounded edentulous spaces. J Prosthet Dent 2001；85(5)：455-460.
16. Näpänkangas R, Salonen-Kemppi MA, Raustia AM. Longevity of fixed metal ceramic bridge prostheses : a clinical follow-up study. J Oral Rehabil 2002；29(2)：140-145.
17. Walton TR. An up to 15-year longitudinal study of 515 metal-ceramic FPDs : Part 1. Outcome. Int J Prosthodont 2002；15(5)：439-445.
18. Scheller H, Urgell JP, Kultje C, Klineberg I, Goldberg PV, Stevenson-Moore P, Alonso JM, Schaller M, Corria RM, Engquist B, Toreskog S, Kastenbaum F, Smith CR. A 5-year multicenter study on implant-supported single crown restorations. Int J Oral Maxillofac Implants 1998；13(2)：212-218.
19. Scholander S. A retrospective evaluation of 259 singletooth replacements by the use of Brånemark implants. Int J Prosthodont 1999；12(6)：483-491.
20. Sullivan DY. Anterior single-tooth dental implant resto-rations : now is the perfect time to recall significant contributions. J Esthet Restor Dent 2003；15(5)：305-312.
21. Salinas TJ, Eckert SE. In patients requiring single-tooth replacement, what are the outcomes of implant- as compared to tooth-supported restorations? Int J Oral Maxillofac Implants 2007；22 Suppl：71-95.
22. Misch CE, Misch-Dietsh F, Silc J, Barboza E, Cianciola LJ, Kazor C. Posterior implant single-tooth replacement and status of adjacent teeth during a 10-year period：a retrospective report. J Periodontol 2008；79(12)：2378-2382.
23. Jemt T. Single implants in the anterior maxilla after 15 years of follow-up：comparison with central implants in the edentulous maxilla. Int J Prosthodont 2008；21(5)：400-408.
24. 上条雍彦．口腔解剖学 第1巻．アナトーム社；1975.
25. Araújo MG, Lindhe J. Dimensional ridge alterations following tooth extraction. An experimental study in the dog. J Clin Periodontol 2005；32(2)：212-218.
26. 船登彰芳．抜歯およびインプラント埋入時期．抜歯後即時 埋入を中心に．別冊 Quintessence Dental Implantology．インプラントの近未来を探る．OJ 3rd ミーティング抄録集．2005；18-27.
27. Saadoum AP, Le Gall MG. Periodontal implications in implant teartment planning for aesthetic results. Pract Periodontics Aesthet Dent 1998；10(5)：655-664.
28. Grunder U, Gracis S, Capelli M. Influence of the 3-D bone? to-implant relationship on esthetics. Int J Periodontics Restorative Dent 2005；25(2)：113-119.
29. Friberg B. Bone augmentation at single-tooth implants using mandibular grafts：A one-stage surgical procedure. Int J Periodont Rest Dent 1995；15(5)：437-445.
30. 公益社団法人日本補綴歯科学会．歯の欠損の補綴歯科診療ガイドライン 2008.

第1章 紹介器具・器材の関連製品／同種製品

カメラ

本格一眼レフ・デジタルカメラシステム Professional Spec（キヤノン EOS 7D 仕様 1800万画素）（取り扱い：ソニックテクノ社）。近年のデジタルカメラは機能性の進化により、撮影して即座に「見る・見せる・記録する」などができる利便性を持ち合わせている。ソニックテクノ社が取り扱うカメラは、そのうえで、臨床写真に必要な規格倍率撮影ができるだけでなく、発光量を安定化したフラッシュシステムと光量で理想的な被写界深度を得て、口腔内を撮影しやすいようにワーキングディスタンスが調整されている。

デンタルミラー

ウルトラブライトデンタルミラー（doctorseyes社製／問い合わせ先：デンタルテクニカ社）。オートクレーブ可能で保持しやすいシリコン製のグリップ付。反射率が100%に近く、そのため色調再現性にすぐれ厳密な口腔内写真が撮影できる。

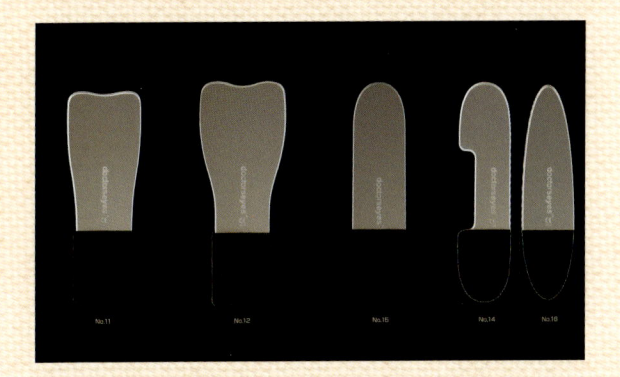

口腔内スキャナ

iTero エレメント5D（問い合わせ先：インビザライン・ジャパン社）。口腔内スキャナとして初めて近赤外光画像技術を搭載し、歯の内部構造をリアルタイムでスキャンできる。従来の3Dデジタル印象に加え、近赤外光画像技術および口腔内カラー写真を同時に記録できるハイブリッドな性能を有する。

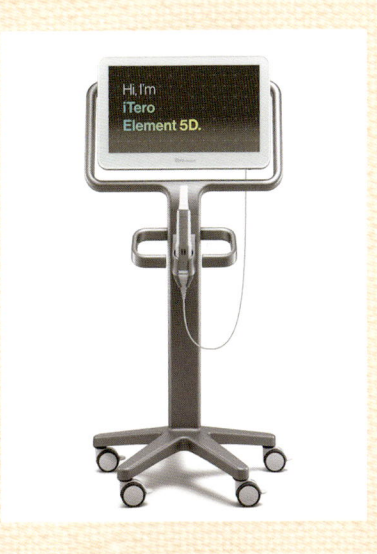

第1章　正しい検査・診断と患者説明

デジタル X 線

プロセンサ ロキシメス（問い合わせ先：ジーシー社）。薄型で角が丸く挿入しやすいセンサーと細いケーブルから患者さんへの負担が少ない撮影が可能であることに加え、レベル補正・拡大・距離計測など多彩な診断機能をもつソフトウェアを完備している。

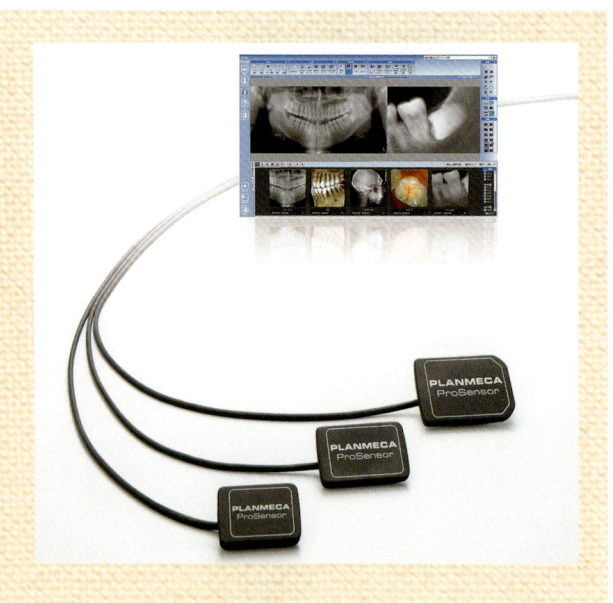

デジタル X 線

メガディクセル（問い合わせ先：モリタ社）。高解像度 CCD センサー（150万画素 20lp/mm）＋ 高階調（14bit 16,384階調）で高精細画像をリアルタイムに表示できる。また、X線照射線量をD感度フィルムの6分の1に低減しているが、高品位な画像を得ることができる。さらに、壁掛けステーションを採用しているため、装置本体のみを容易に取り外すことができ、往診などの用途にも対応可能。

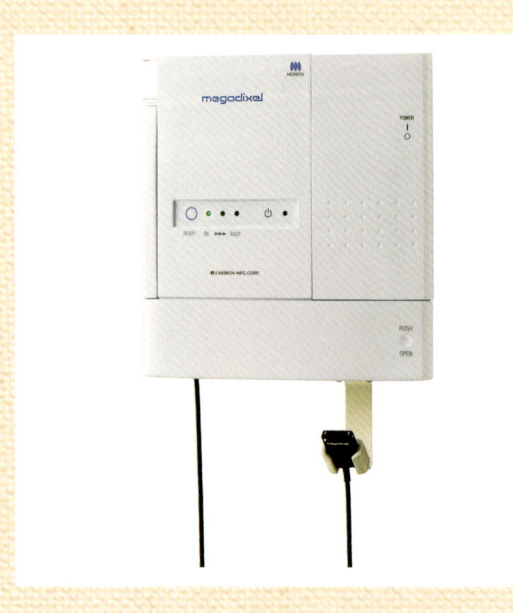

第1章　正しい検査・診断と患者説明

第2章

治療計画立案後に行った矯正的挺出とCT画像診断

1 矯正的挺出の応用
2 CT画像診断

　本章では、矯正的挺出とCT画像診断について解説する。抜歯後の周囲硬・軟組織の吸収を少しでも補償するための手段として矯正的挺出は非常に有効である。また、CT撮影による当該骨量の三次元診断は、インプラント治療を安全かつ的確に行うために必要不可欠なものになっている。

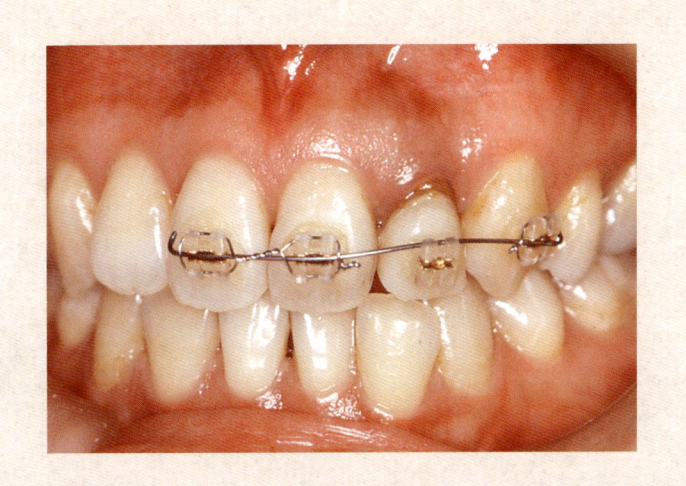

2-1 矯正的挺出の応用

　当該歯(2)の治療計画書を提示して、患者説明を行った。患者さんの大まかな理解が得られたのち、抜歯後の周囲硬・軟組織の吸収を少しでも補償するため消炎後に矯正的挺出を行って、抜歯を目的とした治療を進めていくこととした。

　なお、抜歯のための矯正的挺出においては患者さんの審美的要求が強かったため、目立たない範囲の設定および目立たないブラケットの選択を行った。

▼矯正的挺出について知っておくべきこと

　患歯の位置異常や歯頸部の不揃いから起こる審美性の改善に応用する矯正治療とは異なり、将来のインプラント埋入に先立ち行う「矯正的挺出（orthodontic extrusion）」は、Salamaら[1]によって1993年に提唱された。これは、抜歯前の歯周組織に配慮した手法として知られている。

　当該歯を牽引することによって周囲骨や軟組織を温存し、歯根膜由来の周囲支持骨や軟組織を三次元的に増大できることが報告されている[1〜3]。抜歯にともなう骨の吸収や喪失を補うだけでなく、あらかじめ周囲歯肉の量を増やし連続性を付与できることから、有益なテクニックであるといえる。

　しかしながら、上顎前歯部のような審美領域では、矯正的挺出の結果は周囲の骨および歯肉のバイオタイプに大きく左右される。また、ブラケットとワイヤーを使った挺出では、唇舌的な傾斜移動となりやすく、矯正移動にともなう骨の吸収量および添加量を考えると、円錐形の歯根を挺出した場合、根形態に沿って骨の変化が起こることから、唇側骨の骨量は相対的に減少するというリスクも考えられる。

　こうした点から、日本人女性に多く見られる薄い唇側骨や軟組織では、矯正的挺出を単独で応用しても唇側骨の温存や増大は期待できない場合があるため、骨移植や結合組織などの付加的手術を想定しておくことも大切である[4]。

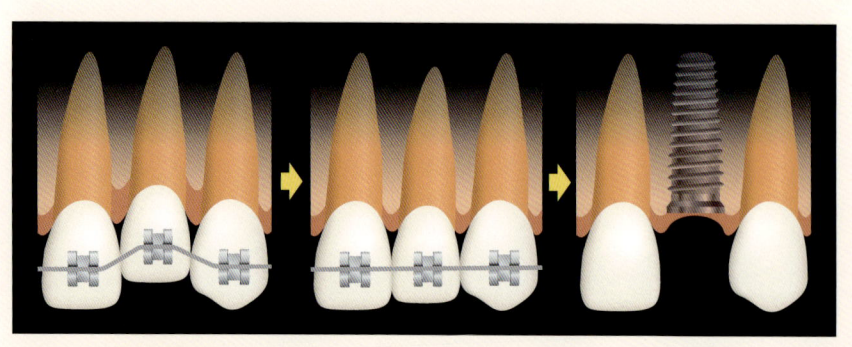

図2-1　矯正的挺出の仕組み。経験の浅い術者の場合は、垂直的に引っ張るほうが唇側骨にダメージがない。安易にアーチフォームの形状記憶ワイヤーを用いると、当該歯が唇側に振れてしまう懸念がある。

> **ポイント**　患者さんにとって、「抜歯」となる歯に対する矯正的挺出の適応は、費用が加算されることに加え、見た目の違和感からなかなか納得されないことも多い。筆者は、シェーマや骨模型、実際の治療例を含めてわかりやすく説明しているが、「歯肉の後退」を防ぐために必要不可欠な方法と位置づけて、熱意を込めて患者さんに語り、理解を得ている。

歯周病や抜歯、感染などによって骨が吸収し、それにともなって軟組織の吸収や喪失が起こる。歯が喪失すると周辺の歯槽骨は病理学的に吸収する。有歯の状態と比べ半分ほどに吸収することもあり、義歯の加圧下ではさらに吸収が進行するといわれている。前述したように、上顎前歯部の唇側骨は歯根膜由来の薄い層板骨（0.4～0.6mm）であり、感染や抜歯時の外科的侵襲から大きな吸収を起こす。そのため、吸収した周囲組織は歯間乳頭の喪失を含め、補綴装置との調和も妨げられることになる。

　したがって、インプラント治療においても、硬・軟組織の吸収や喪失は適切な位置や方向への埋入の妨げになり、結果的に難度の高い骨や歯肉の移植・造成術を強いられることになる。このような背景から、抜歯予定歯をあらかじめ矯正的技法を用いて牽引し、歯根膜由来の薄い層板骨や軟組織を温存することを目的とした、矯正的挺出が有効とされている。

　矯正的挺出の大きな欠点は、移動に2～3ヵ月前後、その後の骨の成熟に3ヵ月前後を擁する「矯正期間」である。矯正期間が6ヵ月前後にも及ぶため、この6ヵ月間は一般的な骨移植の治療期間と同じであるとも言える。ましてやその後の抜歯を含めると矯正的挺出の意味がないと考える向きもあるかもしれない。しかし、骨移植や歯肉移植は外科的侵襲も含め、手技の難しさや術者の技量、経験に左右される。このことから、比較的簡便に骨の温存や抜歯後の歯肉の吸収を抑えることができる矯正的挺出は有意義な術式と考えられる。

　さらに、筆者も含め術者は、患部の状況を見極め、患者さんの要望を踏まえ、理解および了承を得たうえで治療を行わなければならない。したがって、いくつかの治療法の中から、患者さんの要望や外科的負担も軽減できる術式の提示および実践が求められることから、矯正的挺出は治療オプションの一つとして有益な方法といえる。

表2-1　インプラント治療における矯正的挺出の利点・欠点

利点	欠点
●前歯部のような薄い骨・歯肉部の温存に効果的	●円錐型の根の場合、骨の造成効果があまり期待できない
●抜歯が楽になる	●治療中の審美的問題
●審美的改善に有効	●安易な矯正方法では唇側に振れてしまう
●抜歯窩の閉鎖が楽になる	●インビザラインなどの取り外し式の矯正装置も効果的であるが、正確な移動が難しい
●後の歯肉の移植などを最小限に抑えたり、避けたりすることができる	

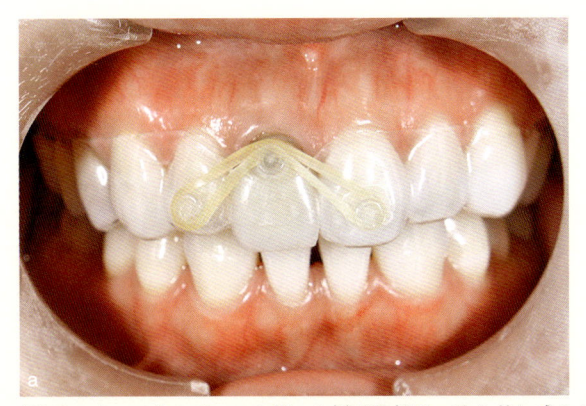

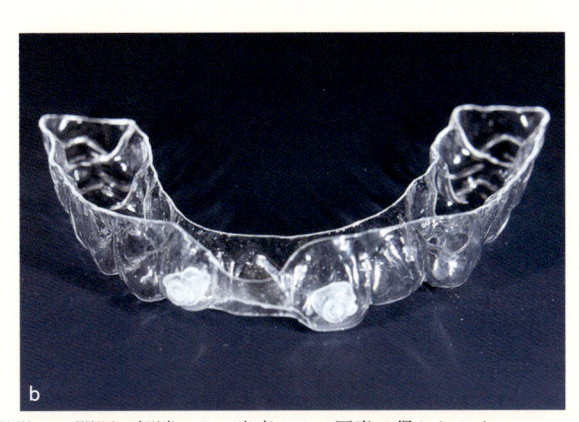

図2-2a、b　マウスピースを使った矯正的挺出。取り外し式のため見栄えの問題が解消でき、患者さんの同意は得られやすい。

矯正的挺出に用いた器具

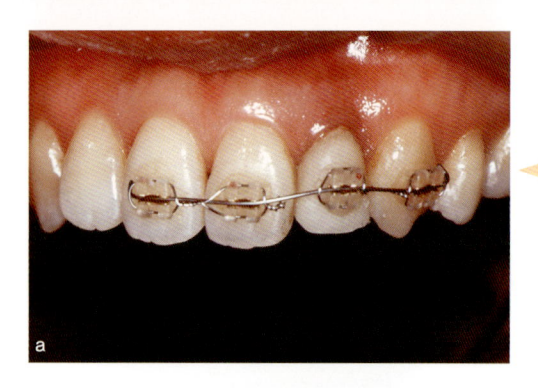

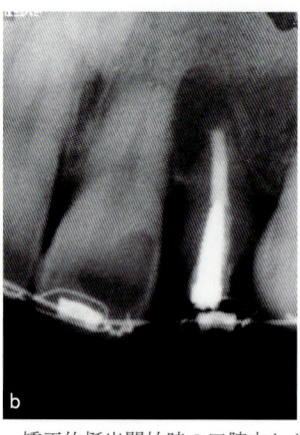

図2-3a、b　矯正的挺出開始時の口腔内およびデンタルX線写真。抜歯を前提として矯正を行う時のブラケットポジションは、固定源となる歯と抜歯予定歯の周囲歯肉のラインや位置関係を念頭に入れて設定する。

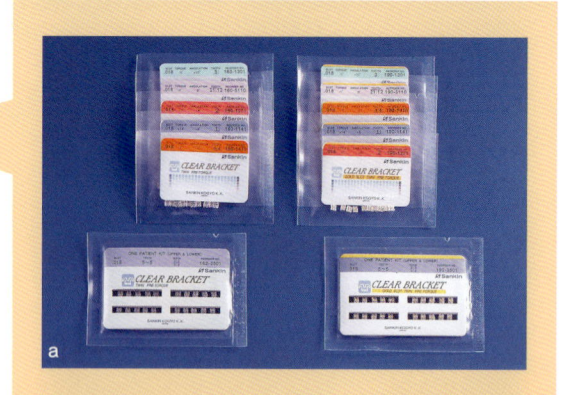

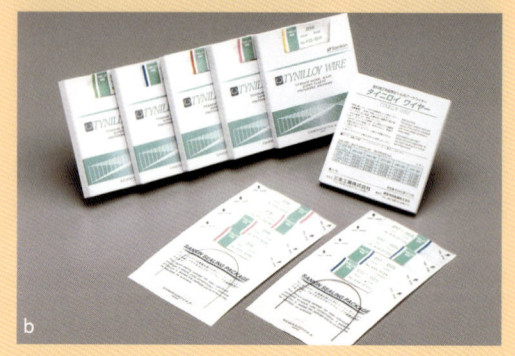

図2-4a、b　ブラケットはクリアブラケット、ワイヤーはタイニロイワイヤー（ともに問い合わせ先：JM Ortho社）を用いた。

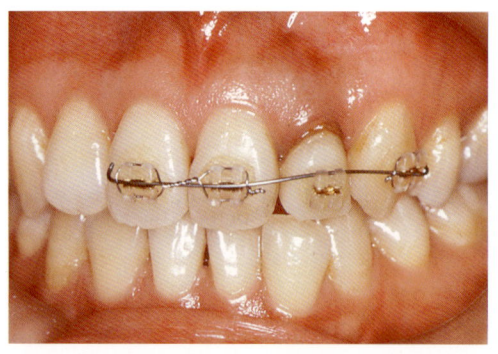

図2-5　矯正的挺出終了後の口腔内。アーチフォームの形状記憶ワイヤーを用いる場合は、本症例のように歯列の大きさに合わせたものを選び、ブラケットポジションを低位にすると、比較的簡便に挺出を行うことができる。

2-2 CT画像診断

　第1章で述べたとおり、本症例の検査・診断を行った2008年当時は、筆者の医院では歯科用コーンビームCTを導入していなかった。そこで、東京近郊に多くの撮影施設(渋谷・新宿・御茶ノ水・池袋・立川・溝の口)をもつCT・MRI画像診断クリニックである「メディカルスキャニング」と連携し、CT撮影を依頼した。

　メディカルスキャニングは、完全予約制であるが、土曜日・日曜日や祝日でも撮影を行っており、極力短い時間で正確な検査や撮影ができることも大きなメリットである。

▼ CT画像診断の有用性

　従来、日常臨床においてはパノラマX線写真やデンタルX線写真などが用いられ、近遠心的および上下的な二次元画像からの情報をもとに診断が行われていた。しかしながら近年、歯科医療の高度化にともない、インプラント治療や歯列矯正、さらには歯周治療や歯内療法にも、CTによる頬舌的な矢状断面や水平断面からの断層画像を含め、三次元診断による画像情報が要求されている。

　特に、歯科用コーンビームCTは、比較的低被曝で鮮明な高解像度の画像が得られる。また、画像は0.1mm単位の実寸で再現されるため、特に外科処置をともなうインプラント治療では、残存歯を含めた当該周囲の骨形態、下顎管やオトガイ孔、上顎洞や切歯管などの位置関係を正確に把握できる[5, 6]。

　また、CTデータから構築した3Dイメージ画像によって、骨形態を立体的に把握でき、実寸大の光造形模型として、まさに術野を手にとって検証することが可能である。さらに、第3章にて詳しく述べるが、Simplant® やNobelGuide® に代表される術前診断やシミュレーションソフトも多く開発され、インプラントの選択や骨質の判定、最終補綴との関係も把握できるようになった。

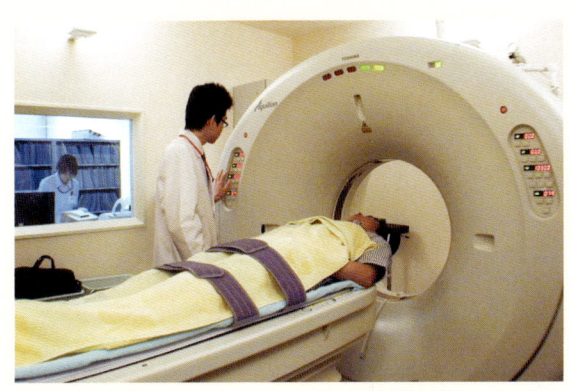

図2-6a　メディカルスキャニングでの撮影風景(メディカルスキャニング渋谷にて)。

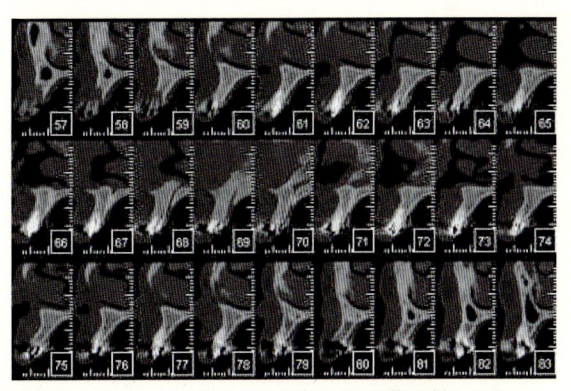

図2-6b　フィルムやデータで正確なCT画像が得られる。

29

▼パノラマX線とCTの比較

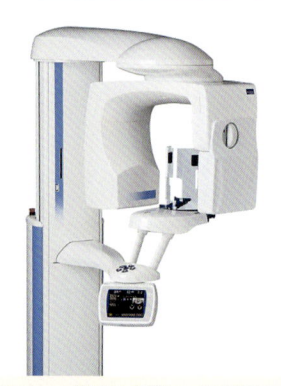

図2-7a　筆者の医院の歯科用CT装置(PLANMECA ProMax 3D)。

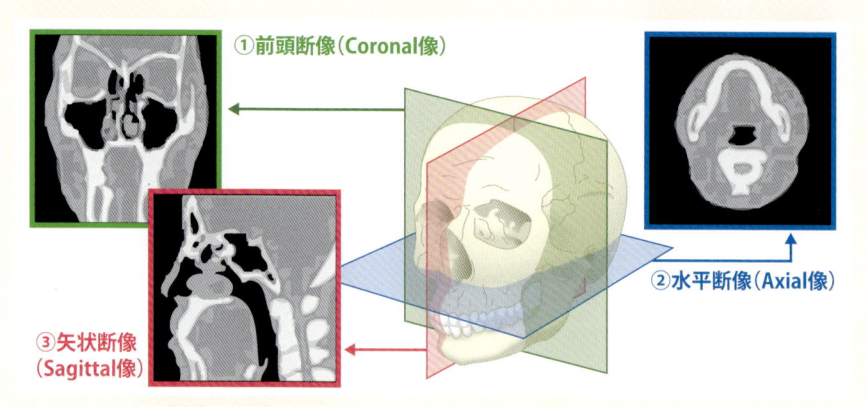

① 前頭断像(Coronal像)
② 水平断像(Axial像)
③ 矢状断像(Sagittal像)

図2-7b　CTは一般的なX線とは異なり、コンピュータを用いて口腔内を頬舌的な矢状断面や前頭断面・水平断面からの断層画像を含む三次元断層画像を見ることができる。この断層画像では従来のX線画像では見ることのできない、顎骨の状態、神経、粘膜状況などを診断することができる。

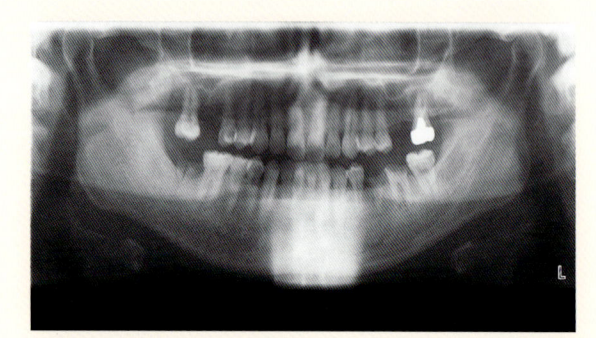

図2-8　従来のパノラマX線写真。

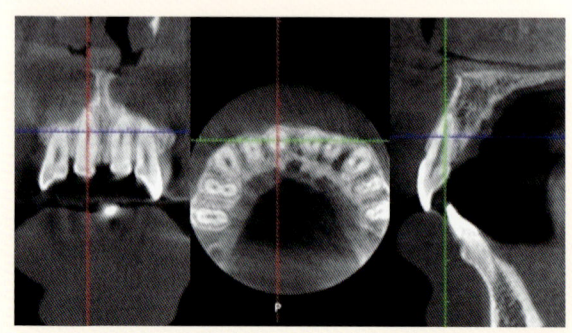

図2-9　前歯部は骨幅が薄いことが多く、切歯管や鼻腔底の位置を含めて骨形態を診断することが大切である。

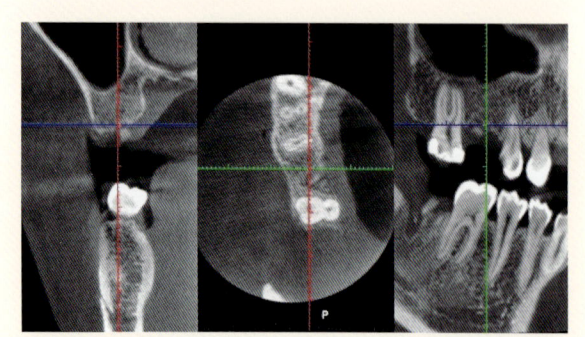

図2-10　右側臼歯部。上顎は上顎洞の存在により骨量が少ないことがあり、上顎洞底挙上術(サイナスフロアエレベーション)と呼ばれる骨造成が行われることがある。

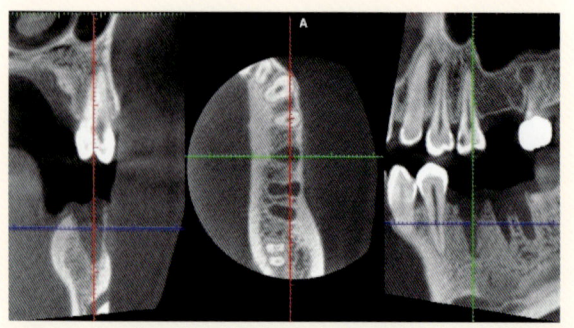

図2-11　左側臼歯部。|5 6抜歯後のCT画像。下顎臼歯部では下顎管やオトガイ孔からの神経を傷つけると痺れや麻痺が起こることがあるので、骨量や神経管との位置関係を確認することが大切である。

当時の治療を振り返って

今ならこうする！こうも使える！

ブラケットとワイヤーを用いない矯正的挺出

　抜歯せざるをえない状況のなかで、抜歯後の残存骨量を確保したり軟組織形態を維持させたりする必要性を患者さんに理解・納得させることは非常に大切なことである。しかしながら、そのために審美的にも気にかかる前歯部へ矯正器具を装着してもらうことに対しては抵抗を示される場合もあるだろう。

　本症例で応用した抜歯後の矯正的挺出ではブラケットと形状記憶ワイヤーを用いたが、他の方法として、根管内に装着させたフックと、隣接歯に接着させた仮歯内のフックとにゴムをかけることで矯正的挺出を行う方法がある。この手法は、技工上の煩雑さはあるものの、より垂直的に当該歯を牽引することができ、隣接歯や残存歯が矯正力で唇側に振られることは少ない（図2-14）。

　以下では、そのような矯正的挺出を生かした症例を提示する（図2-12〜16）。患者は40代女性（美容関係・経営者）、左側上顎前歯部の歯肉の後退と審美的改善を求めて、当院に来院した（図2-12）。

　当該周囲の硬・軟組織所見から、歯頸ラインを歯冠側へ移行させるために、矯正的挺出を選択した。しかしながら矯正器具の装着への不快感と、隣接歯冠形態の改善もともに希望したことから、治療用クラウンの内面にフックを付与し、矯正用エラスティック（図2-13）を適応するための工夫を隣接歯の治療用クラウンと合わせて製作し、周囲組織の改善を図った（図2-15、16）。

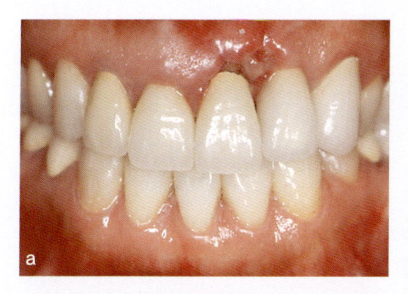

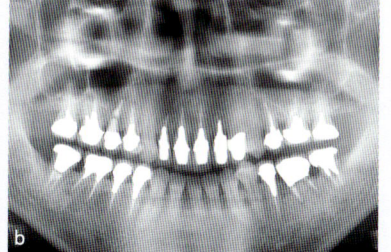

図2-12a、b　術前の口腔内。|1の歯肉が後退している。隣接歯を含めた治療用クラウンの内面にフックを付与し、コア部に矯正用エラスティックゴムをかけ、矯正的延出を行うこととした。

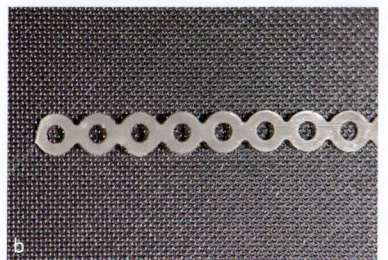

図2-13a、b　矯正用のエラスティック（プロチェーン ライトフォースS）。耐久性が良く切れにくい構造。減衰変化が極めて少ない高品質な熱硬化性ポリウレタン製で、穏やかな力が長期間はたらく。

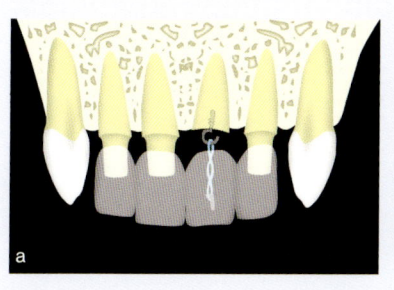

図2-14a、b　エラスティックゴムを用いた矯正的挺出の仕組み。当該歯を含む隣接歯をテンポラリークラウンとしたのちに、当該歯のコアにフック状の細工を加え、テンポラリークラウンの内面にもフックを付与し、矯正用エラスティックを用いて牽引する。

図2-15a、b　約4ヵ月の牽引後、歯周組織の安定を待ち、最終補綴処置を行った。左上前歯部の後退していた軟組織が回復しているのがわかる。

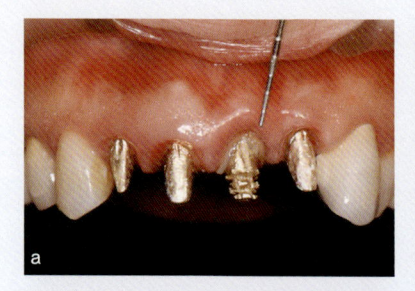

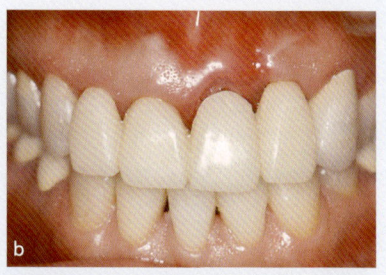

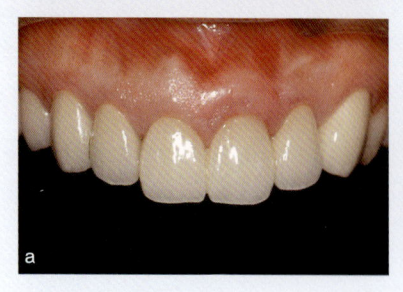

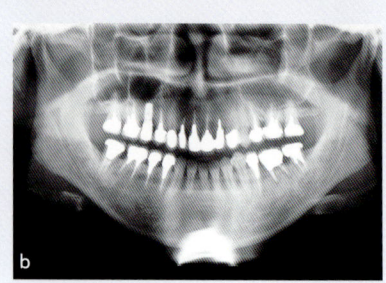

図2-16a、b　上顎前歯部の歯頸ラインは改善され、患者の審美的満足も得られた。

■ 本章のまとめ ■

　上顎前歯部のような審美的要求の高い部位では、抜歯後に起こる骨の吸収や喪失を補うだけでなく、あらかじめ周囲歯肉の量を増やし連続性を付与しておくような配慮が必要である。そのための処置として、矯正的挺出は有用であると言えるだろう。

　また、インプラント埋入に先立ち、CT撮影による頬舌的な矢状断面や水平断面からの断層画像を含めた三次元診断による画像情報は、今日では必須なものとなっている。

参考文献

1. Salama H, Salama M. The role of orthodontic extrusive remodeling in the enhancement of soft and hard tissue profiles prior to implant placement : a systematic approach to the management of extraction site defects. Int J Periodontics Restorative Dent 1993 ; 13(4) : 312-333.
2. Nozawa T, Sugiyama T, Yamaguchi S, Ramos T, Komatsu S, Enomoto H, Ito K. Buccal and coronal bone augmentation using forced eruption and buccal root torque : a case report. Int J Periodontics Restorative Dent 2003 ; 23(6) : 585-591.
3. Carvalho CV, Bauer FP, Romito GA, Pannuti CM, De Micheli G. Orthodontic extrusion with or without circumferential supracrestal fiberotomy and root planing. Int J Periodontics Restorative Dent 2006 ; 26(1) : 87-93.
4. 小川勝久, 山田幸二. 予後を診る. 矯正的挺出技法を応用したインプラントの予後. Quintessence DENT Implantol 2006 ; 13(6) : 43-52.
5. 横江義彦, 坪井陽一, 飯塚忠彦. ME機器と手術支援ソフトの進歩をめぐって. 第1回 画像診断装置の進歩. Quintessence DENT Implantol 2003 ; 10(4) : 76-86.
6. 金田 隆(編著). 基礎から学ぶインプラントの画像診断. 東京：砂書房, 2008.
7. 麻生昌秀. 臨床で役立つCT入門コース Basic編 6. 歯科用コーンビームCTと医科用ヘリカルCTとの違いは？ the Quintessence 2008 ; 27(6) : 204-207.
8. 川植康史, 岸和田 健, 四井資隆, 古跡孝和, 清水谷公成, 古跡養之眞, 杉岡信悟. インプラント治療におけるCTの活用法. 病診連携, MPRソフトを含めて. Quintessence DENT Implantol 2005 ; 12(2) : 27-32.

第3章

コンピュータガイドシステムによる術前シミュレーションとモデルサージェリー

1 インプラント埋入シミュレーション

2 光造形模型を用いたモデルサージェリー

近年ではCTから得られた情報をもとに、Simplant®、NobelGuide®といったコンピュータガイドシステムによって埋入シミュレーションを行い、安全かつ的確に手術に当たることが歯科医師の義務とも言われるようになっている。

本章では、その術前シミュレーションでの診断方法と実寸大の光造形模型を用いたモデルサージェリーについて解説する。

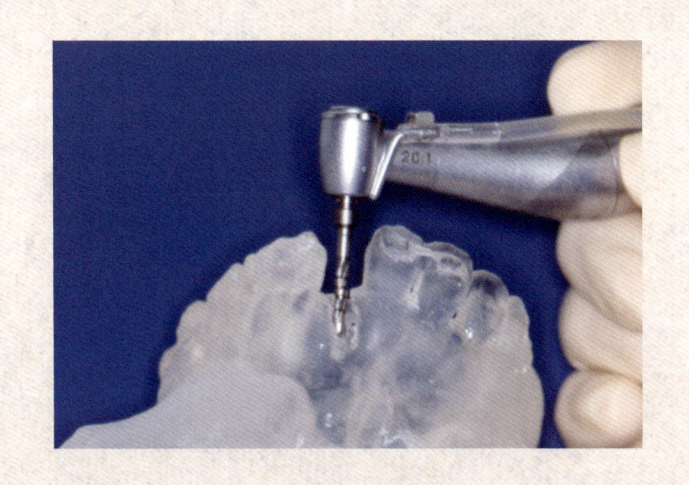

3-1 インプラント埋入シミュレーション

コンピュータガイドシステム(本症例では Simplant® を用いた)では、CT 画像から得られた情報をもとにコンピュータ上で抜歯し、周囲の骨量を再現し、インプラント埋入をシミュレーションすることができる[1〜6]。

本症例では抜歯前に、当該歯の抜歯後の骨形態や状況をシミュレーションし、インプラントを埋入できるのか、できないとするならば、どのような対応が最良なのかを検証した。

Simplant® での抜歯を想定した三次元イメージ画像では、当該部の唇側骨の多くを失い、陥凹を認めた。この状況からでは審美的結果を得るためのインプラント埋入はできないと判断し、また、抜歯後即時埋入法の利点やリスクを含めたうえで、審美性の回復を模索した。

結果、再度患者と相談したうえで、麻酔科医との連携のもと、静脈内鎮静法を併用した骨移植を行い、その後インプラント埋入を行うこととした(表3-1)。

Simplant® を用いて行ったインプラント埋入シミュレーション

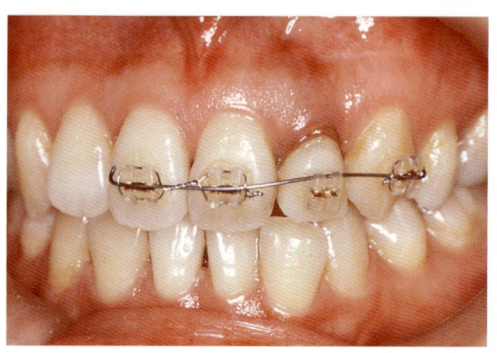

図3-1 矯正的挺出終了後のこの状態で、|2の抜歯を想定した骨形態のシミュレーションを行った。

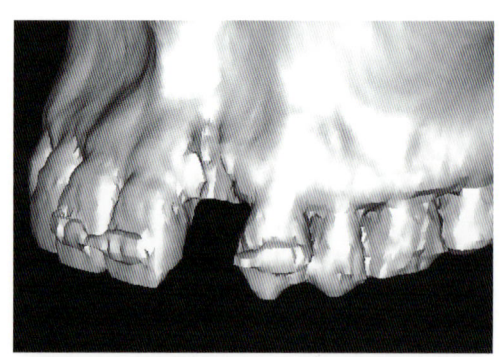

図3-2 同三次元立体イメージ画像。当該歯周囲の骨は吸収し、その唇側骨の多くが失われ、陥凹した骨形態になることが予測できる。

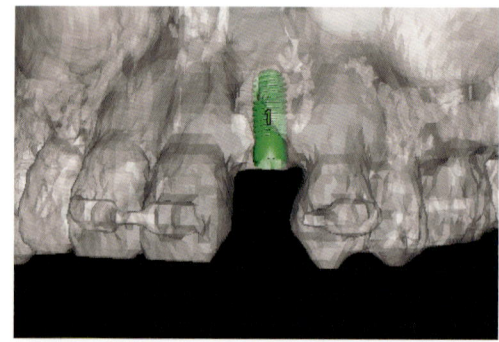

図3-3 インプラントは Tapered Screw-Vent(φ3.7×11.5mm)を候補として、当該歯の抜歯を想定した埋入のシミュレーションを行う。この状態ではインプラントの多くが骨から露出し、初期固定も得にくいであろうことがわかる。

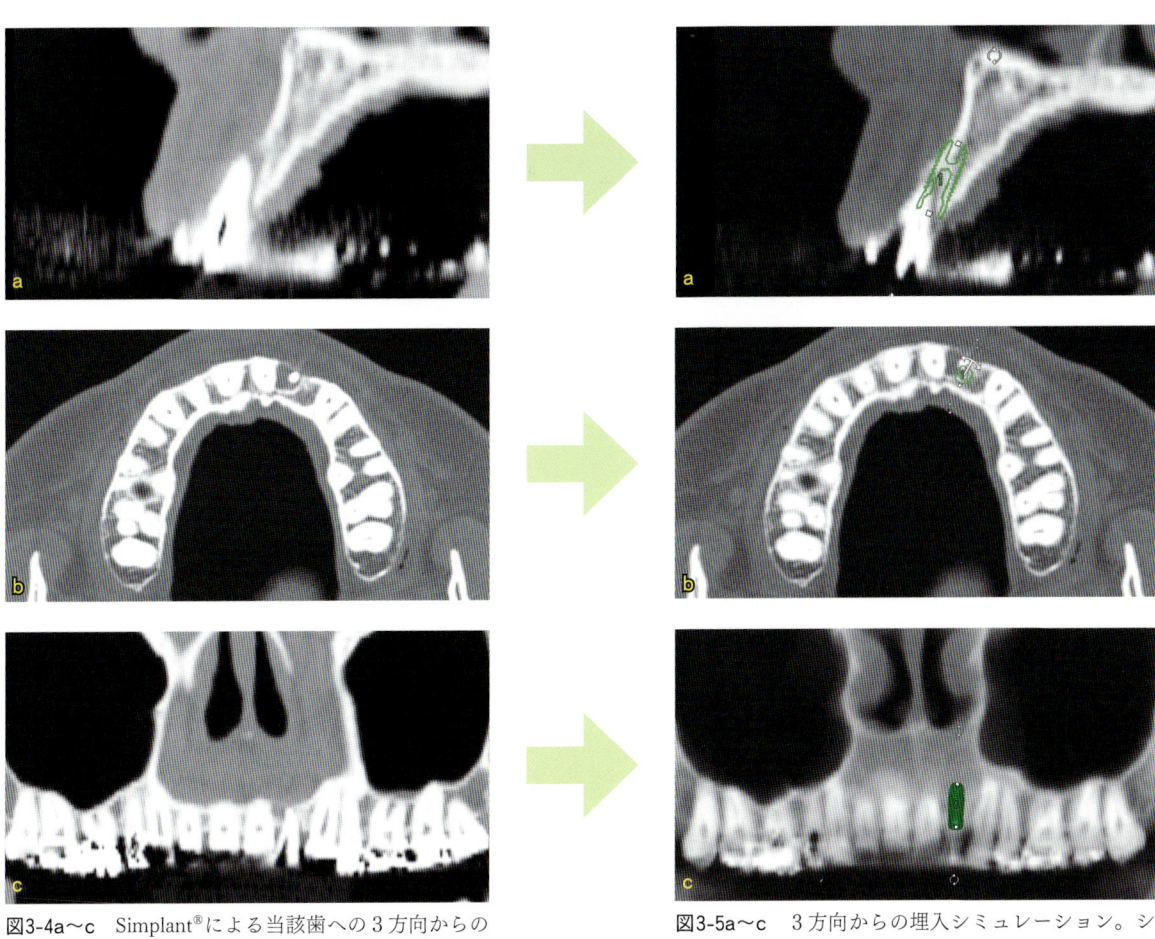

図3-4a～c　Simplant®による当該歯への3方向からの断層画像（a：クロスセクショナル、b：アクシャル、c：パノラミック）。

図3-5a～c　3方向からの埋入シミュレーション。シミュレーションでの埋入ポジションは、基本的には既存骨内へ設定するのが原則である。既存骨内へ埋入しうる直径・長さのインプラントを選択し、そのうえで上部構造の位置や形態を踏まえ、その角度や方向を修正する。しかしながら、本症例のように既存骨の一部が吸収・陥凹している場合には、骨造成を考慮してインプラントの選択・配置を行う（詳しいインプラント埋入ポジションについては、第7章を参照）。

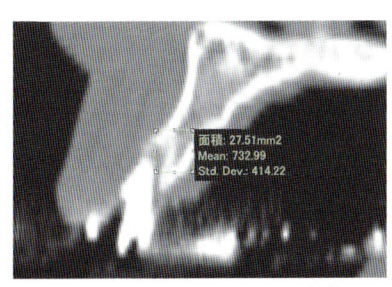

図3-6　Simplant®により、埋入部位の骨質の判定も行える（医科用CTのDICOMデータを用いた場合のみ）。本症例のインプラント埋入想定部の海綿骨のハンスフィールドユニット値は379であり、やや軟らかい骨質であることがわかった。

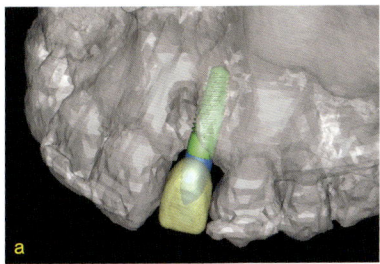

図3-7a、b　Simplant®では、アバットメントやクラウンのシミュレーションも行える。また、主要インプラントメーカーのインプラントやアバットメントを選択することができる。

第3章　コンピュータガイドシステムによる術前シミュレーションとモデルサージェリー

表3-1　Simplant®の診断結果から導き出された本症例に抜歯後即時埋入を行った時の問題点

1. 唇側骨が失われた骨形態であるため、インプラントホールを形成する際に、ドリルが唇側に振られやすい
2. 的確な位置に埋入できたとしても、インプラント体の30％程度が既存骨から露出するため、初期固定が得られにくい
3. 血液供給の問題から、同時埋入では周囲への骨移植が難しい
4. 骨移植が上手くいかなかった時には、インプラントの再埋入の問題や周囲の軟組織の後退が起こり、審美的改善に大きなリスクとなる

以上の点を踏まえ、本症例は、リスクの回避から、まず抜歯と骨の移植を行い、その後、インプラント埋入を行うこととした。

▼進化し続けるコンピュータガイドシステム

現在、日本国内で認可されているコンピュータガイドシステムとしては、以下が挙げられる。
- LANDmarker™、Landmark Guide™（アイキャット社／日本）
- Bone Navi® System サージカルガイド（10DR社／韓国、和田精密歯研社／日本）
- Simplant®、SurgiGuide®（マテリアライズ・デンタル社／ベルギー）
- NobelGuide®（ノーベルバイオケア社／スウェーデン）
- Straumann® CARES® デジタル ソリューション（ストローマン社／スイス）
- BellaTek ガイデッド・サージェリー・システム（アイキャット社／日本、ジンマー・バイオメット・デンタル社／米国）

これらのシステムの多くでは、CTからの情報をもとに、インプラント埋入外科に際しての骨内での神経損傷を避けたり上顎洞や骨外への穿孔を回避するだけでなく、最終上部構造の補綴形態や咬合関係を踏まえて、埋入位置や方向を検証することができる。

さらに、近年では、フラップレスにも対応できるサージカルテンプレートや即時荷重および即時機能のためのプロビジョナルクラウンも併せて製作できることから、より低侵襲で安全、快適なインプラント治療が実現可能になった。

☞44ページにて国内で販売されているコンピュータガイドシステムの詳細な一覧表掲載

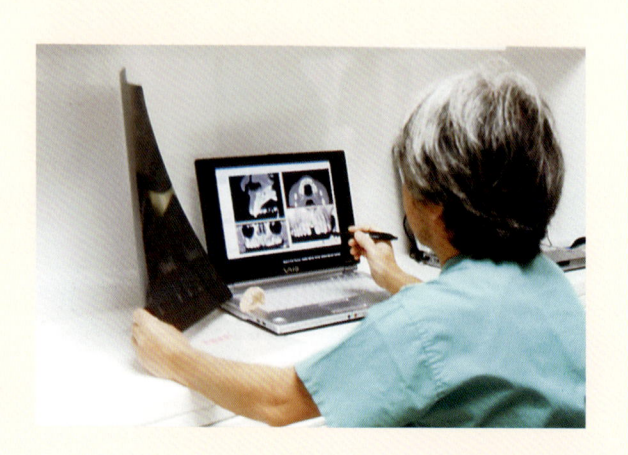

3-2 光造形模型を用いた モデルサージェリー

　従来の医療の外科処置において、医師の技術の多くは患者さんからの貴重な経験、すなわち実際の施術を通じて学び、修得するものであった。

　しかしながら近年、光造形技術を応用し、CT画像データをもとに実寸大の樹脂模型が再現できるようになり、まさに術野を"手にとって"検証すること、すなわち実際の手術を行う前に手術中に起こりうる状況を体験することが可能となった。

　インプラント埋入手術前に光造形模型を用いるおもな利点としては、以下が挙げられる。

・骨形態や骨量などの情報を実寸大で得られる
・透明性が高いため、内部形態も把握できる
・患者さんへのインフォームドコンセントや他の医師・スタッフの教育資材として活用できる

　本症例においても、筆者はこの光造形模型を用いて、インプラント埋入の設定や骨欠損部での骨補填量の診断、骨移植方法の検討や術式の練習などを行った。

　さらに、Simplant® やNobelGuide® に代表されるコンピュータシミュレーションソフトから応用される光造形技術により、骨表面や歯、軟組織上に設置するサージカルテンプレートも製作できることから、より安全で最適なインプラント治療が可能になってきている[7、8]。

光造形模型を用いた骨補填量の診断、骨移植方法の検討

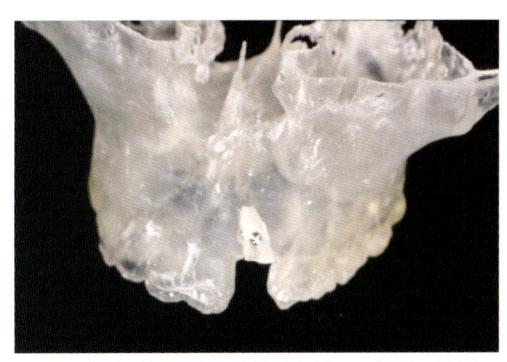

図3-8　光造形模型上で骨移植を行い、術式の検討や選択する器材の選定を行った。本症例では、ブロック骨移植法を設定し、陥凹部にレイマスからのブロック骨を採取、形態を陥凹部に合わせ、ボーンスクリューにて留める検討を行った。

図3-9　CTデータを元に、マテリアライズ・デンタル・ジャパン社に依頼して製作した光造形模型。Simplant®を用いることで、抜歯前のCTデータ上で選択する歯を、歯根から抜歯した状態にてシミュレーションできることから、抜歯窩骨形態を忠実に再現した模型が得られる。
☞43ページにて同種製品紹介

光造形模型を用いたドリリング、インプラント埋入の練習

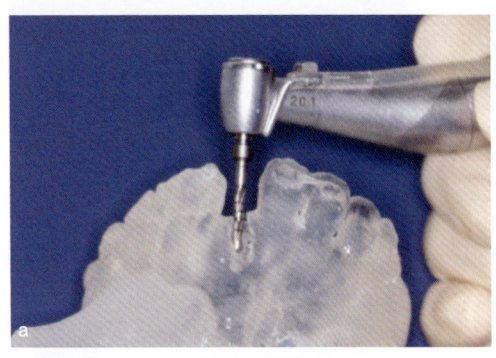

図3-10a、b　光造形模型上でドリリングを行い、インプラント埋入の練習を行う。模型上でも埋入位置や方向のコントロールは難しいことがわかる。

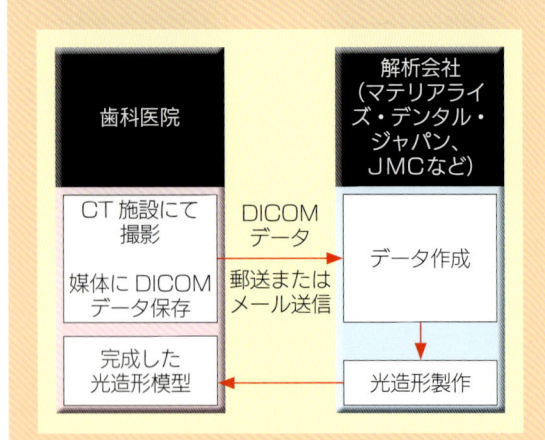

図3-11　光造形模型製作の流れ。CT施設にて撮影を行い、DICOMデータにて解析会社（マテリアライズ・デンタル・ジャパン社やJMC社）に依頼。製作の範囲（大きさ・高さ）や抜歯部位の有無を指定する。

コラム　努力なしに得られる技術・知識は存在しない

　数年前、静岡県のある高名な先生の歯科医院で研修を受ける機会があった。その先生はとにかく外科手技がすぐれており、手術を見た人間から「天才」と呼ばれていた。

　筆者は、研修前日の夜にスタッフの案内で院内を見学させていただき、診療室も拝見したのだが、その先生は光造形模型を使い、翌日の手術で移植する部位の骨切りや位置を練習・検討していた。また、その部屋には過去に同じように練習したと思われる光造形模型が、何十個となく置かれていた。

　天才と言われている歯科医師であっても、努力なしに勝ち得ることができる技術や知識など存在しないのだ、と思い知らされた瞬間であった。

▼知っておこう！ 審美領域での抜歯後即時インプラント埋入に関する考察

抜歯後即時インプラント埋入法は、周囲の骨吸収を抑制する目的でLazzaraらによって1989年に提唱された方法であり[9]、報告されたこの論文の中では、抜歯窩底部での初期固定、抜歯窩内からの骨髄血などによるインプラント体表面への骨造成、上皮の陥入の防止、さらに、インプラント体は2mm根尖側へ深く埋入する、などの注意事項に触れている。

1997年のBlockら[10]による適応症としての臨床的なガイドラインでは、骨の損傷がない外傷歯、排膿をともなわず骨吸収のない歯などが挙げられ、周囲組織の点からは抜歯部周囲に十分な骨量が認められ、健康で初期封鎖が可能な軟組織を有するものが適応とされている。禁忌症は、排膿をともなう場合や抜歯部周囲に十分な骨量がない場合、健康な軟組織が存在しない場合などが挙げられる。

2000年代に入り抜歯後即時インプラント埋入後の周囲骨は抜歯窩周囲骨と同じ治癒経過をたどることが示唆され、そのインプラント生存率は良好であるものの、治療結果における審美性は疑問視されるようになった[11~13]。そして近年、Lindheらの研究[14]から、(フラップでの)抜歯後即時インプラント埋入後4ヵ月の骨量は唇側で56%、舌側で27%吸収したとも報告されている。こうしたことから現在では審美領域での抜歯後即時埋入は慎重さも求められている。

本書で提示したような症例では、審美性獲得のための「難易度の診断」が重要である。表3-2から判断できるように、当該部の唇側骨の高さや軟組織の高さ・薄さに大きな問題があったと考えられる。このような硬・軟組織の診断や判定は、隣接歯周囲の骨量を含め、歯を失った原因や抜歯せざるをえない状況から、欠かすことはできない。

これらはバイオタイプの診断とも呼ばれ、歯槽骨と歯肉の厚みを分類したMaynardの分類[15]が代表的なものである(図3-12)。Type1のように歯肉・歯槽骨ともに厚ければ術後の歯肉退縮(骨吸収)は起こりづらいが、Type4では、治療に対して慎重になるべきであろうと考察できる。また、表3-3のSeibertの欠損部骨形態の分類[16]は、骨造成の指標とされている。

表3-2 審美領域におけるKanの診断基準[13]と本書の症例の難易度(丸囲み印)

難しい	問題点	やさしい
少ない・薄い	残存骨・骨量の程度	多い・厚い
薄い	唇側骨の厚み	厚い
低い	唇側骨の高さ	高い
低い(歯根側に)	残存歯肉の位置	高い(歯冠側に)
薄い	歯肉の厚み	厚い
三角形	歯肉の形態	四角形
高い	歯間乳頭の位置	低い
三角形	歯の形態	四角形
健全歯	隣接歯	補綴歯
ハイリップ	笑顔時の口唇の位置	ローリップ
高い	患者の審美的要求	低い

当該部の硬・軟組織は、すべてにおいて「やさしい」基準はなく、審美的修復を目指すには慎重な治療術式が求められることがわかる。

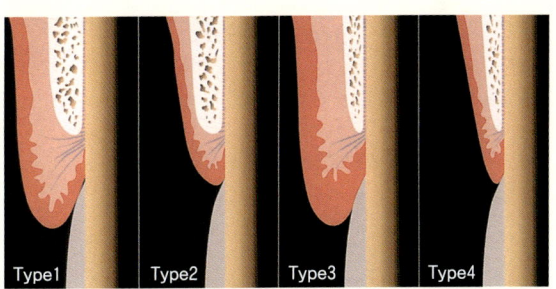

図3-12 Maynardの分類(文献15より引用・改変)。Type1:歯肉・歯槽骨ともに厚い。Type2:歯槽骨は厚く歯肉は薄い。Type3:歯槽骨は薄く歯肉は厚い。Type4:歯肉・歯槽骨ともに薄い。

表3-3 Seibertの欠損部骨形態の分類[16]

分類	欠損部の状態
Class 1	頬舌的顎堤の喪失。垂直的高さは正常
Class 2	垂直的顎堤の喪失。頬舌的幅は正常
Class 3	頬舌的・垂直的顎堤の喪失

当時の治療を振り返って

今ならこうする！こうも使える！

抜歯後即時インプラント埋入＋骨移植という選択肢

　本書の症例では、抜歯後の骨欠損形態で、唇側骨壁は2分の1程度失われていた。

　しかしながら、以下に示す症例のように、残存周囲骨量や隣接部骨形態が比較的良好な場合では、インプラント埋入後の初期固定が確実に得られること、また、補填する骨は前鼻棘からの自家骨の採取が可能であることから、現在であれば、筆者は矯正的挺出を応用した後に抜歯後即時埋入と骨移植の併用を選択するであろう。

　ただ、前述したように、組織のバイオタイプの診断に加え、埋入位置や方向を慎重に設定し、くれぐれも埋入方向が唇側に傾斜・振られることのないように行わなければならない。

　なお、インプラント埋入については第7章にて詳細に述べる。

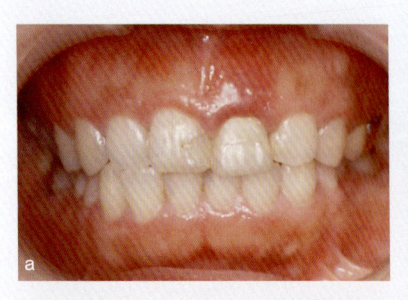

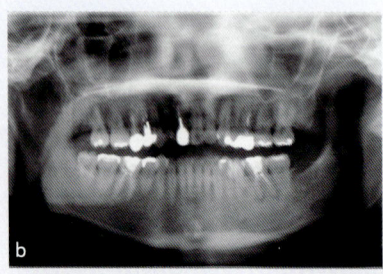

図3-13a、b　術前の口腔内およびパノラマX線写真。|1以外は大きなう蝕・歯周病などは認められない。

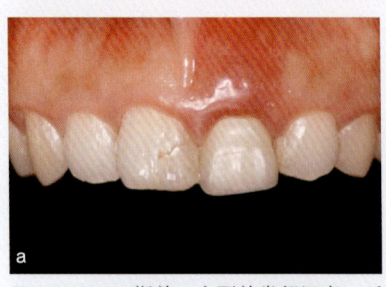

図3-14a〜c　術前の上顎前歯部写真、デンタルX線写真、断層写真。|1頸部に歯根破折が疑われた。隣接歯が健全歯であり、周囲骨量やバイオタイプ（フラット・シック）からインプラント治療を選択した。

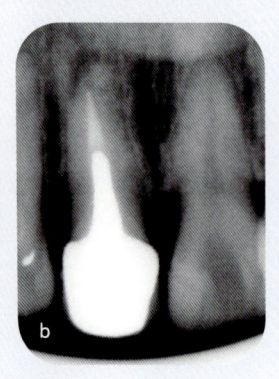

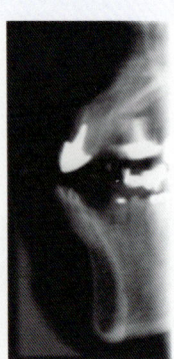

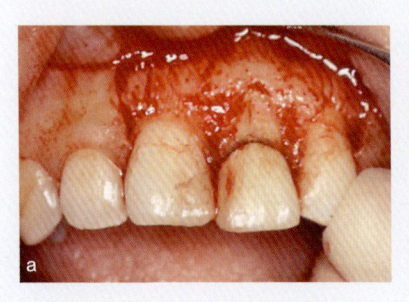

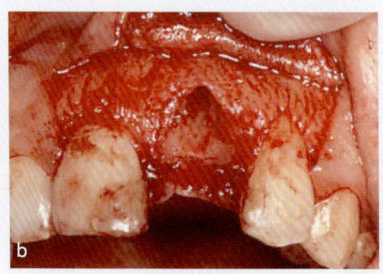

図3-15a、b　当該部にフラップを開けると、歯根破折部に骨吸収が認められ、丁寧に抜歯を行った。抜歯後、抜歯窩内の不良肉芽や軟組織を徹底的に除去する。a：唇側根面に認められた縦方向の破折線。b：比較的厚い唇側骨を持つ抜歯窩。

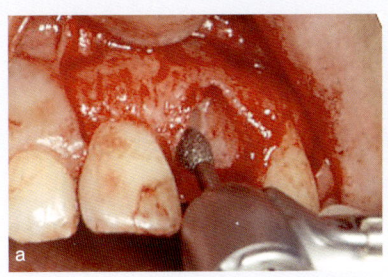

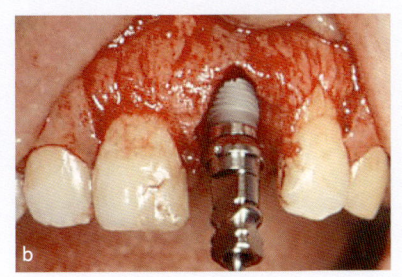

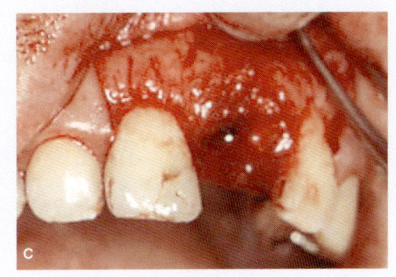

図3-16a〜c　唇側に振られない(傾斜しない)ように口蓋側骨稜にインプラント埋入ホールを形成後、慎重に埋入した。前鼻部よりボーンスクレイパーにて自家骨を採取し、自家骨移植を行った。a：インプラントが傾斜しないように抜歯窩口蓋側をあらかじめ形成しておく。b：埋入角度や深度を慎重に設定する。c：前鼻棘から自家骨を採取して補填する。

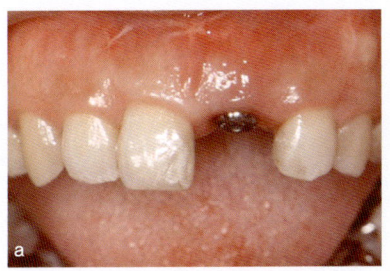

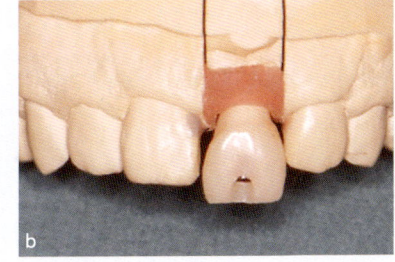

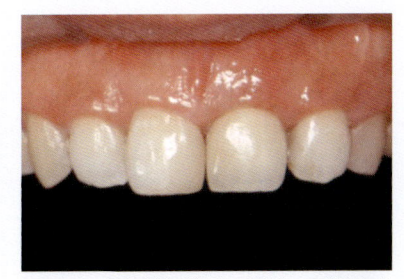

図3-17a、b　周囲軟組織形態をプロビジョナルクラウンにて整える。

図3-18　最終補綴装置の形態。両隣接歯との形態や色調の調和が得られた。

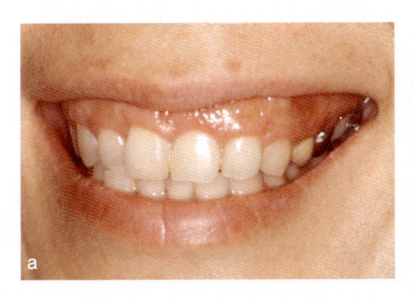

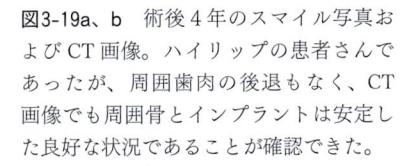

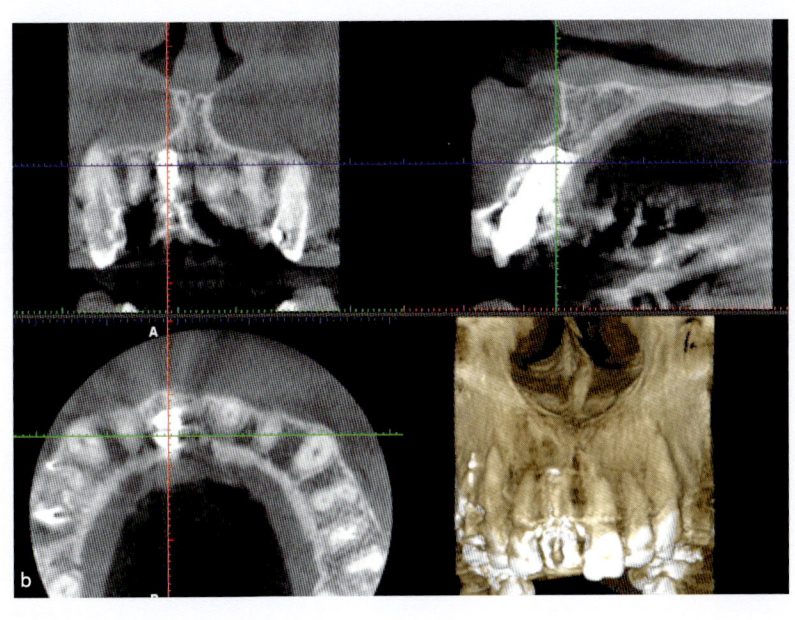

図3-19a、b　術後4年のスマイル写真およびCT画像。ハイリップの患者さんであったが、周囲歯肉の後退もなく、CT画像でも周囲骨とインプラントは安定した良好な状況であることが確認できた。

本章のまとめ

埋入シミュレーションでの診断やサージカルテンプレートの使用は非常に有効である。また、光造形模型を活用したモデルサージェリーは、術野を手に取って検証できるものである。

しかし、その応用には、手術経験を積み、粘膜剥離や骨形態の実際の目視による確認、フリーハンドで埋入できる技量などを持ち合わせたうえで行うことを推奨したい。

参考文献

1. Rocci A, Martignoni M, Gottlow J. Immediate loading in the maxilla using flapless surgery, implants placed in predetermined positions, and prefabricated provisional restorations : a retrospective 3-year clinical study. Clin Implant Dent Relat Res 2003 ; 5 Suppl 1 : 29-36.
2. van Steenberghe D, Glauser R, Blomback U, Andersson M, Schutyser F, Pettersson A, Wendelhag I. A computed tomographic scan-derived customized surgical template and fixed prosthesis for flapless surgery and immediate loading of implants in fully edentulous maxillae : a prospective multicenter study. Clin Implant Dent Relat Res 2005 ; 7 Suppl 1 : S111-1120.
3. 西村 眞，坪井陽一，飯塚忠彦．ME機器と手術支援ソフトの進歩をめぐって．第2回 SimPlantの現在．Quintessence DENT Implantol 2003 ; 10（5）: 68-77.
4. 木村洋子．コンピュータガイドシステム 低侵襲で安全なインプラント治療．東京：クインテッセンス出版，2007.
5. 小川勝久．インプラント治療でのCTの臨床的有効応用．Quintessence DENT Implantol 2007 ; 14（4）: 47-56.
6. 小出直弘．SimPlantを使用したインプラント埋入シミュレーション．In：春日井昇平，古賀剛人，嶋田 淳（編）．インプラント手術をマスターするための関連器材マニュアル．東京：クインテッセンス出版，2009 ; 8-15.
7. 小川洋一，法月謙市，河津 寛，嶋田 淳．光造形モデルとサージガイドを応用した即時荷重用プロビジョナルレストレーション．Quintessence DENT Implantol 2004 ; 11（4）: 27-32.
8. 椎貝達夫．SimPlantを使用したインプラント埋入のためのSurgiGuide．In：春日井昇平，古賀剛人，嶋田 淳（編）．インプラント手術をマスターするための関連器材マニュアル．東京：クインテッセンス出版，2009 ; 16-23.
9. Lazzara RJ. Immediate implant placement into extraction sites : surgical and restorative advantages. Int J Periodontics Restorative Dent 1989 ; 9（5）: 332-343.
10. Block MS, Kent JN, Guerra L. Implants in dentistry : essentials of endosseous implants for maxillofacial reconstruction. Philadelphia : Saunders, 1997 ; 157-166.
11. Wilson TG Jr, Schenk R, Buser D, Cochran D. Implants placed in immediate extraction sites : a report of histologic and histometric analyses of human biopsies. Int J Oral Maxillofac Implants 1998 ; 13（3）: 333-341.
12. Chen ST, Wilson TG Jr, Hämmerle CH. Immediate or early placement of implants following tooth extraction : review of biologic basis, clinical procedures, and outcomes. Int J Oral Maxillofac Implants 2004 ; 19 Suppl : 12-25.
13. Kan JY, Rungcharassaeng K, Lozada J. Immediate placement and provisionalization of maxillary anterior single implants : 1-year prospective study. Int J Oral Maxillofac Implants 2003 ; 18（1）: 31-39.
14. Araújo MG, Sukekava F, Wennström JL, Lindhe J. Ridge alterations following implant placement in fresh extraction sockets : an experimental study in the dog. J Clin Periodontol 2005 ; 32（6）: 645-652.
15. Maynard JG Jr, Wilson RD. Physiologic dimensions of the periodontium significant to the restorative dentist. J Periodontol. 1979 ; 50（4）: 170-174.
16. Seibert JS. Reconstruction of deformed partially edentulous ridges, using full thickness onlay grafts. Part II. Prosthetic/periodontal interrelationships. Compend Contin Educ Dent 1983 ; 4（6）: 549-652.

第3章 紹介器具・器材の関連製品／同種製品

光造形模型

問い合わせ先：JMC社。患者さんのCT/MRIのデータを直接コンバートするので、実物に限りなく近い形状を製作することができる。また、インプラントやステント、矯正器具など患者さんごとにカスタマイズされた医療器具のデザイン・設計が可能である。

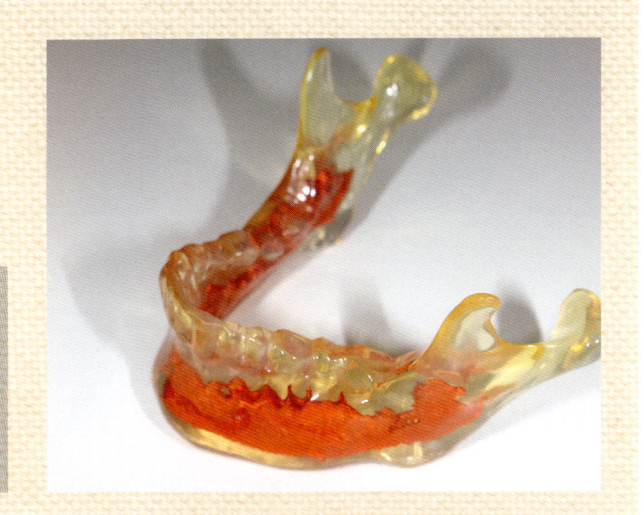

問い合わせ先：アヘッドラボラトリーズ社。腫瘍切除や骨切除などの手術シミュレーションに最適。製作前にアーチファクトなどの処理が可能であるほか、モデルの切断、切削、トリミング、拡大縮小など、データの修正・調整が自由自在である。また、短期間での製作が可能(石膏モデル5営業日)。さらに、ガス滅菌、プラズマ滅菌が可能な素材を使用している。

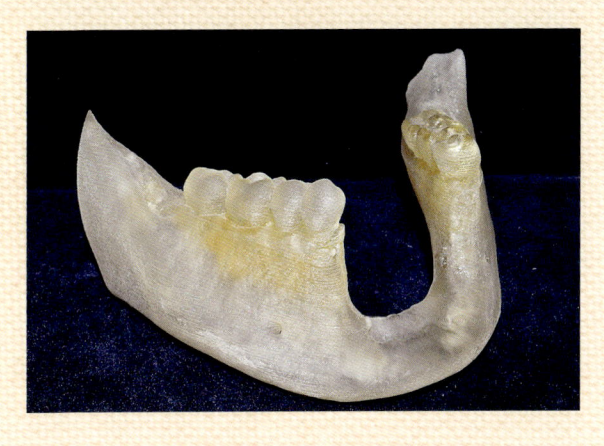

付録　国内で販売されているコンピュータガイドシステム

製品名	取扱い企業	特長	シミュレーション画像	サージカルテンプレート画像
LANDmarker™ Landmark Guide™	㈱アイキャット	CTデータ(DICOM)をiCATに発注することなく、直接自分のパソコンに読込んで編集可能。また、Landmark Guide™は埋入予定部位を使用した固定で低侵襲である。「骨上」と「フラップレス」、「単独」～「無歯顎」のあらゆる組み合わせに対応。複数ドリル径をサポートし、インプラントメーカーも選ばない。		
Bone Navi® System サージカルガイド	10DR JAPAN ㈱ 和田精密歯研㈱	▽シミュレーション ・10DR：多断面再構成機能とインプラント軸断面表示が可能な使いやすいソフト。 ・BioNa®：補綴主導。角化粘膜情報はフラップデザインやメインテナンスを事前に考察できる。5インチの咬合球面表示で歯冠配列が可能。 ▽サージカルテンプレート ・BoneNavi®：すべてのシステムに対応。所有ドリルの使用でコスト削減。あらゆるガイド形状を製作できる。	10DR / BioNa®	
Simplant® SurgiGuide®	㈱マテリアライズデンタルジャパン	あらゆるインプラントメーカーのリアルなインプラント（インプラント体、アバットメント）の表示が可能。加えて最終補綴イメージ（バーチャルティース）を表示できる。また、SurgiGuide®は症例に合わせガイドを支持するタイプを選択できる。		
NobelGuide®	ノーベル・バイオケア・ジャパン㈱	NobelClinician®により最終補綴イメージを表示させながらのシミュレーションが可能。専用の外科キットとサージカルテンプレートを組み合わせて使用することで、ドリリングからインプラント埋入までをサポートする唯一のシステムである。3D画像上でのさまざまなX線断面図も表示可能。インプラント埋入部位が歯根や神経に近接した場合、警告が表示されるなど安全面への配慮もなされている。		
Straumann® CARES® デジタルソリューション	ストローマン・ジャパン㈱	プランニングソフトウェア・サージカルガイド製作機器・ガイデッドインスツルメントで構成され、検査・診断からスキャンテンプレートおよびサージカルガイド製作まで一貫したプロトコルで行われる完成されたシステムであり、柔軟性の高い包括的ソリューションである。		

第3章　コンピュータガイドシステムによる術前シミュレーションとモデルサージェリー

44

第4章

術前に準備すべき器具・器材と院内のチームワーク

1 術前の準備
2 静脈内鎮静法の正しい活用術

　手術にあたって担当する歯科医師や麻酔科医・歯科衛生士だけでなく、歯科技工士・受付も含めた医院やチームとしての対応、準備・心構えも大切となる。
　本章では、術前準備に必要な器具・器材を含めた医療連携と、静脈内鎮静法について解説する。

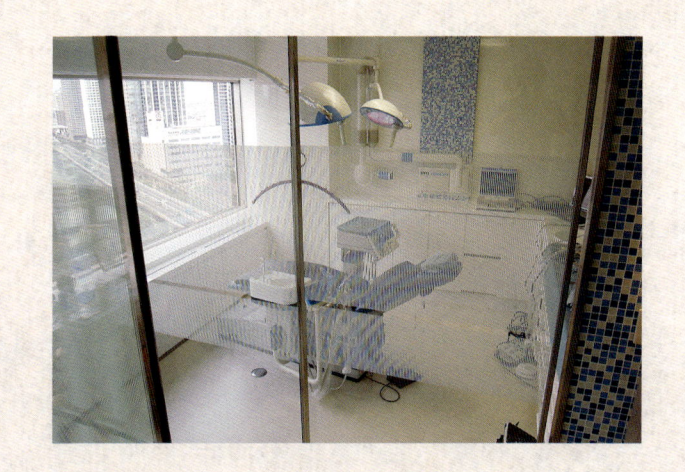

4-1 術前の準備

1）手術室の環境

インプラント埋入や骨移植などの外科手術に際しては観血処置であることを念頭におき、清潔域・不潔域をつねに意識しなければならない[1]。さらに、使用する外科器具・器材が多いだけでなく、アシスタントドクターや麻酔科医などの介助者も増えることから、理想的には他のスペースと隔離された広い環境での施術が望ましい。筆者の医院では、手術用の無影灯やデジタルX線、CT用シャーカステンを備え、生体監視モニターや笑気・酸素などの機器や外科器材などを十分に並べられる広い個室で、清潔域・不潔域を明示してインプラントの手術を行っている（図4-1a～c）。

インプラント手術に必要な手術室の環境

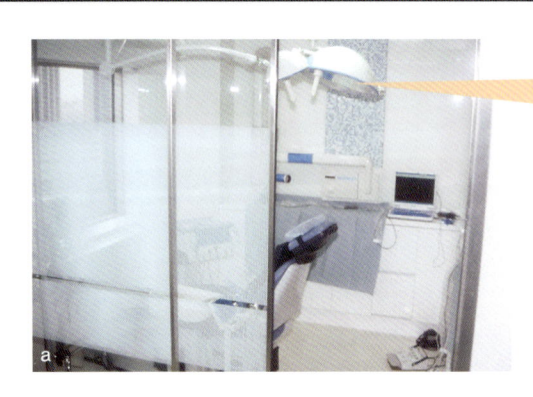

手術用の無影灯は、術野が自然光で影が生じず、長時間の手術でも発熱量の少ないものが望ましい。煽るようなデザインを避ける配慮も必要である。

外科器材や生体監視モニター、笑気・酸素などの機器を十分に並べることのできるスペースを確保する。

介助者、アシスタントドクター、麻酔科医が支障なく作業できる広いスペースがあることが望ましい。

CT用のシャーカステンを備え、患者の解剖学的な状態を術者・スタッフがすぐに確認できるようにしてある。

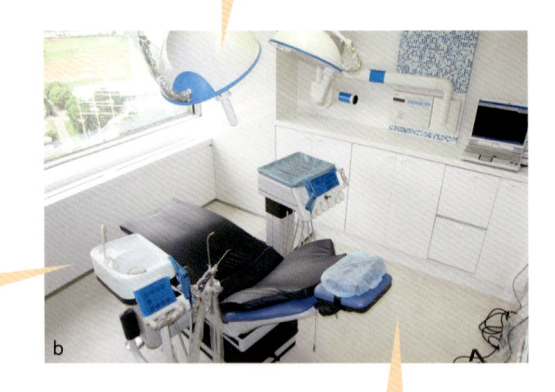

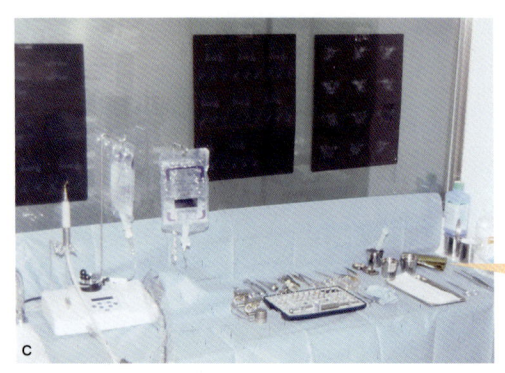

図4-1a～c　筆者の医院の手術室。

2）各スタッフとの連携

　主治医は、手術前日までに、アシスタントドクターや麻酔科医、歯科衛生士らの介助者に治療内容を説明する（図4-2）。チーム構成とその役割を明確にし、歯科医師、歯科衛生士、歯科技工士がそれぞれ十分な準備・確認を行うことが手術の成功につながる[2]。

インプラント手術前に確認すべきチームワークと各担当の仕事

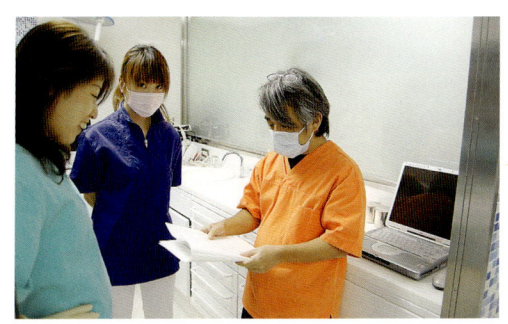

図4-2　筆者の医院のカンファレンスの様子。

主治医（手術担当歯科医師）、麻酔科医、歯科衛生士、歯科技工士らでカンファレンスを行い、治療内容や方法について、そのリスクも含めて共通認識を持つことが大切である。手術の内容、時間配分、使う器材のリストなどを記載した手術計画表を用いて全員で確認する。

受付スタッフ：前日に患者さんへ電話。予約の確認を取り、手術の不安や心配を除くよう配慮する。この時点で患者さんの体調や様子を察知して、主治医や麻酔科医へ申し伝えることができ、不測の事態や当日キャンセルなども防止できる。

主治医：立案した治療計画の確認。口腔外科専門医らと連携する場合には、手術内容やCT、口腔内模型などの患者情報を郵送・メールにて送り、入念に打ち合わせを行う。

歯科衛生士：準備する器具・器材などを確認する。

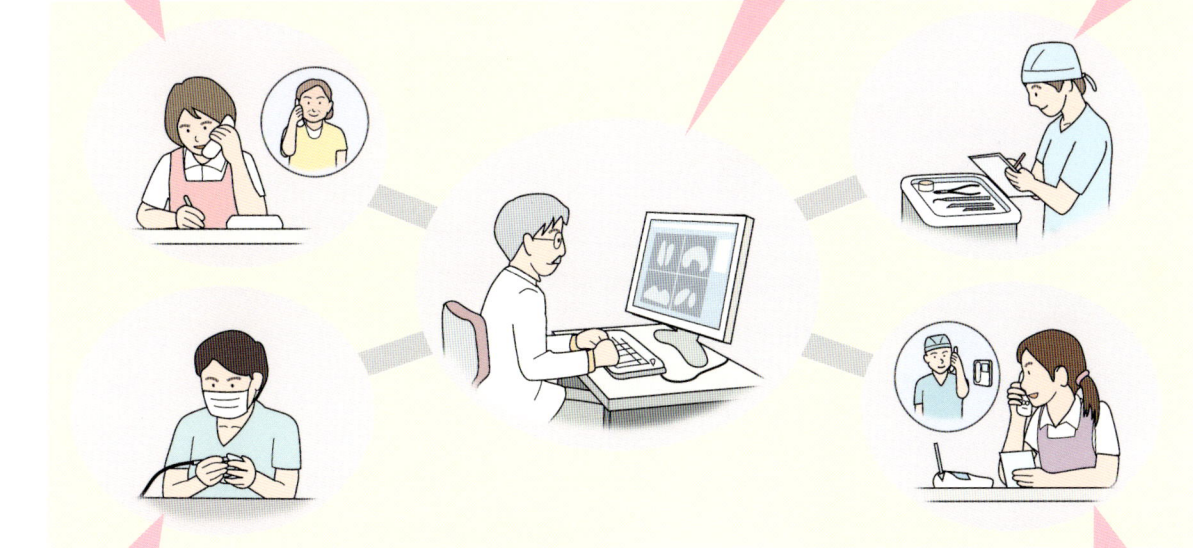

歯科技工士：スタディモデルやX線画像をもとに主治医と協議し、サージカルテンプレートを製作・調整する。

受付スタッフ：麻酔科医と連絡を取り、手術時間・内容の最終確認を行う。

> **ポイント**　歯科衛生士は、主治医と患者さんの間に立ち、より良い信頼関係が保たれるように配慮しなければならない。患者さんは、主治医には尋ねづらい点を歯科衛生士に聞くこともあるので、インプラント治療の手技や知識についても熟知し、わかりやすい手術説明や補足ができるように心がける必要がある[3]。

第4章　術前に準備すべき器具・器材と院内のチームワーク

3）器材の準備、手術環境づくり

術前準備にあたっては器材準備表（図4-5）を目安に、使用するインプラントの種類や本数を含めて、指示された器具・器材および薬剤などの準備と確認を行っている。

また、手術当日には手術室の掃除を行い、器材の滅菌と清潔な環境での治療を心がけなければならない（図4-3、4）。上顎前歯部での審美性にかかわる部位では、外科手技に使うさまざまな器具も、その特性を生かしたものが必要である。その中でも筆者が有効と思われる代表的なものを図4-6～12に示す。

清潔な手術環境づくりと器材の準備

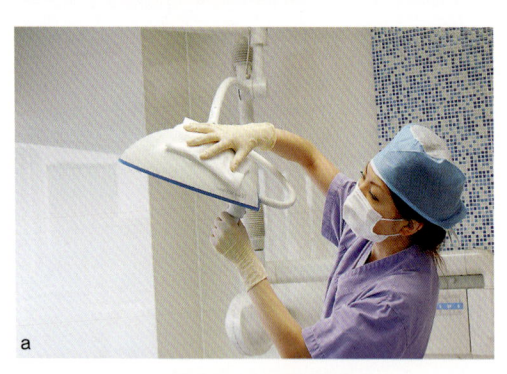

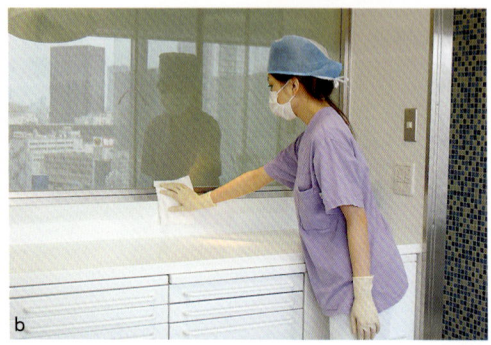

図4-3a、b　清潔・不潔の意義を知り、手術室の掃除や清潔な環境づくりを行うことが大切である。

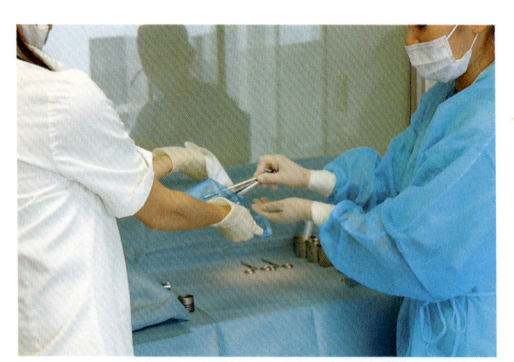

図4-4　器具のパッケージを開封するスタッフは、手術に使う器具に直接手が触れないように、滅菌ガウン、グローブ、マスクを着用したスタッフに手渡す。

▼外科器具
- □メス、メスホルダー　□スケーラー
- □外科用ミラー　□剥離子
- □有鈎ピンセット／無鈎ピンセット　□抜歯器材
- □破骨鉗子
- □スプーンエキスカ　□歯肉鋏
- □持針器・ハサミ　□シャーレ
- □縫合糸　50／60／70／吸収性　□口角鈎
- □プローブ
- □開口器　□滅菌ガーゼ

▼インプラント／関連器材
- □スクリューベント　□ピエゾサージェリー
- □ストローマン　□サイナスキット
- □リプレイスセレクト　□オステオトームキット

▼骨移植／軟組織移植
- □トレフィン　□ボーンタック
- □ボーンタック　□マイクロキット
- □メンブレン（吸収性／非吸収性）　□ボーンミル
- □骨補填材
- □スクレイパー

図4-5　筆者の医院で術前のチェックに用いている器材準備表の内容。筆者の医院では、手術計画に基づいた内容・時間配分、この器材準備表、わかりやすい絵を含めた手術計画表を作成し、手術中にも確認ができるよう手術室内に掲示している（54ページのコラム参照）。

ポイント

使用するインプラントは予定外の変更などもあることから、前後のサイズも含めて数本を余分に用意し、エンジンや器材も不測の事態に備え、予備（バックアップ）として、もう１組準備しておくことが非常に大切である。筆者の医院では、手術中にエンジンが動かなくなったこともあるため、つねに２台を備えている。

本症例で準備したおもな外科器具

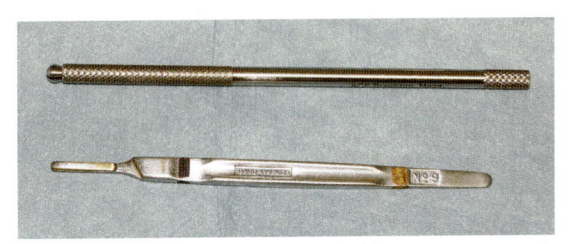

図4-6 メスホルダー。上：ACE社製 Mini Blade Handle (36-09)（インプラテックス社）、下：BD社製 BARD-PAKER No.9（筆者が海外で購入）。ハンドルサイズが小さく繊細な手技に有効である。

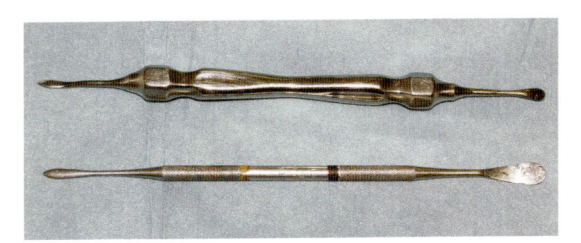

図4-7 剥離子。上：G HARTZELL & SON社製シャネレック PGTR マイクロエレベーター（名南歯科貿易社）、下：Hu-friedy WS7（モリタ社）。先が小さく、剥離の際に歯間乳頭などを傷つけにくい。

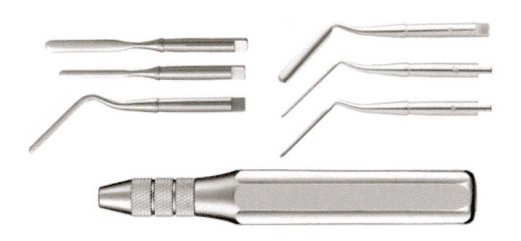

図4-8 ペリオトーム（YDM ペリオトームセット：YDM社）。薄い刃を持つことから、周囲の骨へのダメージを最小限に抑えて抜歯が行える。

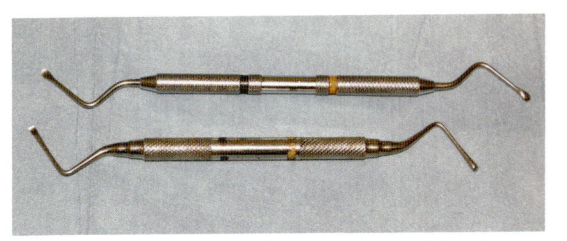

図4-9 ボーンキュレット。上：YDM85（YDM社）、下：ルーカス小（マイクロテック社）。抜歯窩根尖部の不良肉芽の掻爬に有効である。

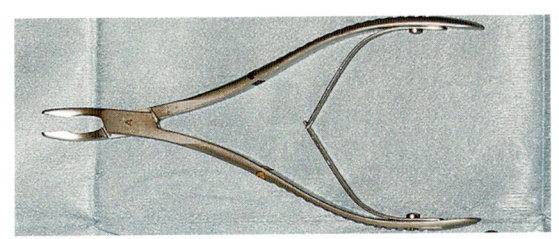

図4-10 破骨鉗子（骨鉗子デリケートA：YDM社）。先端部が小さく繊細な骨のトリミングが行える。

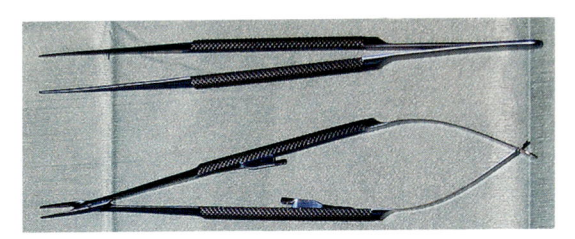

図4-11 マイクロのピンセット（上）および持針器（下）。上：マイクロターイングフォーセップTi、下：マイクロ持針器Ti（茂久田商会社）。6-0、7-0などの細い糸での繊細で正確な縫合に有効である。

図4-12 器具の配置では、手術時の使用する順番を考慮して、左から、メス・剥離子・ボーンキュレット・破骨鉗子などの順番で並べておく。

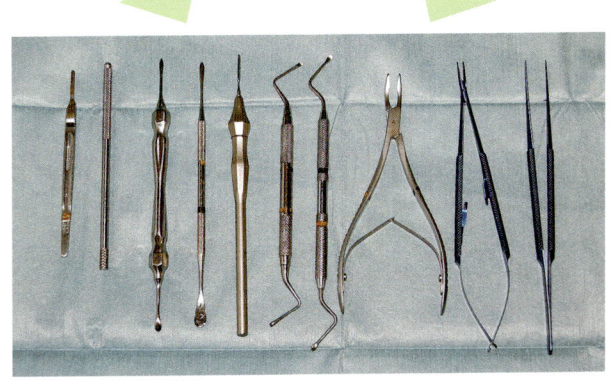

第4章 術前に準備すべき器具・器材と院内のチームワーク

49

4）口腔内環境と術前評価

手術1週間前までに、口腔内に感染源（歯周病やう蝕）がないことや、清潔（PCR 20%以下）に保たれていることが大切である（図4-13）。

手術当日はPMTC（Professional Mechanical Tooth Cleaning）を行い、口腔内を清潔にして感染のリスクをできるだけ下げるようにする。歯面や口腔内粘膜（口蓋、舌、頬粘膜など）を歯ブラシや歯間ブラシ、デンタルフロス、ガーゼなどを用いて清掃する。機械的歯面清掃器具を使用することも有効である（図4-14）。

術野だけでなく口腔内全体の清掃を行う。術野に露出する口腔周囲皮膚面も、口唇から同心円状を描くように目の下から顎まで薬剤を含ませたガーゼを用いて清拭して消毒する（図4-15）。手術当日は化粧をしないように事前に伝えておく。清掃後、口腔内に使用可能な薬剤で1分間含嗽をしてもらう（図4-16）。

全身疾患については、術中の急な体調の変化を避けるために、日頃から患者さんの体調にも注意を払う必要がある。なお、加療中の疾患がある場合には、使用する薬剤（麻酔薬や処方薬など）の種類や量、手術時間などの詳細な手術内容を記載した診療情報提供書をかかりつけ医に送って返信を確認するなど、医科と連携することが大切である。

口腔内外の環境づくり

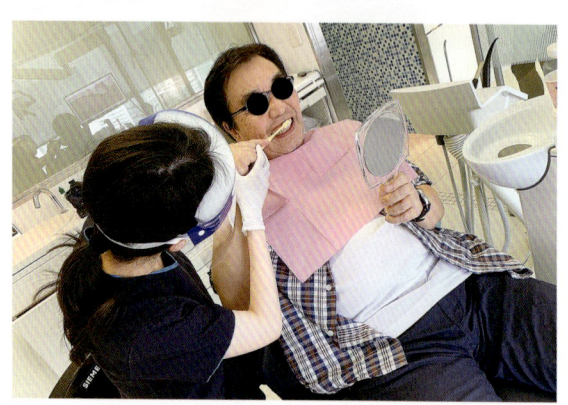

図4-13 患者さんがご自身で口腔内を清潔に保つことができるようにブラッシングをはじめ、口腔衛生指導を行う。

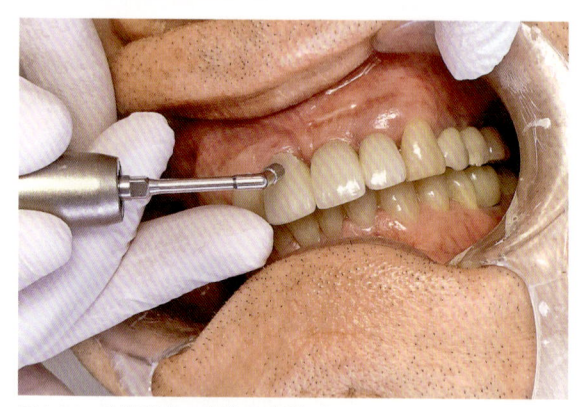

図4-14 手術以外の部位も歯間ブラシやSUSブラシ（機械的歯面清掃器）などで清掃する。

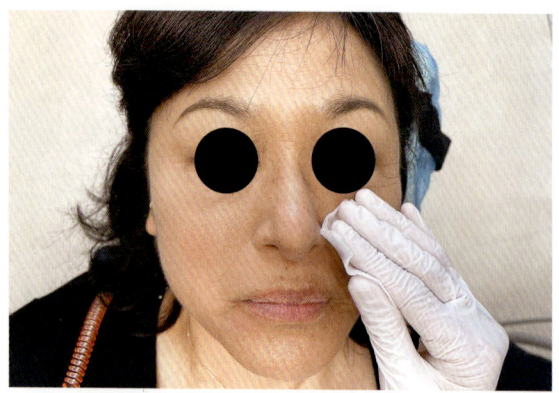

図4-15 口腔周囲皮膚面も清掃・消毒を行う。化粧をしないように伝えておくことが大切である。

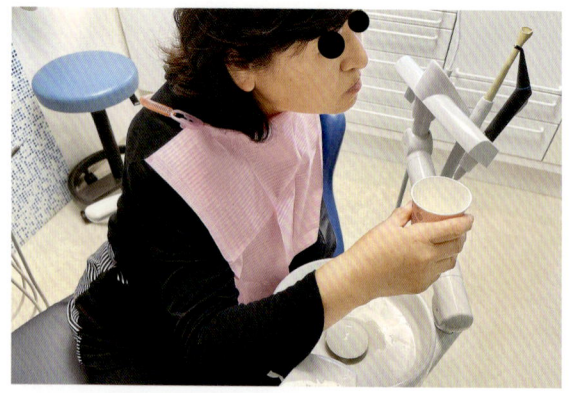

図4-16 0.025%のヂアミトール水で1分間含嗽してもらっている。

4-2 静脈内鎮静法の正しい活用術

1）静脈内鎮静法の概要

静脈内鎮静法とは、手術にあたっての恐怖感や不安感などの精神的緊張を和らげ、手術中の痛みや不快感を軽減し、安全に治療を行うための患者管理方法である。静脈内鎮静は、意識消失に至らず口頭での指示に適切に反応する意識下鎮静（conscious sedation）と、意識が消失し、口頭の指示や刺激に反応せず、外科的侵襲度の大きい手術に応用される深鎮静（deep sedation）に大きく分けられる[4]。

静脈内鎮静に用いる代表的な薬剤としては、鎮静、催眠、抗不安、健忘などの中枢抑制作用があり、覚醒は速やかで、制吐作用があるものが望ましい（図4-17）。副作用として呼吸循環抑制が少なく、静注時の血管痛がないことなどが望まれる[5]。

歯科の静脈内鎮静法で勧められるのは、ベンゾジアゼピン系薬物とプロポフォールである。ベンゾジアゼピン系薬物は、ジアゼパム（セルシン®、ホリゾン®）、フルニトラゼパム（ロヒプノール®、サイレース®）、ミダゾラム（ドルミカム®）の3種類である。排泄半減期から、ジアゼパムが長時間型、フルニトゼパムが中時間型、ミダゾラムが短時間型に分類されている。

なお、薬剤の使用に際しては、継続して患者さんの呼吸状態、循環動態などを監視しなければならず、手術操作などにより刻々と変化する鎮静度に対し、適切に対応する必要がある。

静脈内鎮静法に用いる薬剤

抗生剤（ドイル®静注用1g：沢井製薬社）。

ミダゾラム（ドルミカム®注射液：アステラス製薬社）。作用持続時間が短く、覚醒が速やかなために多用されている。作用時間は短いが、覚醒まで約30分必要である。

プロポフォール（1％ディプリバン®注：アストラゼネカ社）。ベンゾジアゼピン系薬物と同様に脳内のGABAA受容体-Cl チャネル複合体に結合して、鎮静、催眠などの中枢抑制作用を生じるが、ベンゾジアゼピン系薬物とは異なる部位に結合すると考えられ、抗不安作用は少ない[6]。作用持続時間は他の薬剤に比較すると長く、覚醒に一定の時間が必要である。

鎮痛剤（ロピオン®静注50mg：科研製薬社）。

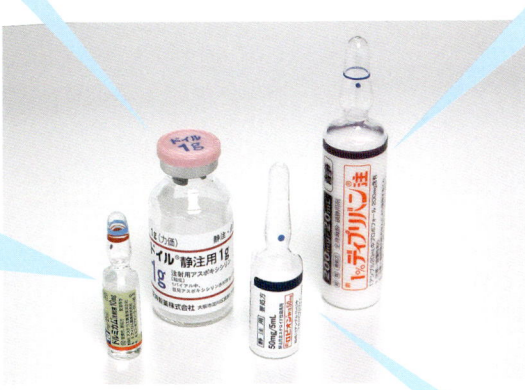

図4-17　静脈内鎮静に用いる代表的薬剤。

2）患者さんへの術前の通達

筆者の医院では、静脈内鎮静を行うにあたり、患者さんへの術前の説明とともに、事前の通達事項として「静脈内鎮静法についてのご説明」と題した書類を作成し、提示している。

静脈内鎮静法に関する患者さんへの術前の通達

静脈内鎮静法のご説明

　静脈内鎮静法とは、インプラント手術での不安や緊張したお身体を、麻酔科医のもと、鎮静薬などのお薬を用いてリラックスさせ、落ち着いて安全で快適に治療が受けられるようにする方法です。

　完全に意識がなくなる全身麻酔ではなく、呼びかけによってお口を開けたりすることができますが、軽い睡眠状態になるものです。

　血圧計、必要に応じて心電計を含む監視モニターを装着し、麻酔科医が全身の体調を管理していきます。

　お薬は静脈（腕）から点滴によって注射することにより、徐々にリラックスして眠くなっていきます。

　治療中は、眠ってしまう場合もございますが、基本的には「うとうと」としている状態で治療が進み、治療終了後に目覚めて、ご帰宅いただきます。

◆注意点
1　事前に麻酔科医による患者様への体調・病歴などの問診がございます。内科や他科に通院・服用しているお薬・アレルギーなどがあれば、お知らせください。
2　手術当日は、自転車・お車・バイクなどでのご来院はお控えください。
3　手術前のお食事は、軽いお食事にして、3時間前におすませください。
4　お化粧・マニキュア・ヒール靴などはお控えください。
5　手術終了後は多少ふらつきなどが残る場合がございますので、大切なお仕事はお控えください。
6　ご家族などの付き添いの方のお迎えをお勧めいたします。
7　術後に、めまい・吐き気・痺れ・血腫などの合併症が出ることがございます。

　治療には、主治医・麻酔科医・歯科衛生士などが万全の体制で当たります。万が一問題が生じた場合には真摯に対応することをお約束申し上げます。

医療法人社団清貴会　小川歯科
天王洲インプラントセンター
歯学博士　小川勝久

術前の基礎疾患の評価については、各疾患に対して最新のガイドライン（Minds医療情報サービス参照）などに基づいて治療が行われているかどうかを検証する必要がある。さらに、加療中であっても適切な管理が行われているかどうかを確認し、疑わしい場合には主治医に対して、診療情報提供書により文書で対診することが望ましい。

当日の食事については、嘔吐の可能性を考慮して、筆者の医院では手術3時間前から食事制限を行っている。

静脈確保のための点滴や、心電図・血圧・静脈血酸素飽和度（SpO$_2$）などを計測できる生体モニターを腕や指に装着することから、厚手の長袖の衣服の着用を避けてもらうこと。口唇周囲まで消毒を行うために化粧を落としてもらう旨を患者さんに知らせている[7]。

最後に、「万が一問題が生じた場合には真摯に対応することをお約束申し上げます」の一文を加え、患者さんに対する責任を明記することで、安心してもらえるように心がけている。

3）静脈内鎮静法の留意点

　静脈内鎮静中での合併症としては呼吸抑制や気道閉塞などがあり、患者さんの安全性の確保の点から、術者とは別の歯科医師(医師)により管理・実施されることが望ましい(図4-18)。また、使用する薬剤によって、禁忌症や筋弛緩作用・末梢血管拡張作用があることから、特に、高度肥満・小顎症・扁桃肥大・睡眠時無呼吸症候群などの上気道閉塞を起こしやすい患者さんや、重度な全身疾患に罹患し呼吸・循環予備力が低下している患者さんに対しては、慎重で細心の注意と対応が必要である[6]。

　日本歯科麻酔学会では、2008年5月に静脈内鎮静法を施行するにあたって注意点などを提示しており、鎮静法に十分な知識と経験だけでなく、緊急事態にも対応できる能力と設備が医師・医院に要求されている(静脈内鎮静法を施行するにあたって．有限責任中間法人日本歯科麻酔学会．2008より)(図4-19、20)。なお、筆者の医院では、亜酸化窒素を用いた吸入鎮静法を併用する場合もある。

静脈内鎮静法を行う際に準備すべき器材

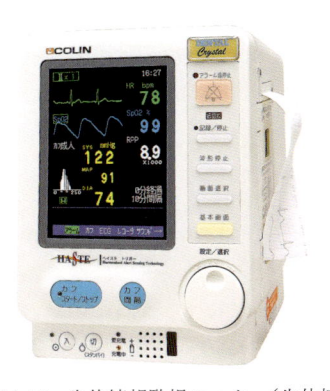

図4-18　生体情報監視モニター(生体情報モニター：オムロンコーリン社)。シンプルで表示がわかりやすい。
☞58ページにて同種製品紹介

図4-19　笑気吸入鎮静器(サイコリッチT-70：セキムラ社)。酸素と笑気の濃度調節がダイヤル操作一つで行え、緊急時には蘇生器としても使用できる。

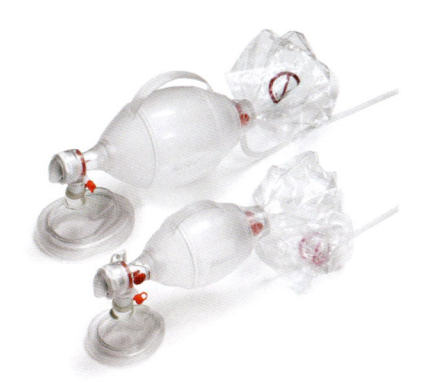

図4-20　気道閉塞時に使用されるバックバルブマスク(アンブ蘇生バッグSPUR II：アイ・エム・アイ社)。薄く柔らかい外装ゴムであることからフィット感にすぐれている。

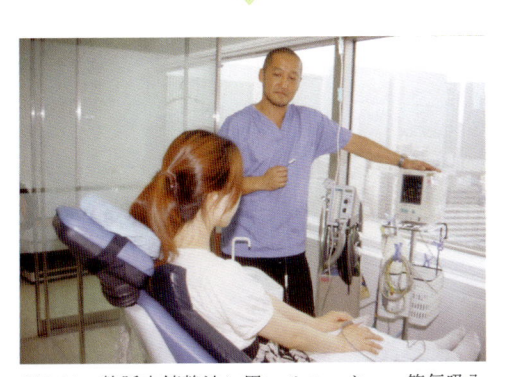

図4-21　静脈内鎮静法に用いるモニター、笑気吸入鎮静器を設置したのち、患者さんにそれぞれの器具・器材の説明を行う。

コラム　手術室の中に掲示する手術のタイムスケジュール

当院では、図4-22のような手術のタイムスケジュール表を手術室の中に掲示している。これは、以下のようなことを目的として筆者が行っているものである。

・アシスタントドクター、介助者、麻酔科医が術式の流れを確認できる。
・麻酔科医にとっては薬の配分の目安にもなる。
・外回りの介助者が使用する器具・器材のタイミングを確認できる。
・主治医が術式や使用する器材を確認できる。

それぞれの処置の開始予定時間が記してある。

術式および使用する器具が簡単にわかるイラストを記載。

行う手術の内容が一目で簡単に確認できるよう、ラフなイラストを入れてある。

使用する縫合糸の種類をメモ書きとして記してある。

使用する材料を付記しておく。

図4-22　筆者の医院にて使用している手術のタイムスケジュール。

図4-23　筆者の医院ではタイムスケジュール表を手術室に貼り、全員が確認できるようにしている。

当時の治療を振り返って

今ならこうする！こうも使える！

手術前に準備する接着性のテンポラリークラウン

　患者さんにとってインプラント治療の不安の一つに、抜歯後（手術後）の仮歯の問題がある。

　単に形態を合わせただけでは外れる場合も多く、手術直後では出血の問題などから、隣接歯に接着するだけでは不十分なケースもある。

　オッセオインテグレーションを待つ間も審美的に不満なく快適に過ごすためには、術前に外れにくく審美的にもすぐれたテンポラリークラウンを用意しておく必要がある。現在では、術前に模型から歯科技工士と相談して上記の要件に耐えうるものを製作している。

　図4-24の症例では、欠損部当該歯のテンポラリークラウンは模型からワクシングして形態・大きさを審美的に考慮したうえで製作した。また、維持形態としてのウィングは、咬頭嵌合位や偏心位においても接触させないように調整する。なお、ファイバーを適応させることでクラウンの破折や脱離を防止できる。

　接着に際しては、筆者は通法に従ってスーパーボンドなどの簡易的接着方法を用いているが、エッチングなどの酸処理は比較的控えめに行っている。

　隣接歯がセラミッククラウンや前装金属冠の場合は、ダイヤモンドバーにて隣接面に慎重に小孔を付与し、その内面に充填用のコンポジットレジンを填入して接着させている（図4-25）。なお、患者さんには、あくまでも簡易的なテンポラリークラウンであることを理解してもらい、当該部での咬合負荷を避けるように指示しておかなければならない。

　なお、欠損が2歯・3歯の場合で、両隣接歯が天然歯の場合では、レジンのラミネート法を応用したテンポラリークラウンは、埋入部位や周囲軟組織に負荷がかからないので有効である（図4-26）。

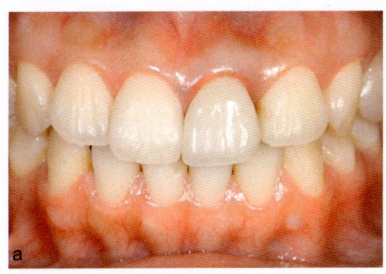

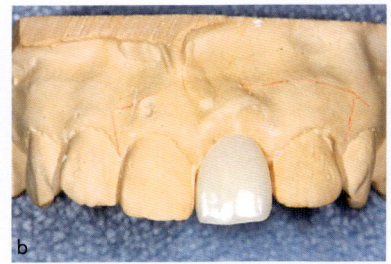

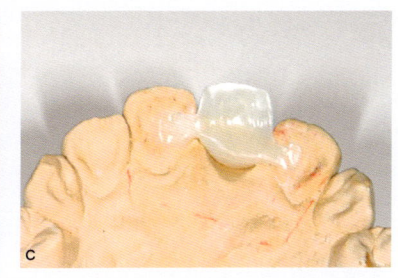

図4-24a〜c　|1 が歯根破折。抜歯前に模型から接着用の仮歯を準備する。

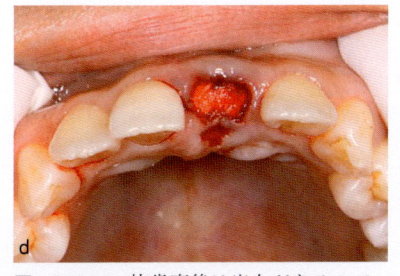

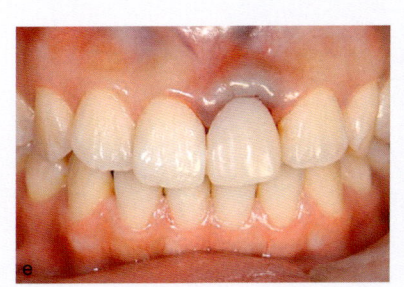

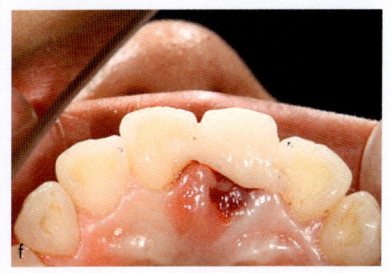

図4-24d〜f　抜歯直後は出血があるので、ロールワッテやエアーブローなどにて接着面に血液が付かないように注意する。また、スーパーボンドが流れないように注意することも重要である。咬合調整は、抜歯窩への切削片の迷入を防ぐためにも模型上や装着前に十分に行っておく。

隣接歯がセラミックスや補綴歯の場合

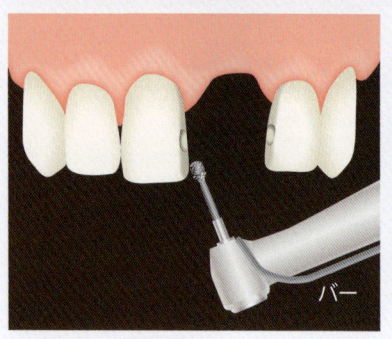

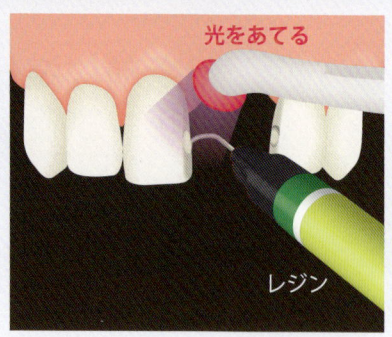

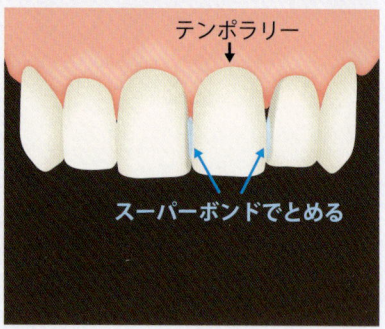

図4-25a～c　隣接歯がセラミックスなどで補綴されている場合には、慎重に隣接面に小孔を開け、レジン（充填用のコンポジットレジン）を充填後、テンポラリークラウンをスーパーボンドなどにて接着する。

2歯以上の場合（隣接歯が天然歯）

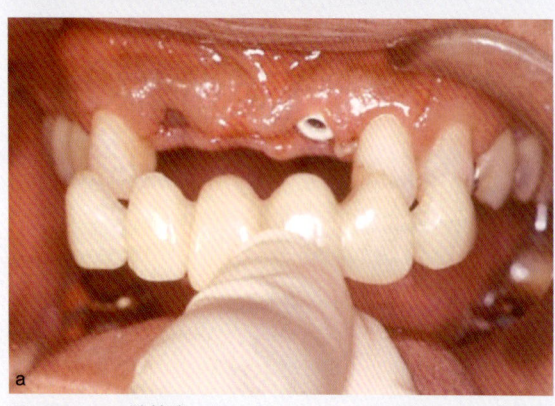

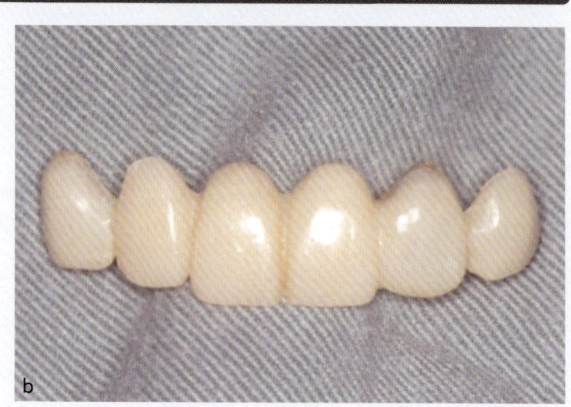

図4-26a、b　隣接歯にラミネートベニアを応用した3歯欠損（2 1|1）のテンポラリークラウン。隣接した犬歯などにエナメル質の削合は一切せず、一部にエッチング処理を施している。ラミネートクラウンには、薄いファイバーを補強として使用している。

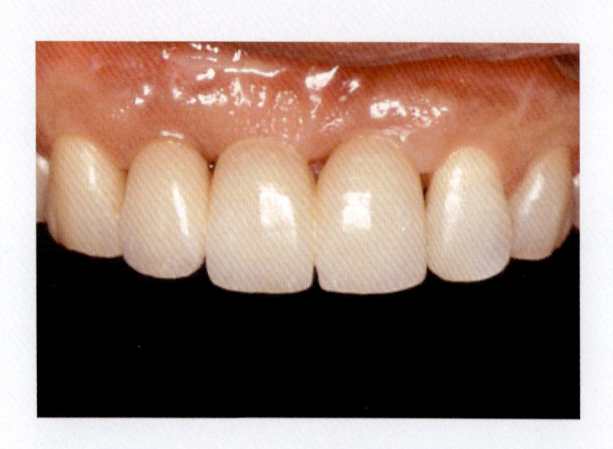

図4-26c　最終補綴装置は 2|1 部のインプラントによるブリッジ。ラミネートベニアとしていた 3|2 3 は通法に従い接着剤を丁寧に外し研磨した。

■ 本章のまとめ

　インプラント治療において、特に手術に際しては、主治医や麻酔科医、歯科衛生士だけでなく、歯科技工士、受付スタッフを含めたチームアプローチとしての連携や術前の準備や心構えが大切である。

　また、静脈内鎮静の実施に際しては、継続して患者さんの呼吸状態、循環動態などを監視しなければならず、手術操作などにより刻々と変化する鎮静度に対し、適切に対応する必要がある。さらに、患者さんの急変時には、迅速な対応が求められるため、患者さんの安全性の確保の点からも術者とは別の歯科医師・医師により実施することが望ましい。

参考文献

1. 渡邉文彦, 多和田泰之, 廣安一彦, 阿部田暁子, 松岡恵理子, 佐々木美幸. 新装版 インプラント治療のためのアシスタントワークとメインテナンス. オッセオインテグレーテッド・インプラント治療のために. 東京：クインテッセンス出版, 2005.
2. 小川勝久, 平塚智裕. 術前準備. In：石川知弘, 瀧野裕行. OJのスペシャリストたちがおくる インプラント 基本の「き」今さら聞けない検査・診断, 患者コンサルから外科・補綴, メインテナンスまで. 東京：クインテッセンス出版, 2021：63-74.
3. 中島 康, 柏井伸子, 入江 剛, 岩田雅一, 小川勝久, 鈴木敦子. 別冊歯科衛生士 みるみる理解できる 図解 スタッフ向けインプラント入門. 東京：クインテッセンス出版, 2007.
4. 渋谷 鉱, 山口秀紀, 一戸達也, 佐野公人, 小谷順一郎, 野口いづみ, 見崎 徹. 静脈内鎮静法の安全運用ガイドラインに関する研究. 日歯医学会誌 2006；25：42-53.
5. 金子 譲, 一戸達也. インプラント手術におけるQOLと安全の確保を考える. インプラント治療における精神鎮静法の役割. Quintessence DENT Implantol 1999；6(2)：50-55.
6. 見崎 徹, 大井良之. 歯科外来における鎮静法. 日臨麻会誌 2008；28：431-438.
7. 嶋田 淳, 龍田恒康, 河津 寛. インプラント手術におけるQOLと安全の確保を考える. インプラント手術時における全身および疼痛管理. Quintessence DENT Implantol 1999；6(2)：41-49.

第4章 紹介器具・器材の関連製品／同種製品

生体監視モニター

バイタルセンサ S-DV（問い合わせ先：セキムラ社）。6.5inchディスプレイを搭載しながらも1.9kgと軽量で、持ち運びも楽なので訪問診療にも最適である。基本測定項目は、心電図、非観血血圧、動脈血酸素飽和度、心拍数、脈拍数、呼吸数、RPP、ショックインデックス、体温であり、他にも豊富なオプションを付けることが可能。多機能ながらも操作はシンプルで使いやすい。

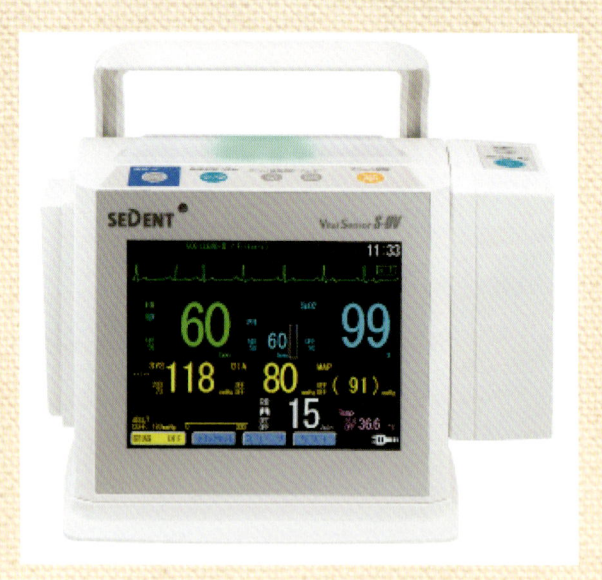

第5章
骨移植の基本手技と基礎知識

1 自家骨の採取・固定・充填
2 骨移植に関するさまざまな考察

　審美領域でのインプラント埋入のための歯槽骨造成術には、ブロック骨移植・粉砕骨とメンブレンを併用したGBR、歯槽骨延長術などがあり、その症例や状況に応じて、選択する術式での利点や欠点を考慮して行うことが大切である。
　本章では、筆者が応用したブロック骨移植の基本手技と必要な器具・器材について解説する。

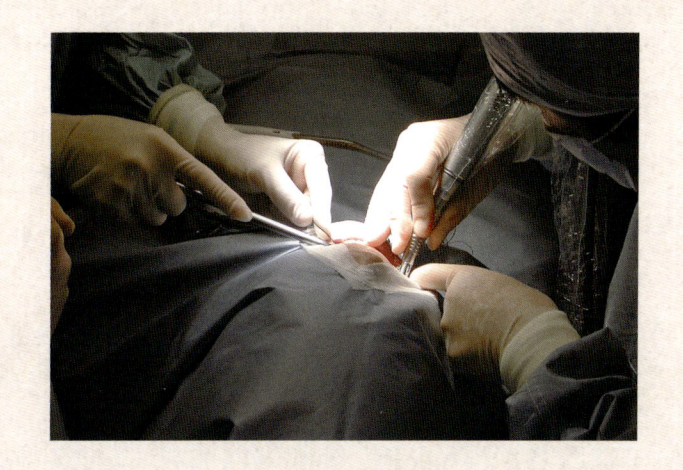

5-1 自家骨の採取・固定・充填

1）切開・剥離と軟組織の除去

　麻酔科医による静脈内鎮静法のもと、治療計画に従い、まず当該歯(|2)の周囲を丁寧に切開・剥離し（図5-1、2）、抜歯を行った。抜歯窩内の不良肉芽などの軟組織は、ボーンキュレットなどを用いて完全に除去し（図5-3、4）、骨形態を明示し、陥凹部の形態と大きさを確認した。なお、切開線の設定が小さいと後の縫合部が骨移植部と重なり、感染や裂開、歯肉退縮の原因になることから、適切な位置に広く設定しなければならない（図5-1）。

切開および軟組織の除去に用いた器具

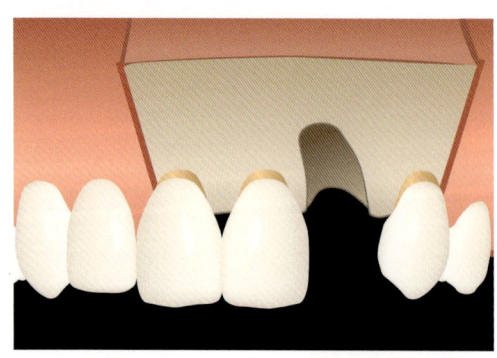

図5-1　切開線は遠心から広く設定し、骨移植部と重ならないようにする。

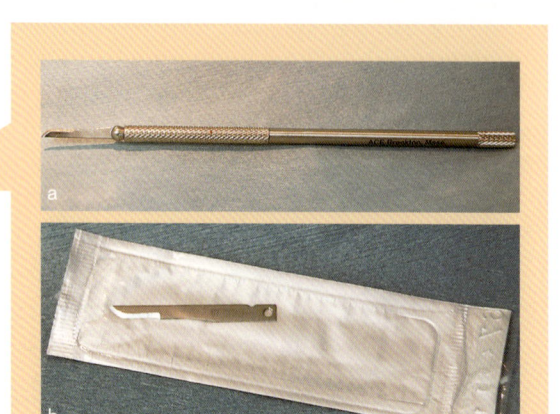

図5-2a、b　本症例で用いたメス（ACE ミニブレード＃67：ACE 社製）。刃先が小さく、繊細な手技に有効である。

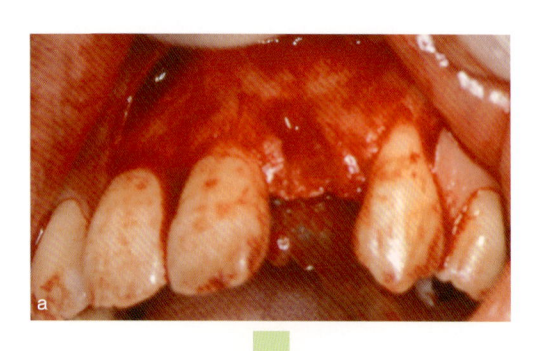

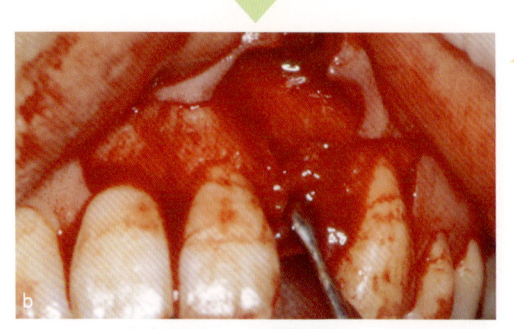

図5-3a、b　抜歯窩周囲の骨形態を明示し、ボーンキュレットを用いて軟組織を搔爬する。

図5-4　ボーンキュレット（ルーカス小：マイクロテック社製）。抜歯窩根尖部の不良肉芽の搔爬に有効である。

2) ブロック骨の採取

切開後、対顎の下顎枝前縁部に切開を加え、下顎骨部より、下顎神経管の走行や位置に十分に配慮したのち、Piezosurgery®(OT6/OT7)を用いて陥凹部形態と同等大のブロック形状にて骨を切除し、スプリット(ファインパターンチゼル#1、#2：ACE社製)にて骨を採取した(図5-5～8)。

自家骨の切除・採取に用いた器具

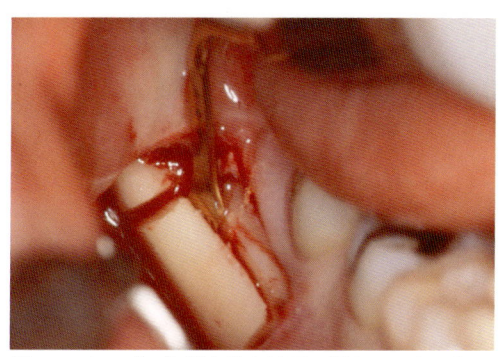

図5-5 チップの先端全体が骨面に触れるように切っていく。この時に、チップを倒すような力は避けなければならない。

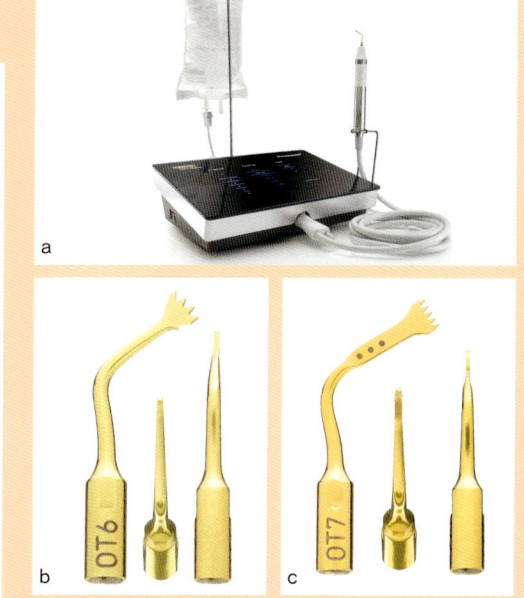

図5-6a〜c ピエゾサージェリー(Piezosurgery®：Mectron社製/問い合わせ：インプラテックス社)のOT6、OT7のチップを用いて骨の切除を行う。
☞70ページにて国内で販売されているおもなピエゾサージェリーの一覧表掲載

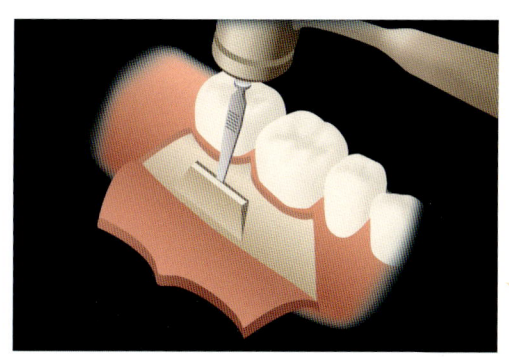

図5-7 介助者に下顎を保持させ、ハンマーにて適切な力をチゼルに加えて、骨を剥離していく。

図5-8 本症例で用いたチゼル(ファインパターンチゼル：ACE社製/問い合わせ：インプラテックス社)。先端が薄く、ピエゾの骨切除部に合わせやすい。

3）ブロック骨の固定・充填

採取したブロック骨は母床骨に適合するように形態に修正を加え、母床骨には骨髄からの血液供給を考慮してデコルチケーションを行った。

その後、マイクロスクリューを用いてブロック骨を母床骨に確実に固定し、粉砕骨にてブロック骨と母床骨の間隙を充填した（図5-9〜14）。最後に6-0のモノフィラメント糸にて丁寧に縫合を行い、手術を終えた。

自家骨の固定・充填に用いた器具

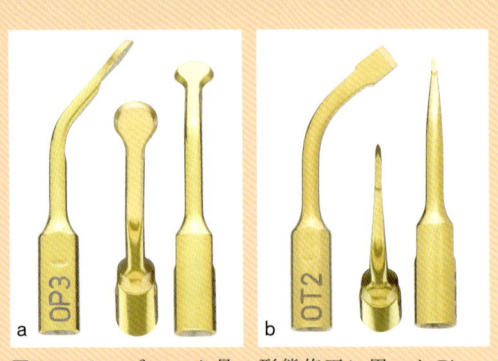

図5-9a、b　ブロック骨の形態修正に用いたPiezosurgery®のOP3、OT2のチップ。

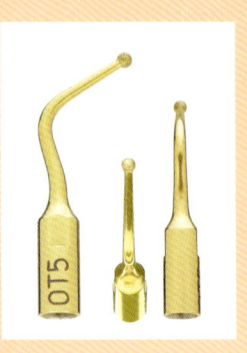

図5-10　母床骨のデコルチケーションに用いたPiezosurgery®のOT5のチップ。

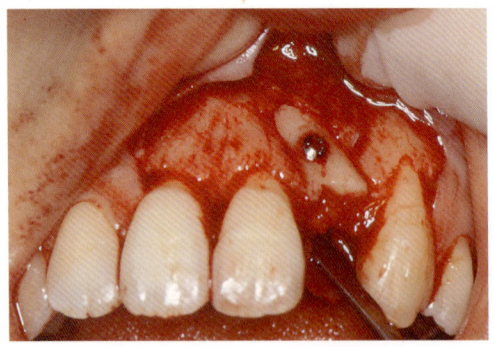

図5-11　ブロック骨が割れないように注意して骨を形態修正し、母床骨には血流を促すためにデコルチケーションを施す。その後、ボーンスクリューにてブロック骨をしっかりと固定する。

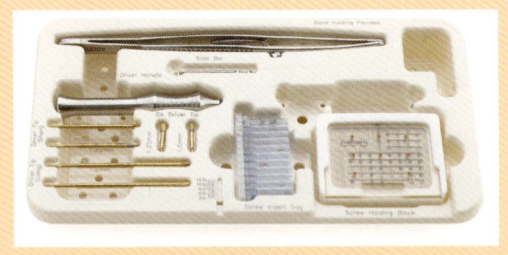

図5-12　ブロック骨を固定する際に使用したボーンスクリューキット（ACE社製／問い合わせ先：インプラテックス社）。

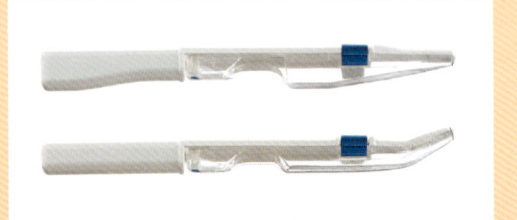

図5-13　ボーンスクレイパー（セーフスクレイパー：META社製／問い合わせ先：インプラテックス社）にて骨を粉砕骨として採取し、母床骨との間隙に充填した。

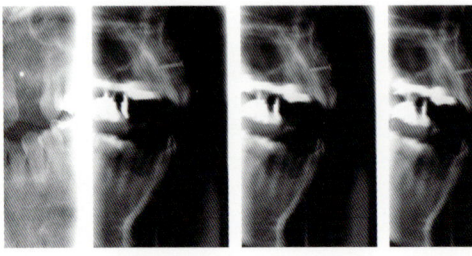

図5-14　骨移植直後のデジタル・リニア・トモグラフィー。母床骨に的確にブロック骨が留められていることがわかる。

5-2 骨移植に関するさまざまな考察

本書の症例の手術では、母床骨へのブロック骨の固定が確実に行え、粉砕骨による間隙の封鎖も行えたことから、メンブレンなどは用いなかったが、審美領域でのインプラント埋入のための歯槽骨造成術にはさまざまな術式があり[1〜3]、その症例や状況に応じて、選択する術式や器具、骨補填材の利点や欠点を考慮して行うことが大切である。以下では、骨移植について考察するポイントを3つに絞り、それぞれ言及してみたい。

なお、骨移植を成功に導く要件としては、以下の7点が挙げられる（文献4より引用・改変）。

①適切なフラップデザイン
②血行の良い移植床
③確実な減張切開
④移植骨と母床骨の良好な適合
⑤移植骨との強固な固定
⑥母床骨と移植骨の間隙への粉砕骨の填塞
⑦治療期間中の骨移植部への免荷

考察ポイント①　自家骨移植について

骨補填材としては、生物学的に適合性にすぐれ、骨伝導能も高く感染などの問題も回避できることから、自家骨が第一選択である。

特に、口腔内から採取した骨は口腔外から採取した骨よりも吸収が少なく、粉砕した海綿骨骨髄は、骨髄内の幹細胞（marrow stem sells）や骨内膜の骨芽細胞（endosteal osteoblasts）を多く含み、早い時期に吸収して血液供給の再開を得ることができる[5, 6]。

その半面、ブロック骨では移植骨への血流が再開されず、生骨に置換しにくいとも言われている[7]。そのため、母床骨からの血液供給を少しでも多くするために、当該皮質骨部にラウンドバーなどにて小孔を開けるデコルチケーション（cortico-penetration）などの工夫が必要である[8]（図5-15）。

また、母床骨との接触面積・適合が良ければ、骨融合が早期に行われ、吸収も少ないため、母床骨、移植骨の双方で的確な適合が得られるように骨をトリミング・形成する必要がある。母床骨と移植骨の間隙に軟組織の陥入が起こると骨癒合に侵されることから、粉砕骨にて間隙を完全に充填することも大切である[4]。

なお、治療期間中の移植骨への荷重、すなわちパーシャルデンチャーなどの圧を避けるため、固定性の暫間補綴装置を選択する。

自家骨の採取は、トレフィンバーやボーンスクレイパー、ピエゾサージェリーなどを用いて、下顎枝前縁やオトガイ部、前鼻棘、上顎結節、インプラント埋入部の周囲などから採取することとなる。

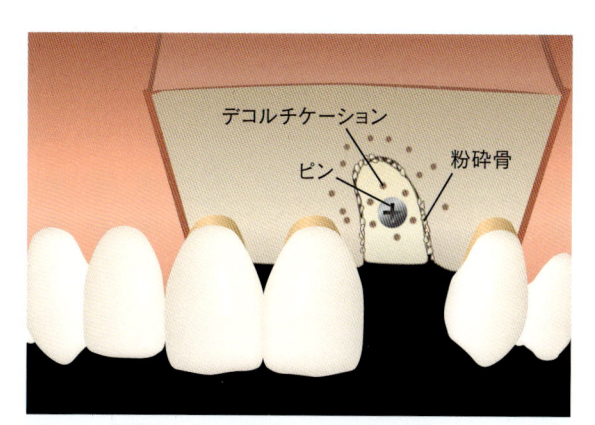

図5-15　移植骨が大きい場合は、母床骨からの血流を良好に保つために、移植骨に小孔を付与する。なお、本書の症例はブロック骨が小さく、小孔を開けることができなかった。

考察ポイント② 骨補填材の使用について

骨移植時、自家骨の採取量やその採取部位の問題から、他家骨や異種骨、あるいは人工的に作られたβ-TCP製剤を骨補填材として応用せざるをえない場合もある。

他家骨は、同種間で他の個体から採取した骨を用いており、凍結乾燥他家骨（freeze-dried bone allograft：FDBA）と脱灰凍結乾燥他家骨（demineralized freeze-dried bone allograft：DFDBA）と呼ばれるものがある（図5-16）。これらは自家骨と比較して多量に使用できるため臨床応用は容易であるが、感染の可能性や製品の不均一性などが問題視されている。感染に関して懸念するような問題はほとんど指摘されていないが、製品の均一性に関しては賛否両論あり、いまだ統一した見解はない。

また、異種骨では、ウシ由来のBio-Ossが代表的なものであり、人工骨ではβ-TCP製剤と呼ばれるものや生体性ガラス・ハイドロキシアパタイト製剤などがある。これらは欧米では多く使用され、安全性や有効性が報告されている。

これらの骨補填材を整理してみると、他家骨に関しては、わが国では法的な整備や倫理的見地から歯科医療行為での応用は認められていない。また、β-TCP製剤は一部の製品の薬事認可が下りている（図5-17）が、歯科領域では使用が認められていないものもある。さらに、代表的な異種骨であるBio-Ossは、歯周病治療への適応に限り、薬事認可が下りている（図5-18）。

いずれにせよ、こうした骨補填材を使用する際には、倫理的見地、患者さんの心情を考慮し、慎重を期したいところである（図5-19）。

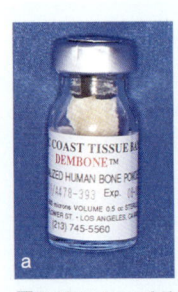

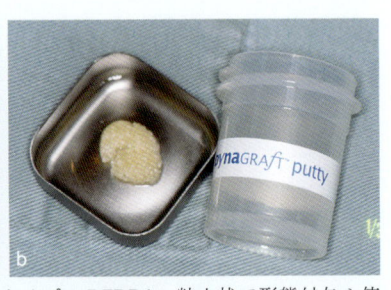

図5-16a、b　パテタイプのDFDBA。粘土状で形態付与や使い勝手にすぐれている。他家骨が骨誘導を起こすのか骨伝導を起こすのかについては現在でも統一した見解は得られていない（未認可）。

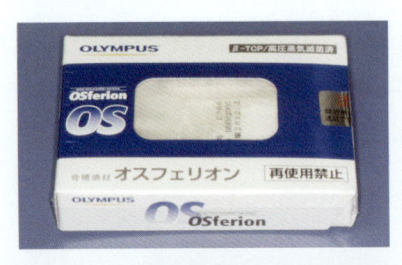

図5-17　オスフェリオン。リン酸三カルシウム（β度99％）の粒子。微細かつ多孔性で、骨の活性作用を持つと言われている。

図5-18　ウシ由来の人工骨であるBio-Oss（許認可）。

図5-19　過去にはたとえばヒト乾燥硬膜についてこうした報道もなされているため、安易に骨補填材を用いるべきでないと筆者は考えている（朝日新聞2001年7月12日より引用）。

考察ポイント③　ピエゾサージェリーの有効性について

　従来の自家骨採取法では、トレフィンバーや外科用のマイクロソーなどを用いて下顎枝前縁やオトガイ部から採取を行ってきた。しかしながら、これらの外科器具は、効果的に骨の切除や採取が行える半面、近接する軟組織への裂傷や合併症を引き起こす危険性もはらんでいる。また、器具の振動による患者の外科的不快感、精神的ストレスも少なくなかった。

　近年開発されたピエゾサージェリーは、それらの問題点を克服することを可能にした。ピエゾサージェリーによる骨への外科処置は、ハンドピースの先端に装着された、窒化チタンコーティングされたチップにて、24.7〜29.5KHzの低周波で20〜60μmsの微振動から骨切除や骨整形を行うことができ（図5-20）、なおかつ、軟組織に損傷を与えない安全性をも有している[9, 10]。

　筆者が用いているPiezosurgery®のチップには、骨外科用チップとしてOT6に代表される骨切り用ボーンソー、OT2やOP3に代表される鋭利な刃を持つスカルペル状のもの、OT5やOT1のようにダイヤモンドコーティングされ繊細な骨切除に用いるものなど、多くの種類と形状がある。これらのチップを適切に用いることで、口腔内の深部でも正確で無理のない操作や繊細な外科手技が応用できる。また、多くの形状があることから、骨切りや骨切除だけでなく、骨整形や抜歯・歯石除去などにも応用できる。さらに、審美性を必要とされる部位へも繊細なアプローチができる[11〜13]。

　なお、他にも骨外科用のチップ（一部国内未承認を含む）やペリオ用のチップ、エンド用のチップなどが開発されており、インプラント埋入、外科矯正、歯周外科や歯内療法などにも応用できる。

　さらに、ピエゾサージェリーは手術時に有効なだけでなく、骨切除、整形後の創傷治癒反応という点で、VercellottiやNevinsらによれば、カーバイドバーやダイヤモンドバーを用いた場合よりも、良好な骨の修復とリモデリングがもたらされることが報告されている[14]。

　また、不適切な位置へ埋入されたインプラントや、インプラント周囲炎に罹患し撤去を余儀なくされた場合においても、従来のインプラント撤去用のバーに比較し、周囲骨を温存でき、なおかつ近接する下歯槽神経やオトガイ孔、上顎洞への安全を配慮したインプラントの撤去が行える。

　しかし、筆者の経験から、トレフィンバーやソーに比べ、骨採取時間が長くかかる傾向にある。また、チップの微振動により骨が切れることから、加える圧や使い方についてのトレーニングも必要である。さらに、当該骨や深部にも注水による冷却が必要であり、特に鎮静下では、この冷却水の吸引や呼吸などの患者さんへの細やかな配慮が不可欠である。

図5-20a　ピエゾを用いた骨整形。繊細な調整が行える。

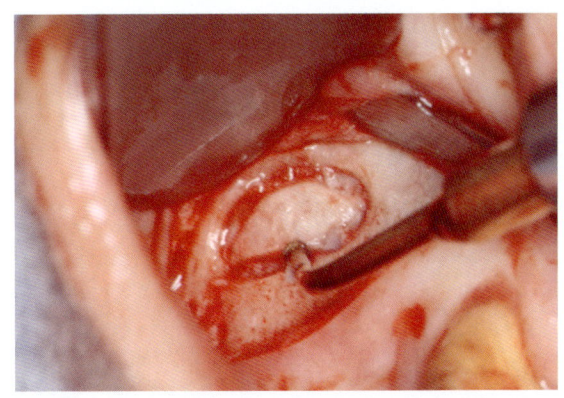

図5-20b　ピエゾを用いたサイナスリフトの骨窓形成。

▼骨移植のアシスタントワーク

　前述したように、インプラント治療や自家骨採取時には、歯科医師・歯科衛生士・歯科技工士・歯科助手・受付も含み、チームとして手術内容や知識も理解し共有することが非常に重要となる。そのため、手術スタッフとしての歯科衛生士や歯科助手らと、術前に院内カンファレンスやモデルサージェリーを行う必要がある。

　本症例では、下顎大臼歯部・頬棚からの自家骨採取を計画し、CTから実寸大の光造形模型を製作して手術シミュレーションを行った。これによって、手術内容および手順、ピエゾ機器や使用するチップに関して手術スタッフと共有できる（図5-21a、b）。

　実際の手術では、モデルサージェリーのとおり慎重に進める。手術スタッフに特に注意してもらいたいのはバキューム操作である。安易に喉の奥にバキュームを入れたりしてはならず、ミラーなどで舌を排除しながら、術者の骨切りチップの動きを妨げないタイミングと位置でバキュームを操作する（図5-21c、d）。

　骨切りは、移植される陥凹部の形態や大きさに配慮して正確に行ったのち、骨ノミとマレットを用いて採取する。この「骨ノミとマレット」の使用にも、あらかじめ担当する手術スタッフとともに、叩く強さの程度や呼吸合わせのための練習が必要である（図5-21e、f）。さらに、患者の顎を保護するためにも別の手術スタッフ（第三助手）にも、患者の頭部や顎を押さえる理由や位置を理解してもらう必要がある（図5-21g、h）。

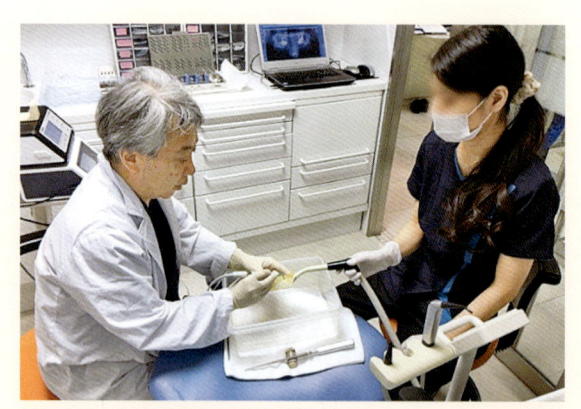

図5-21a　ピエゾ機器と光造形模型を用いたモデルサージェリー。

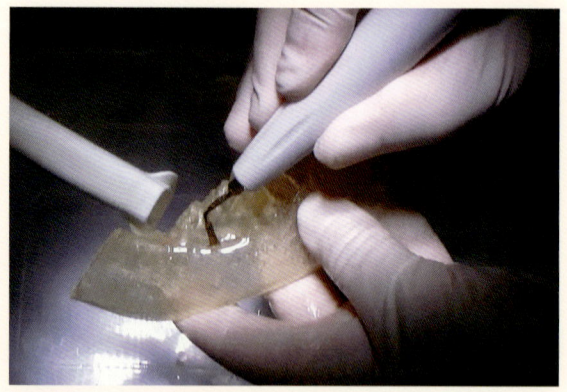

図5-21b　手術の手順や使用する機器の確認を、手術スタッフとともに行うことができる。

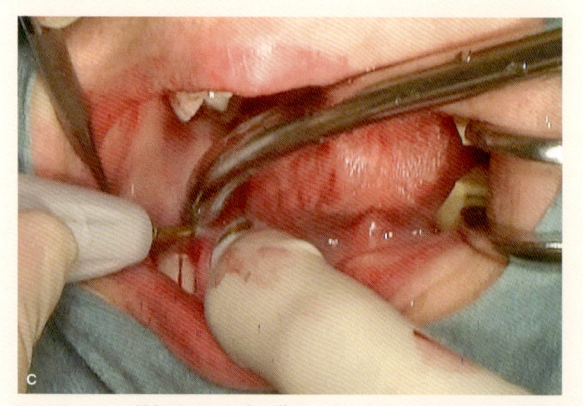

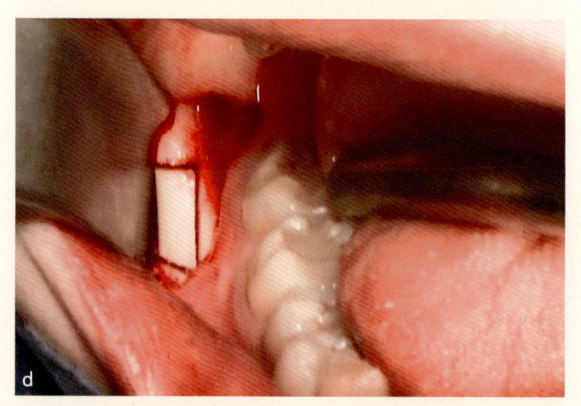

図5-21c、d　骨切りチップの動きを妨げず、患者さんに苦痛を与えないバキュームの位置とタイミングが大切である。

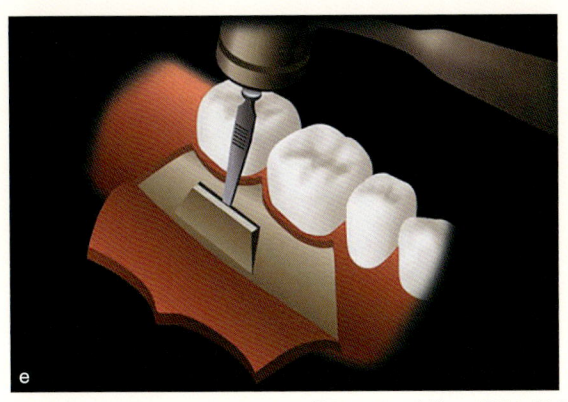

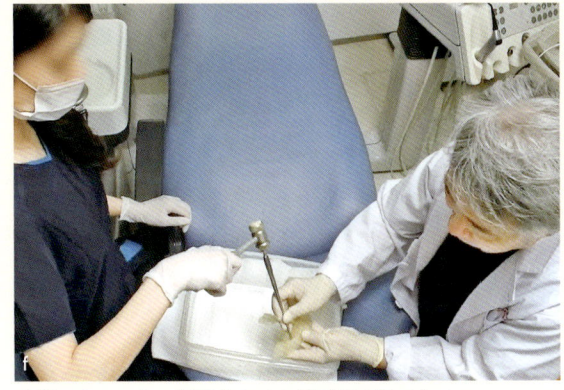

図5-21e、f　骨ノミとマレットの使用では、実際の手術を想定しての手術スタッフとの呼吸合わせや練習が大切である。

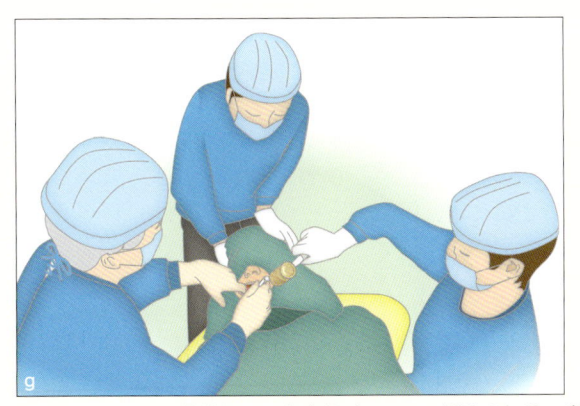

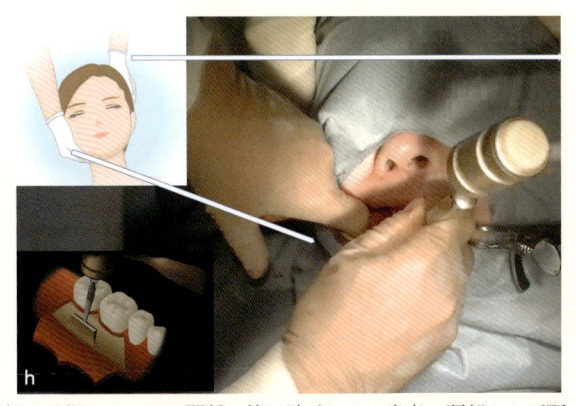

図5-21g、h　下顎枝前縁から自家骨ブロックを採取する時の歯科医師と手術スタッフの関係。第三助手による患者の頭部および顎の固定も重要である[15]。

当時の治療を振り返って

今ならこうする！こうも使える！

前鼻棘からの骨移植

　少量でも骨移植をともなう前歯部インプラント治療では、移植に必要な骨をどこから採取するのかが大きな問題であった。従来、下顎枝前縁などから採取していたが、手術部位が2ヵ所になるため、患者さんへの外科的侵襲も大きく、また、トレフィンバーやマイクロソーなどの外科器具では前鼻棘からの骨採取時に、口唇や周囲軟組織への裂傷や合併症の危険をはらんでいた。

　しかしながら、ピエゾサージェリーを用いることで、前鼻棘からでも安心して安全に適量の骨採取が行える。また、前鼻棘からの骨採取を行うことで、同一部位での治療が可能である。

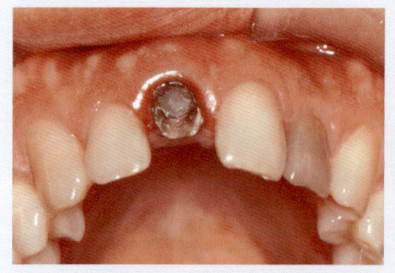

図5-22　術前。1|に歯肉縁下深くに及ぶ軟化象牙質を認める。

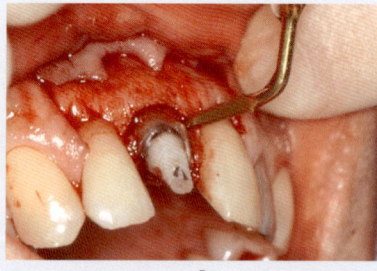

図5-23　Piezosurgery®（EX-1）を用いて、唇側骨に損傷を与えないように丁寧に抜歯をする。

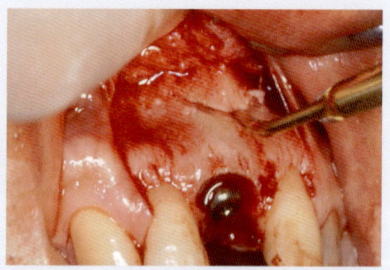

図5-24　インプラント埋入後に、前鼻棘からPiezosurgery® OT-2にて骨を採取する。

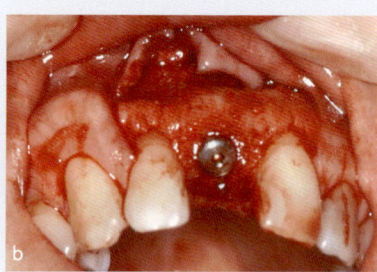

図5-25-a、b　採取した骨は粉砕し抜歯窩とインプラントの間隙に填入する。

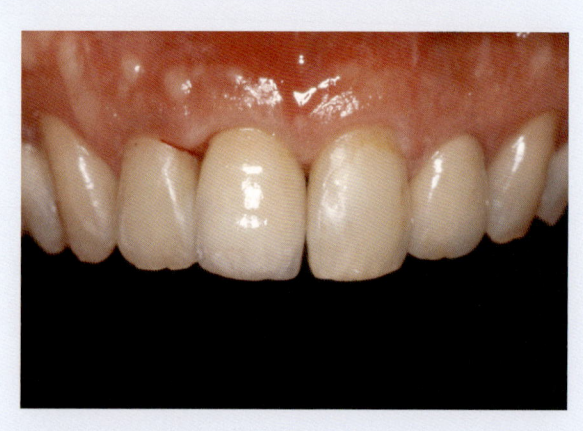

図5-26　審美的にも十分満足が得られる結果となった。

■ 本章のまとめ

自家骨移植での骨切りや骨採取においては、外科手術の基本を熟知し[16]、その実施や手技では、光造形模型やシミュレーションソフトなどを用いて十分に検討を加え、慎重に取り組むことをお勧めしたい。

参考文献

1. 赤野弘明．「骨と骨移植」を文献・臨床から斬る．すべてはオッセオインテグレイションのために．第1回 骨とそのバイオロジー．the Quintessence 2009；28(8)：62-70.
2. 赤野弘明．「骨と骨移植」を文献・臨床から斬る．すべてはオッセオインテグレイションのために．第2回 移植材の特徴とその使い方 2009；28(9)：70-81.
3. 赤野弘明．「骨と骨移植」を文献・臨床から斬る．すべてはオッセオインテグレイションのために．第3回 インプラントのための骨移植 成功のポイント 2009；28(10)：70-86.
4. 堀内克啓．骨造成を失敗しないための外科のポイントを学ぶ[1]．自家骨移植による Veneer graft のポイント．the Quintessence 2008；27(8)：163-173.
5. Gray JC, Elves MW. Donor cells' contribution to osteogenesis in experimental cancellous bone grafts. Clin Orthop Relat Res 1982；(163)：261-71.
6. Marx RE. Bone Grart Physiology with Use of Platelet-Rich Plasma and Hyperbaric Oxygen. In：Jensen OT(eds). The sinus Bone Graft. Illinois：Quintessence, 1999：183-190.
7. Enneking WF, Eady JL, Burchardt H. Autogenous cortical bone grafts in the reconstruction of segmental skeletal defects. J Bone Joint Surg Am 1980；62(7)：1039-1058.
8. 古賀剛人．8回 自家骨移植による RIDGE AUGMENTATION のバイオロジー．インプラント外科学再考．Quintessence DENT Implantol 2000；7(5)：123-132.
9. Vercellotti T. Piezoelectric surgery in implantology：a case report-a new piezoelectric ridge expansion technique. Int J Periodontics Restorative Dent 2000；20(4)：358-365.
10. Stübinger S, Kuttenberger J, Filippi A, Sader R, Zeilhofer HF. Intraoral piezosurgery：preliminary results of a new technique. J Oral Maxillofac Surg 2005；63(9)：1283-1287.
11. Sohn DS, Ahn MR, Lee WH, Yeo DS, Lim SY. Piezoelectric osteotomy for intraoral harvesting of bone blocks. Int J Periodontics Restorative Dent 2007；27(2)：127-131.
12. Happe A. Use of a piezoelectric surgical device to harvest bone grafts from the mandibular ramus：report of 40 cases. Int J Periodontics Restorative Dent 2007；27(3)：241-249.
13. 小川勝久．インプラント治療におけるピエゾサージェリーの有用性—文献考察とその臨床応用— Part 2 Clinical Study 1：ピエゾサージェリーで採取した骨の審美領域での臨床応用．Quintessence DENT Implantol 2000；15(6)28-37.
14. Vercellotti T, Nevins ML, Kim DM, Nevins M, Wada K, Schenk RK, Fiorellini JP. Osseous response following respective therapy with piezosurgery. Int J Periodontics Restorative Dent 2005；25(6)：543-549.
15. 小川勝久，郡司圭子．自家骨移植をともなうインプラント治療のアシスタントワーク．In：三好敬三(監修)．別冊 Quintessence DENTAL Implantology スペシャリストたちに学ぶ インプラントのための骨増生 オッセオインテグレイション・スタディクラブ・オブ・ジャパン 16th ミーティング抄録集．東京：クインテッセンス出版，2018：22-27.
16. 河奈裕正，朝波惣一郎，行木英生．インプラント治療に役立つ外科基本手技．切開と縫合テクニックのすべて．東京：クインテッセンス出版，2000.
17. 岩野義弘，小田師巳，岡田素平太，増田英人．骨補填材料＆メンブレンの歴史的変遷と最新トレンド 歯槽堤再生のための最適な材料および術式とは？．東京：クインテッセンス出版，2019.

付録　国内で販売されているおもなピエゾサージェリー

製品名	取扱い企業	特長	製品画像
Piezosurgery®	㈱インプラテックス	タッチ式スクリーンに触れるだけで、歯周外科、骨切り（皮質骨用・海綿骨用）、上顎洞開窓など、使用目的の設定が可能。直ちにフィードバック機能にて術部に適した施術が行える。チップも40種類を超えるさまざまな形状を持つ。	
バリオサージ3	㈱ナカニシ	ハンドピースの先端にグラスロッドを採用したライトから視野を明瞭にできる。足元のフットペダルにてプログラムを変換できることから、術者にも優しい。術野の状況に合わせて、自動的に切削機構をコントロールする「フィードバック＆オートチューニング機構」を併せ持つ。	
サージボーン	コアフロント㈱	50段階の出力の調整・10段階の超音波周波数の調整、100段階の水量調整と、細かな調整が可能である。3時間にも及ぶ連続使用にも耐えられる冷却機能を備えている。	
オサダ サージェリーファルコン（OSF-1）	長田電機工業㈱	従来の製品に比べ骨の切削効率がアップ。チップのラインアップは、骨切削・穴あけ・骨整形・粘膜剥離・歯根膜剥離と充実しており、多くの術式・術部に対応できる。また、メモリー機能も充実し、使用に合わせてパワー・注水量を6パターン記憶可能。注水準備や使用後のメインテナンスもボタン1つで容易である。	
ピエゾトーム	白水貿易㈱	ストレスを感じさせないハイパワー（60W）で、骨切削、骨形成、サイナスリフトなどをより効率的に行うことができる。また、LED照明が標準装備となり、より術部が明るく見やすくなった。チップはボーンサージェリーチップ、サイナスリフトチップ、ソケットリフト用イントラリフトチップ、スプリットクレストチップ、抜歯用チップなど豊富な種類を揃えている。	
ピエゾンマスターサージェリー	㈱松風	フラットなタッチパネルを採用しスムースな操作ができる。25Wの高出力からストレスのない施術が行える。骨切り・抜歯・逆根管充填・上顎洞底挙上術などに応用できる15種のチップを備えている。	

第5章　骨移植の基本手技と基礎知識

付録　国内で販売されているおもな骨補填材[17]

製品名	取扱い企業	特長	製品画像
テルフィール、オスフィール（オスフェリオンDENTAL；β-TCP）	㈱モリタ 京セラ㈱	主成分はβ-TCP($Ca_3(PO_4)_2$)であり、顆粒内部に約50％のミクロ（気孔径10μm以下）の連通気孔を有し、表面積が広く細胞侵入を促す液性成分が染み込みやすい構造をしている。かなり早期に吸収する骨補填材で、骨体外側方向への骨造成ではなく、上顎洞底挙上術やリッジプリザベーションなどの閉鎖された部位での使用が適していると考えられる。	
セラソルブ M（β-TCP）	ジンマー・バイオメット・デンタル(同)	2012年に歯科領域で初めて承認されたβ-TCPで、顆粒内部に5～500μmのミクロ、メゾマクロ、マクロの連通気孔を有し、表面積が広く細胞侵入を促す液性成分が染み込みやすい構造をしている。臨床的にはオスフェリオンDENTALなどと同様に、閉鎖環境に対して効果を発揮する骨補填材だと考えられる。	
サイトランスグラニュール（炭酸アパタイト）	㈱ジーシー	世界で初めて精製された合成炭酸アパタイト補填材。新しい材料であるが、インプラント周囲を含む領域での使用も承認されており、今後の臨床応用に期待が大きい。やや緩徐な吸収と新生骨への置換が期待できることから、上顎洞底挙上術、リッジプリザベーションに加え、吸収性骨補填材のあまり使用されない歯槽堤増大にも効果が期待できるかもしれない。	
ネオボーン（ハイドロキシアパタイト；HA）	㈱Aimedic MMT	2010年に販売が開始された第二世代HAで、直径150μm前後の多数の気孔どうしが、直径平均40μmの大きな気孔間連通部により骨補填材全体にわたってつながった三次元連通気孔構造を有する。ほぼ吸収を示さないため、歯槽堤増大など吸収せずに維持したい部位に用いるのが妥当と考えられる。	
Bio-Oss（ウシ骨由来HA）	ガイストリッヒファーマジャパン㈱	ウシ海綿骨および皮質骨から成り、ヒトの骨と類似した骨梁構造と多孔性を維持しつつ、有機成分を除去、無菌化して提供される。1,000以上の論文により支持される、世界でもっとも使用されている骨補填材である。上顎洞底挙上術、垂直／水平GBR、リッジプリザベーションなどさまざまな骨造成において、単独もしくは自家骨を含む他の材料と併用して用いられる。	

第5章　骨移植の基本手技と基礎知識

付録　国内で販売されているおもなメンブレン[17]

製品名	取扱い企業	特長	製品画像
BIOMEND（ウシ腱由来タイプⅠコラーゲン；吸収性メンブレン）	ジンマー・バイオメット・デンタル（同）	軟組織を排除するとともに、血小板凝集を惹起することによる創傷治癒の促進作用がある。3種類のサイズがあり、吸収期間は8週以内と速いのが特徴。膜の固定は必要とせず、おもに歯周組織再生療法を目的に使用されるため、GBRに用いる際は吸収期間に留意する必要がある。	
Bio-Gide（ブタ由来タイプⅠおよびタイプⅢコラーゲン；吸収性メンブレン）	ガイストリッヒファーマジャパン㈱	2種類のコラーゲンによる二層構造で、平坦な層では軟組織の排除を行い、多孔性の層では毛細血管の侵入にともなう骨形成や血管形成を促進する。4つのサイズがあり、吸収期間は8～12週とGBR用のメンブレンとしては速い。	
サイトランス エラシールド（吸収性メンブレン）	㈱ジーシー	GBR適応の吸収性メンブレンとして国内で初めて薬事承認を取得した製品。適度なハリとコシがあり、しなやかで形状に追随するため、使いやすく術後の歯肉裂開が起きにくい設計。自家骨との併用のみならず、サイトランス グラニュールなどの骨補填材とも併用して使用できる。	
Jeli Ti メッシュ（チタンメッシュ；非吸収性メンブレン）	㈱プロシード	チタン合金のスクリューでチタンメッシュを固定するシステム。サイズは2種類で、厚さは0.1mmと0.2mmのものが用意されている。おもに骨補填材を併用して歯槽堤増大に用いる。また、その際に吸収性メンブレンを用いる場合もある。	
ウルトラフレックスメッシュプレート（チタンメッシュ；非吸収性メンブレン）	京セラ㈱	チタン合金のスクリューでチタンメッシュを固定するシステム。マーガレットメッシュ構造という特殊な構造を有し、三次元的に自由度の高い屈曲が可能となっている。また、応力が分散するため破折しにくい。骨補填材と併用し、水平／垂直GBRに用いる。	
Ti ハニカム メンブレン（チタンメンブレン；非吸収性メンブレン）	㈱モリタ	ハニカム型フィルター構造で20μmと薄く、トリミングが容易である。特殊レーザー加工により血液や栄養分は通過できても軟組織は迷入しない20μmの通気孔を50μm間隔で有する。チタンピンなどで固定すると術後の微小動揺を防ぐことができる。骨補填材と併用し、水平／垂直GBRに用いる。	

第5章　骨移植の基本手技と基礎知識

第6章

軟組織移植の基本手技と基礎知識

---

1 軟組織移植の基本手技
2 軟組織移植に関するさまざまな考察

　審美領域のインプラント治療の成功基準として、歯周組織形態の左右対称性や連続性が重要な要素となるため、多くの症例で軟組織のマネージメントが必要となる。
　本章では軟組織移植について、実際に行った手技を供覧し、必要な器具・器材と基礎知識を紹介する。

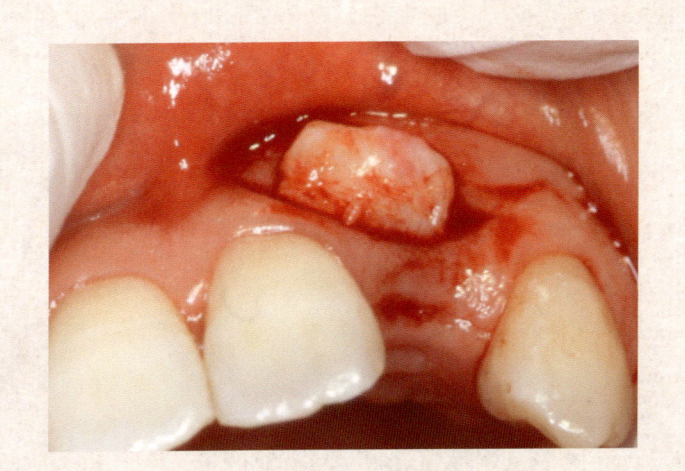

6-1 軟組織移植の基本手技

1) 骨移植した部位の診断／切開線の設定

自家骨移植後6ヵ月の治癒を待ち、当該歯周組織の歯槽堤状態の検討を行った。その結果、当該歯槽堤部の高さには問題がないものの、唇側に軽度な吸収を認めたため（図6-1、2）、将来の審美性獲得のために軟組織（上皮下結合組織）移植を行うこととした。当該部・受容側では、骨移植に使用したマイクロスクリューの除去も同時に行うことから、唇側部に半月状切開を加えた（図6-3、4）。

骨移植した部位の診断／切開線の設定の手順

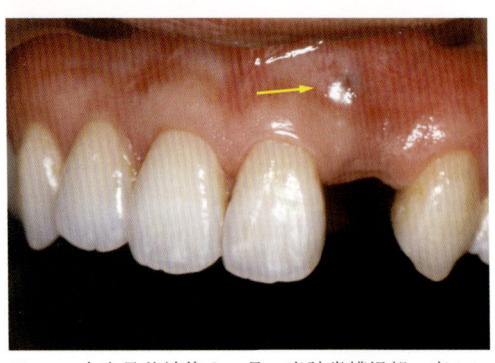

図6-1 自家骨移植後6ヵ月。当該歯槽堤部の高さに問題はないが、唇側に軽度な吸収を認めた。また、骨移植に用いたマイクロスクリューが透けて見える（→）。

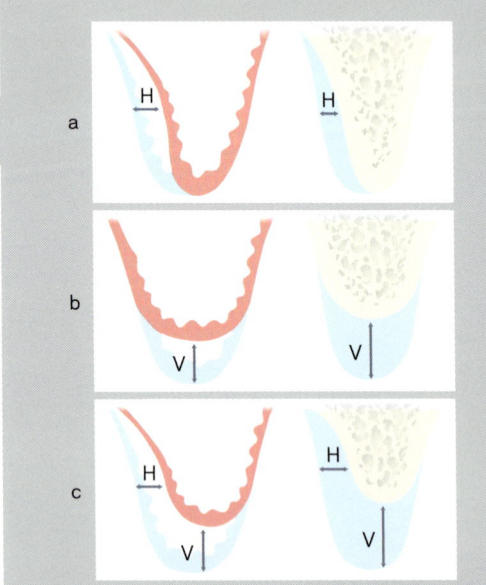

図6-2a〜c HVC分類法[1]。H（水平性欠損：2a）、V（垂直性欠損：2b）、C（混合性欠損：2c）と分類し、さらにs（軽度：吸収3mm未満）、m（中等度：吸収4〜6mm未満）、l（重度：吸収6mm以上）に分類される。本症例の場合はH-sと診断される（文献2より引用）。

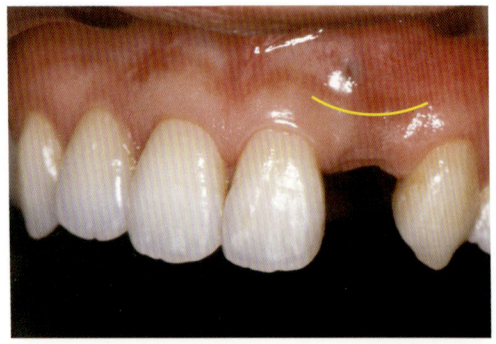

図6-3 上皮下結合組織移植に先立った切開線の設定。可動粘膜部を避け、欠損部に半月状の切開線を大きめに設定する。

図6-4 本症例に用いたマイクロ・メス（CK-2-60：Sybron Endo社製／問い合わせ先：ヨシダ社）メスに角度が付いており根尖側から歯冠側への切開が行いやすい。

2）上皮下結合組織の採取

スクリュー除去後にマイクロブレードおよび歯周外科トンネルインストゥルメントを用いて歯冠部方向に部分層弁剥離によるトンネル形成を行った（図6-5、6）。

同時に右側上顎小臼歯部の口蓋側に一次切開および二次切開を加え、上皮下結合組織を通法に従って慎重に採取した（図6-7〜9）。

トンネル形成／上皮下結合組織の採取の手順

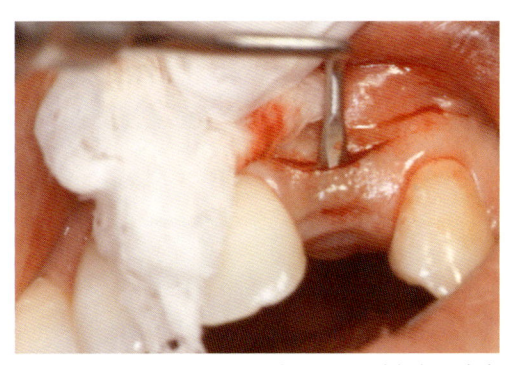

図6-5　歯冠側へトンネル形成を行う。歯冠側の歯肉内にトンネル・エレベーターにて貫通しないよう慎重に、なおかつ広めに切開を加えていく。

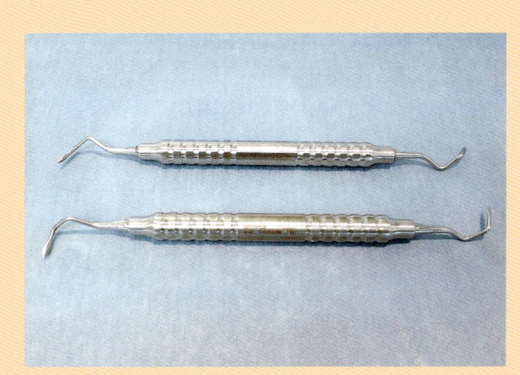

図6-6　トンネル形成に用いたイクルホウト・ラテラル・トンネル・エレベーター（stoma社製／問い合わせ先：インプラテックス社）。小さな刃先が両側に付いていることから繊細な操作が行いやすい。

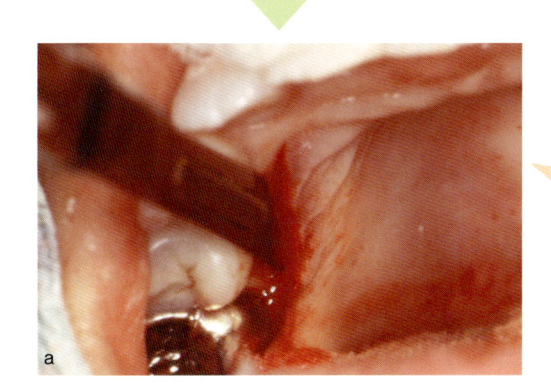

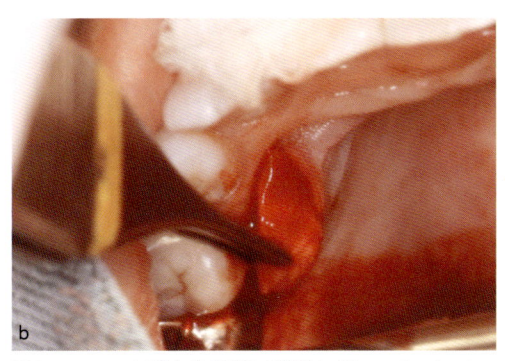

図6-7a、b　上顎小臼歯部口蓋側に15cのメスにて一次切開および二次切開を加え、2mm幅の上皮下結合組織を採取する。採取した結合組織の脂肪組織部は丁寧に除去しておく。

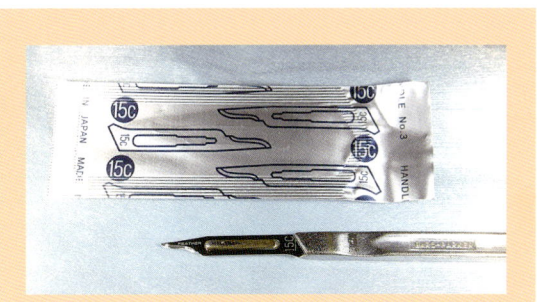

図6-8　一次切開および二次切開に用いた15cのメス（フェザー安全剃刀社製）。

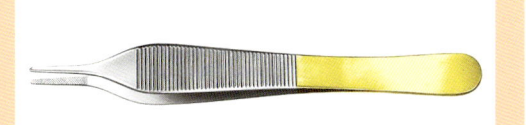

図6-9　本症例で用いたピンセット（アドソンTC・無鉤・15cm：stoma社製／問い合わせ先：インプラテックス社）。

3）上皮下結合組織の挿入

移植片は脂肪組織を除去して形態を整え、受容側部、トンネル内に挿入し（図6-10、11）、5-0吸収性糸で牽引縫合により適切な位置に固定した（図6-12、13）。

上皮下結合組織の挿入の手順

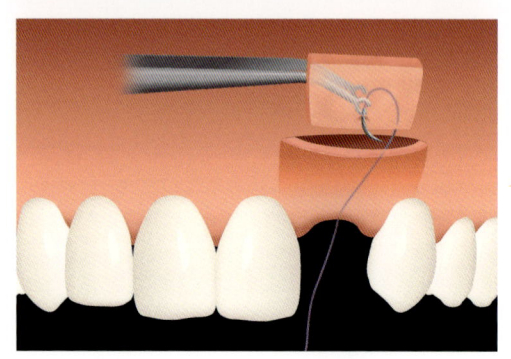

図6-10　歯冠側よりトンネル内に吸収性糸を通してから、先端がC型の形状をしたサラーマ・コーンフォーセップスを用いて、採取した上皮下結合組織を把持し、そのC型形状の中に針を通していく。

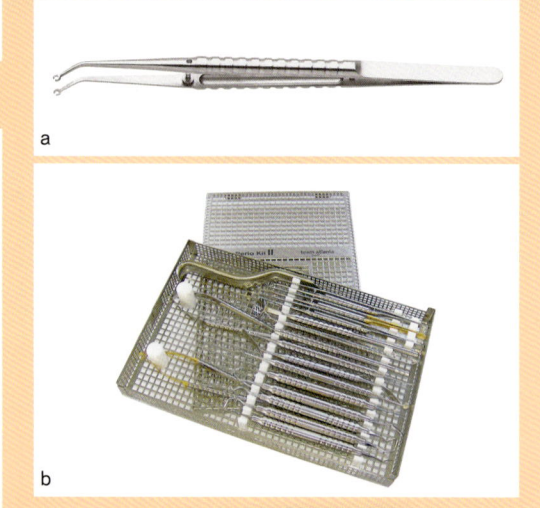

図6-11a、b　上皮下結合組織移植に必要なサラーマ・コーンフォーセップス（a）やイルクホウト・ラテラル・エレベーターを含む繊細な数種の小器具が含まれたチームアトランタ・ベーシックキット（b）（stoma社製：問い合わせ先／インプラテックス社）。

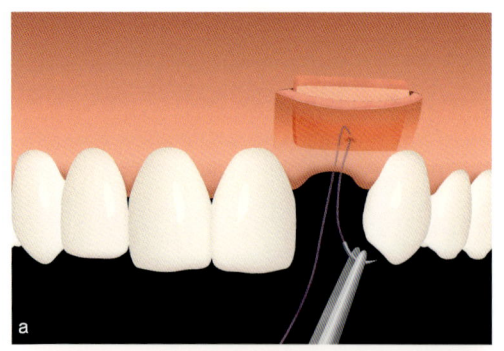

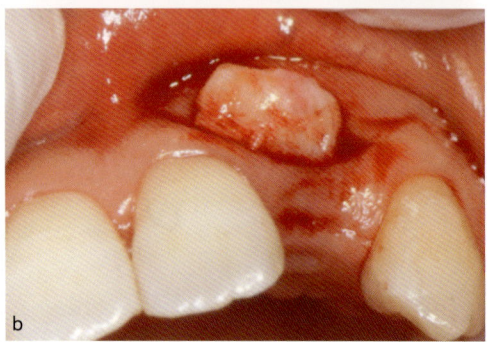

図6-12a、b　口蓋側より吸収性糸を牽引しながら、移植片（上皮下結合組織）をトンネル内の適正な位置に挿入し、縫合を加える。この操作によって、移植片は歯冠側に牽引された状況で固定されることになる。

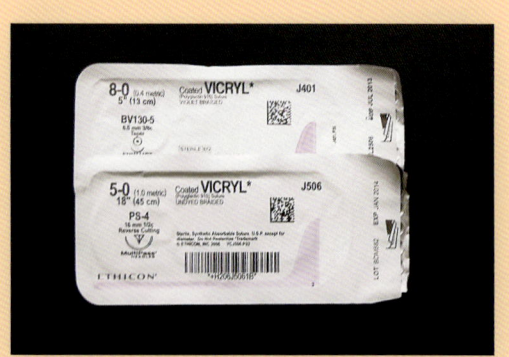

図6-13　上皮下結合組織の牽引に用いた吸収性の縫合糸。本症例で用いたのは5-0のもの（VICRYL：ETHICON社製）。

4）縫合

6-0、7-0のモノフィラメント縫合糸にて丁寧に縫合を行い、手術を終えた（図6-14～16）。

なお、一連の手技の一部には、拡大鏡およびマイクロスコープを使用した（図6-17、18）[3]。繊細な治療にはこれらの器材が欠かせないと考えている。

縫合の手順

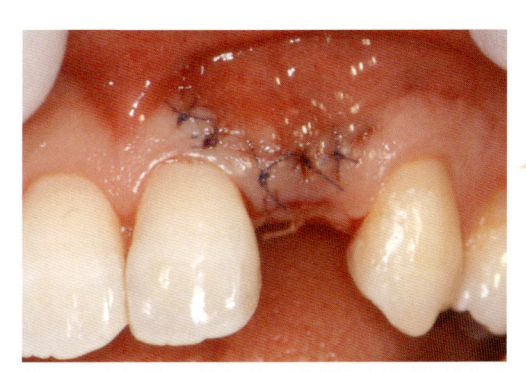

図6-14　6-0、7-0の縫合糸にて切開部を丁寧に縫合する。これらは非常に繊細な針と糸であることから、アシスタントも含め拡大鏡下でのトレーニングを行うと良い。

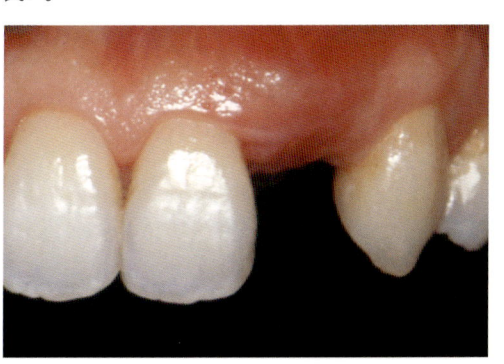

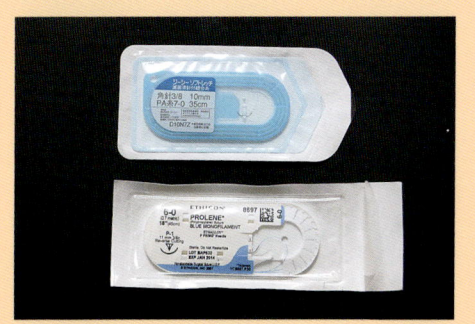

図6-15　縫合に用いた縫合糸（上：ジーシーソフトレッチ 7-0：ジーシー社製、下：PROLENE 6-0：ETHICON 社製）。

図6-16　本書の症例の上皮下結合組織移植後2ヵ月の状態。慎重に行った手術の結果、当該部に十分な増大がみられ、この時点で良好な結果が得られた。

本症例で用いた拡大鏡およびマイクロスコープ

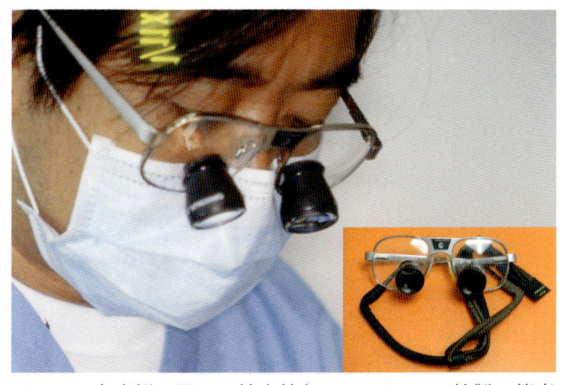

図6-17　本症例で用いた拡大鏡（ORASCOPTIC 社製、筆者が海外にて購入）。☞84ページにて同種製品紹介

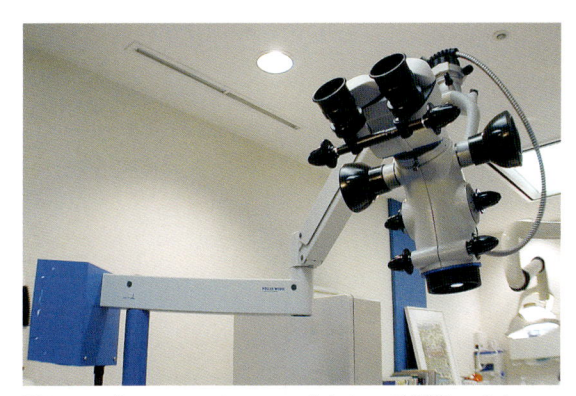

図6-18　広いフォーカスレンジをもつ手術用マイクロスコープ（Möller-wedel 社製／問い合わせ先：ヨシダ社）。
☞84ページにて同種製品紹介

第6章　軟組織移植の基本手技と基礎知識

6-2 軟組織移植に関するさまざまな考察

　近年の歯科医療での審美性とは、ラミネートベニアやオールセラミックスに代表される補綴装置の美しさではなく、それらを支える骨に裏打ちされた歯肉（歯周組織）の審美性といっても過言ではない。そのため、インプラント修復でも、審美性の確立のためには、インプラント周囲での歯周組織の形態、色調、厚み、質、量の獲得が必要となる。

　こうした点を踏まえ、以下では軟組織移植について考察するポイントを2つに絞り、それぞれ言及してみたい。

考察ポイント① インプラント周囲の biologic width について

　Biologic width（生物学的幅径）の成立にともない、術後のインプラント周囲では0.9～1.6mmの骨吸収と0.7～1.0mmの軟組織の吸収が起こるとされる[4]。また、筆者の臨床経験からも、最終補綴装置形状の違いから、根尖方向に歯肉の吸収（退縮）が起こる場合も少なくない。Smallら[5]によれば、インプラント周囲の頬側歯肉が退縮傾向を示した症例は1年で82％にも及ぶとしている。

　このような点から、デリケートな前歯部の歯周組織では、外科手術にともなう侵襲やアバットメント接合時より起こるインプラント組織のリモデリングを要因としてインプラント周囲の歯肉の吸収や退縮が起こりやすい。

　また、これらの吸収や退縮は組織のバイオタイプに大きく左右される。Wennström[6]は、天然歯での遊離歯肉の高さと幅の比は1.5対1であると報告したが（図6-19）、野澤、榎本ら[7]は、インプラント周囲の遊離歯肉の比は1対1.5であるとし、退縮を防ぐための頬側歯肉の高さには、1.5倍の幅が理想的には必要だと考察している（図6-20）。したがって、審美性の獲得はもちろんのこと、最終補綴装着後に予想される状況に合わせて、歯周組織形態の連続性や歯間乳頭の再建のために軟組織移植といった、高度で繊細な手技が必要とされている。

　この軟組織の移植は、通常インプラント埋入後に行われる。しかし、インプラント体が軟組織の血液供給の妨げになり、手技も複雑になることから、審美性の要求が強い場合には、インプラント埋入に先立って行われることもある。

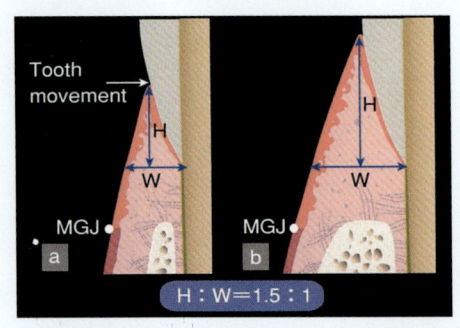

図6-19　Wennström は天然歯周囲における遊離歯肉の高さ（H）と幅（W）の比は平均で1.5：1であると報告した（文献6より引用・改変）。

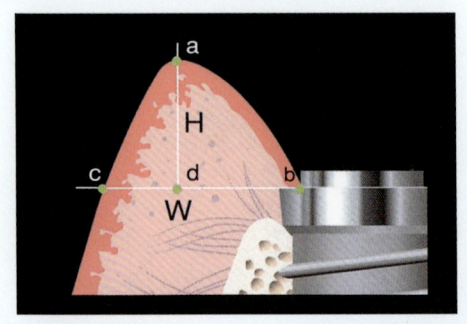

図6-20　野澤、榎本らはインプラント周囲の遊離歯肉の高さ（H）と幅（W）の比は平均で1：1.5であると報告している（文献7より引用・改変）。

考察ポイント② さまざまな軟組織移植・造成法を知る

　数多くの軟組織移植・造成の術式が存在する中で、本症例で行った上皮下結合組織移植術（CTG）は、上顎小臼歯部口蓋側より上皮下結合組織片を採取し、インプラント周囲に移植する方法が代表的な手技であるが、これは歯間乳頭を保存するうえでも、非常に有効であると考えられる。

　実際に、Grunder[8]は、単独歯欠損症例にGBRとCTGを併用し、インプラントを埋入した10症例の1年後において、平均で歯間乳頭部は0.375mm増加したとし、全症例で歯間乳頭の消失は見られなかったとしている。

　また、審美部位における軟組織の造成法としては、このほかに、歯肉移植片の血液供給を保つ利点を生かしたロールテクニックを応用した方法がある（図6-21a、b）。さらに、インプラント治療に先立ち、抜歯予定歯をあらかじめ骨面まで削合（残根状態にして）し、周囲の角化歯肉で被覆させることで歯肉の増大を図る「ティッシュ・プロリファレーション」と呼ばれる方法（図6-21c）や、矯正的挺出を用いて当該歯を挺出させ、周囲組織を増大しておく術式も比較的簡便な方法である。

　ほかにもアロダームに代表される人工歯肉などを含め、さまざまな歯肉移植・造成法が今日では考案されているので、適応症や自身のテクニックを慎重に考慮しながら、適材適所で応用していくことが望ましい。

図6-21a、b　ロールテクニック。口蓋側歯肉の根尖方向に切開を加え、その上皮下結合組織を唇側歯肉間にロール状に織り込ませることで当該歯肉の形態や陥凹を改善する方法である。

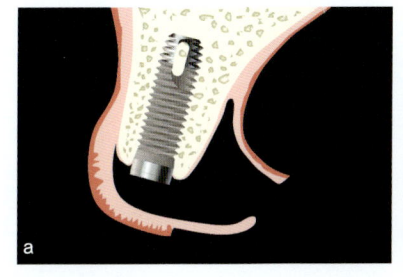

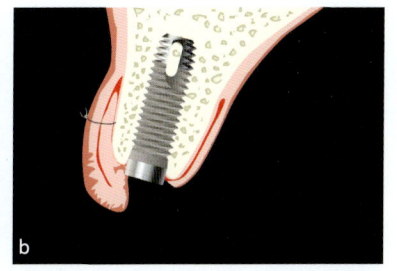

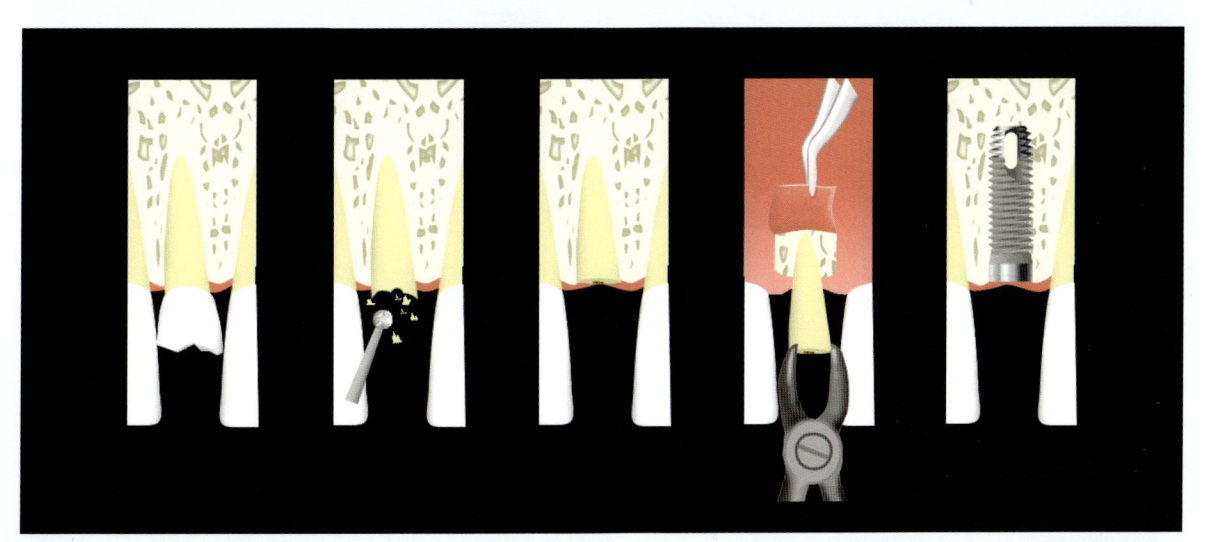

図6-21c　ティッシュ・プロリファレーション。抜歯予定歯を骨面まで削合し、感染歯質や歯石などを除去し、周囲の角化歯肉の増殖を促し被覆する。その後、抜歯・インプラントを埋入することで、インプラント周囲の軟組織の温存を図る方法である。

▼軟組織移植のアシスタントワーク

　軟組織移植の手技は非常に繊細で、難度も高いことから、マイクロ機器や拡大鏡を使った拡大視野で手術を行うことがある。そのため、手術スタッフ（歯科衛生士や歯科助手）も拡大鏡の装着や拡大視野での診療補助となることが多い（図6-22a）。

　本症例での上皮下結合組織採取では、切開の位置が上顎口蓋側の大口蓋動脈と重なるため、出血が多くなり切開線や術野が不明瞭になることもある。手術スタッフは、バキュームの位置や止血操作にも配慮しなければならない（図6-22b～d）。

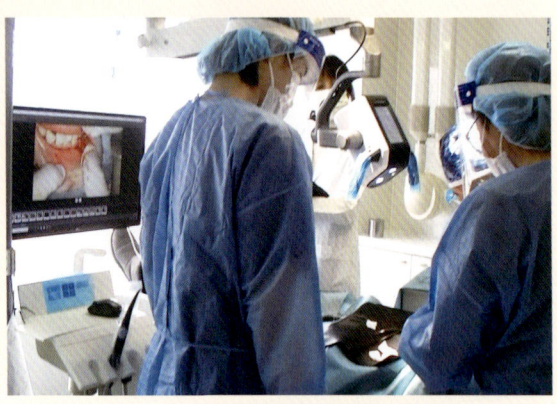

図6-22a　ネクストビジョンを使用した拡大視野での治療は、術者だけでなく手術スタッフも術野を共有できる。

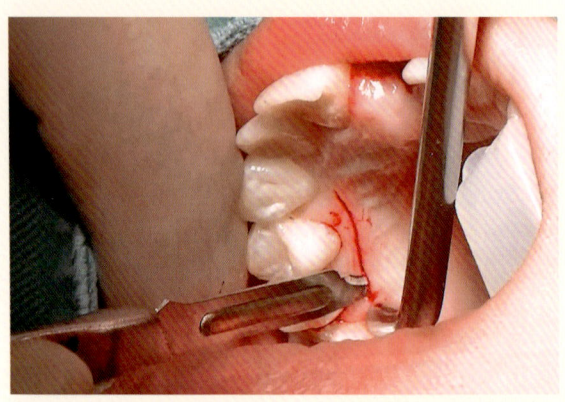

図6-22b　外科用の細いバキュームなどを用いて切開後方部の血液を慎重に吸い、喉の奥に血液が溜まることを防ぐ必要もある。

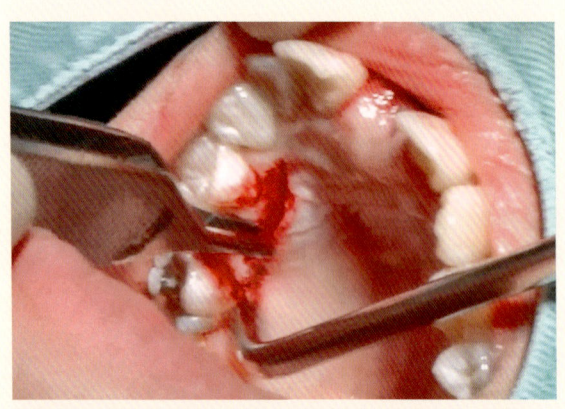

図6-22c　採取中の結合組織を吸い込まないよう、バキュームチップの先端が術野に近くにならないように配慮する。（この写真のバキュームチップは位置が近すぎるため危険である）

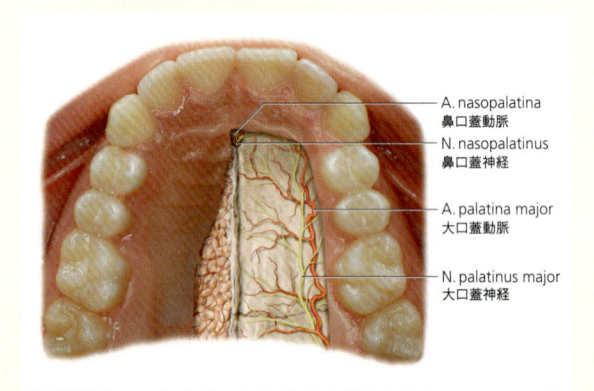

図6-22d　手術スタッフも口蓋部の血管の走行や出血の理由を理解することが大切である。（文献9より引用・改変）

- A. nasopalatina 鼻口蓋動脈
- N. nasopalatinus 鼻口蓋神経
- A. palatina major 大口蓋動脈
- N. palatinus major 大口蓋神経

コラム　自分の力量を知り、周囲と連携を図る勇気をもつ

　軟組織移植のように難度の高い術式では、特に薄い硬・軟組織の場合、術者の経験や手技がその結果を大きく左右する。万全を尽くして行った結果が不幸にしてうまく治癒に向かわない場合には、自分だけで解決しようと思わず、迷わず専門医や大学病院などの経験豊富な歯科医師に相談し、連携を図ることは本当に大切である。

　筆者自身も、患者さんを連れて鈴木真名先生（東京都開業）の医院に通院し、手技も勉強させていただいた経験がある。図6-23～26に示す症例では、1|12の3歯を抜歯後、ただちに骨移植を含む即時埋入法にてインプラントを埋入。その後、通法にてテンポラリークラウンを装着したが、|12間の歯間乳頭の吸収が認められた。筆者は当該歯間乳頭の再建を目的に上皮下結合組織移植を行ったが、不幸にして、さらに大きく周囲軟組織の後退をまねく結果となってしまった。

　患者さんの心情と自身の技量を真摯に考慮し、鈴木先生に患者のリカバリーを依頼した。無論、初診からのカルテ、データを示し、最善の方法を鈴木先生とも検討した。その後、鈴木歯科医院に患者とともに通院し、鈴木先生執刀によるマイクロスコープ下にて再度の上皮下結合組織移植を行った。その結果、患者さんからも信頼を失わず、筆者自身もテクニックを含めて大変勉強になった。

　なお、鈴木真名先生が書かれた近著『イラストレイテッド　ペリオドンタル・マイクロサージェリー　アドバンステクニック―審美性を獲得するソフトティッシュマネジメント―』[10]（クインテッセンス出版）には軟組織移植に必要な知識やテクニックが詳しく、イラストとともに記載されている。バイブルとして必携の一冊である。ぜひご一読をお勧めしたい。

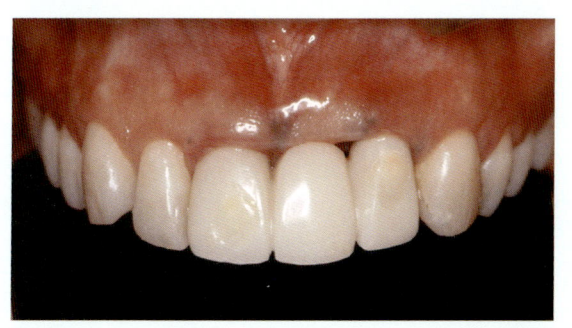

図6-23　テンポラリーインプラントブリッジの|12間の歯間乳頭部に吸収が認められる。

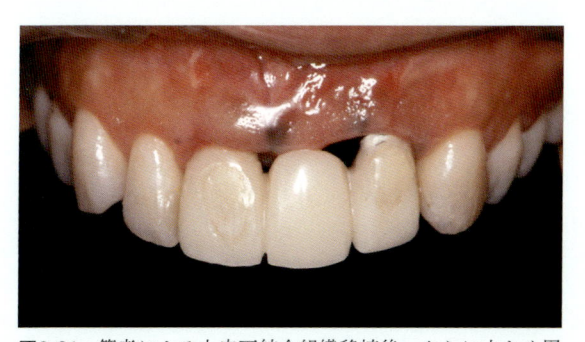

図6-24　筆者による上皮下結合組織移植後、さらに大きく周囲軟組織を後退させる結果となってしまった。

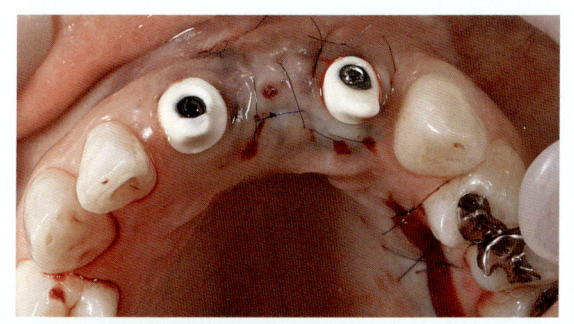

図6-25　鈴木真名先生執刀によるマイクロスコープ下での上皮下結合組織移植。

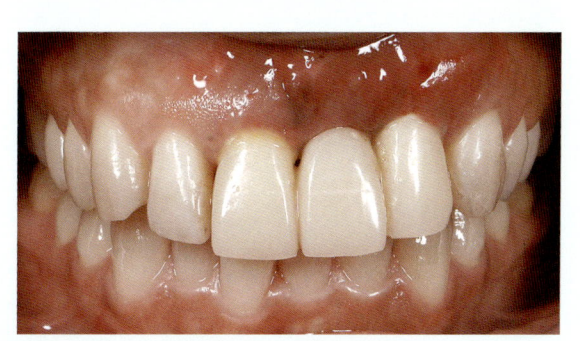

図6-26　十分な周囲軟組織の改善が見られた。

コラム　拡大鏡の有効性

　裸眼での一般的な二点識別域は0.2mmであることから、精密な歯科治療では、サージテルやオラスコプティックに代表される術野拡大鏡が必要と思われる。支台歯形成・歯肉圧排、根管治療、レジン充填などはもとより、プラークや歯石の除去といった口腔衛生管理やサイナスリフトでの窓開けのような繊細な外科手技にも有効に用いることができる。倍率は2.5倍、3倍、5倍、6倍、8倍、さらには10倍にも及ぶものもあり、拡大術野は裸眼で見るのとまったく異なった別次元の世界といっても過言ではない。

　一般的には、光学理論的分類から、対物・対眼の2枚のレンズから適切な作業長に合わせて広い焦点距離を確保できる2.5倍や、3倍のガレリアンタイプが、日常臨床の歯科治療にもっとも適している。また、多くのメーカーから発売されているものは、術者に合わせて、瞳孔間距離や作業長を調整できるオーダーメイドな特長を有することから、非常に使い勝手もすぐれたものになっている。歯科衛生士にもぜひ使用してほしい器具のひとつである（図6-28）。

図6-27　筆者が現在使用している拡大鏡（オーシーメディック；㈱オーラルケア　術野拡大推進プロジェクト製）。3倍・瞳孔間距離を合わせ作業長300mmに調節し、周囲のレンズにも視力の補正（老眼補正）を合わせている。

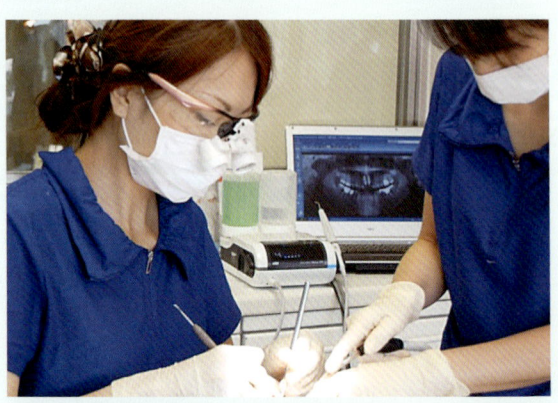

図6-28　筆者の医院では、歯科衛生士もメインテナンス時などに拡大鏡を使用している。

■ 本章のまとめ

　軟組織移植は、歯周組織の連続性や歯間乳頭の再建といった審美性の獲得のためだけではなく、最終補綴装置の周囲組織の長期安定に欠かすことのできない手技である。しかしながら、非常に繊細な外科手技であるため、十分な歯周組織の理解とトレーニングを積んだ後に行うことが必須であるといえよう。

参考文献

1. Wang HL, Al-Shammari K. HVC ridge deficiency classification: a therapeutically oriented classification. Int J Periodontics Restorative Dent 2002; 22(4): 335-343.
2. 鈴木真名. Soft Tissue Ridge Augmentation Technique. the Quintessence 2008; 27(11): 59-68.
3. 鈴木真名. ペリオドンタルマイクロサージェリー マイクロスコープを用いた歯周成形外科処置のすべて. 東京: クインテッセンス出版, 2002.
4. Berglundh T, Lindhe J. Dimension of the periimplant mucosa. Biological width revisited. J Clin Periodontol 1996; 23(10): 971-973.
5. Small PN, Tarnow DP. Gingival recession around implants: a 1-year longitudinal prospective study. Int J Oral Maxillofac Implants 2000; 15(4): 527-532.
6. Wennström JL. Mucogingival considerations in orthodontic treatment. Semin Orthod 1996; 2(1): 46-54.
7. 野澤健, 榎本紘昭, 鶴巻春三, 倉嶋敏明, 杉山貴彦, 渡邉文彦, 伊藤公一. 生物学的比率の概念に基づくインプラント周囲のマネージメント. 長期臨床データーから予知性向上への提言. Quintessence DENT Implantol 2006; 13(2): 11-28.
8. Grunder U. Stability of the mucosal tomography around single-tooth implants and adjacent teeth: 1-year results. Int J Periodontics Restorative Dent 2000; 20(1): 11-17.
9. Radlanski RJ, Wesker KH(著), 下郷和雄, 瀬戸一郎(訳). グラフィックス フェイス 臨床解剖図譜. 東京: クインテッセンス出版, 2013.
10. 鈴木真名. イラストレイテッド ペリオドンタル・マイクロサージェリー アドバンステクニック. 審美性を獲得するソフトティッシュマネジメント. 東京: クインテッセンス出版, 2010.

第6章 紹介器具・器材の関連製品／同種製品

拡大鏡

ネクストビジョン（問い合わせ先：ヨシダ社）。口腔内カメラと顕微鏡機能を兼ね備え、口腔内や当該歯の状況を4K画像（最大80倍）から鮮明な画像および動画として詳細に得ることができる。従来の顕微鏡と違い、瞳孔間距離や視度の調整が不要でオートフォーカス機能も搭載。モニタービューなのでルーペやフェイスシールドと併用できるのが嬉しい。

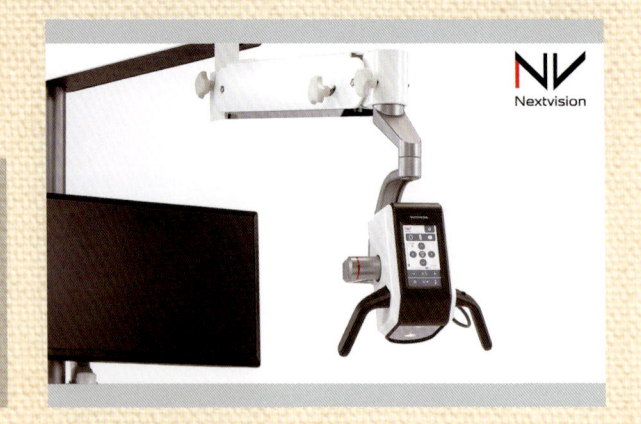

マイクロスコープ

OPMI® Pico（問い合わせ先：ジーシー社）。光学系には3色の色収差を補正し、すぐれた光透過率を誇るTマルチコートアポクロマートレンズを採用。円筒部分は180°の範囲で角度を調節できるため、エルゴノミカルな観察姿勢を実現できる。倍率はガリレイ式変倍機構で5段階選択であり、対物レンズにフォーカス機能が付いているので、微妙な調整が可能である。

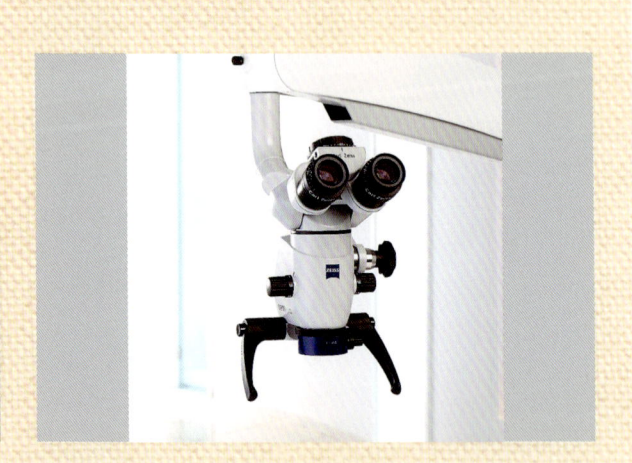

Leica M320 F12 for Dentistry（問い合わせ先：モリタ社）。ハイパワーLED光源をダブル搭載し、最大100,000Lux（f=250mm）の明るさにより、高倍率でも明るく観察できる。また、ランプ寿命が60,000時間なので、ランプ交換の手間やコストの心配は不要である。さらに、シャドーレスなダブルビーム照明方式を採用。影ができやすい根管も、明るく観察することができる。

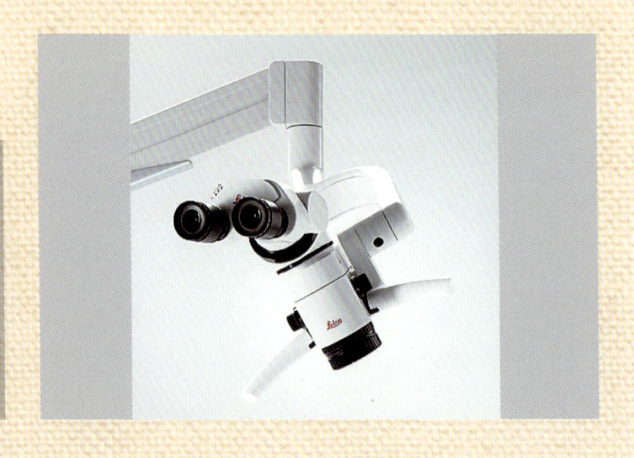

第7章
インプラント埋入の術前・術中・術後に必要な処置と作業

1 インプラント埋入手術前の再診断
2 インプラント埋入の手順
3 インプラント埋入手術後の注意事項

　インプラント埋入とは、単なるドリリングによる外科的なインプラント体の埋入ではない。患者さんにとって、その手技は外科的に安全・安心が第一であるが、同時に、その位置はのちの補綴治療で審美性を大きく左右することになる。
　本章では、実際の手技と手順を供覧し、必要な知識と器具・器材を紹介する。

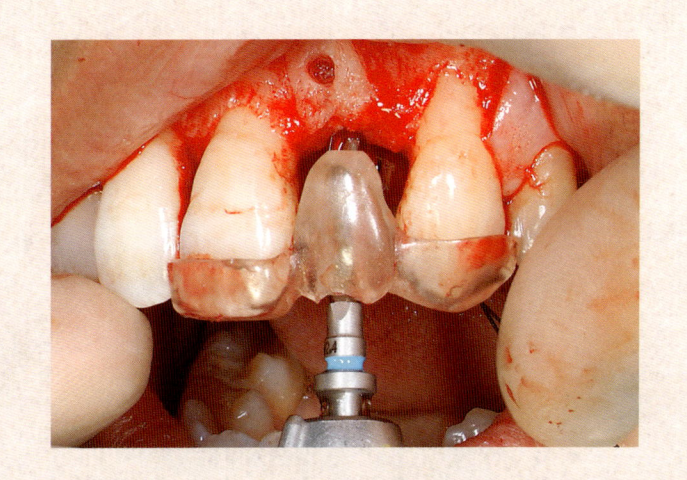

7-1 インプラント埋入手術前の再診断

骨移植から6ヵ月の治癒期間を待ち、再度CT撮影を行い(図7-1、2)、Simplant®にてインプラント埋入のシミュレーションを行った(図7-3、4)。

その結果、術前では陥凹していた当該部は、インプラント埋入に十分な骨量や骨質が回復されたことが診断できた。また、選択するインプラントのサイズや位置・方向(角度)を最終補綴形態から三次元的に検討し、合わせてスタディモデルからサージカルテンプレートを製作した(図7-5、6)。

さらに、埋入するインプラントは、テーパードタイプを避け、ストレートタイプを選択した。

CTによる術前の再診断

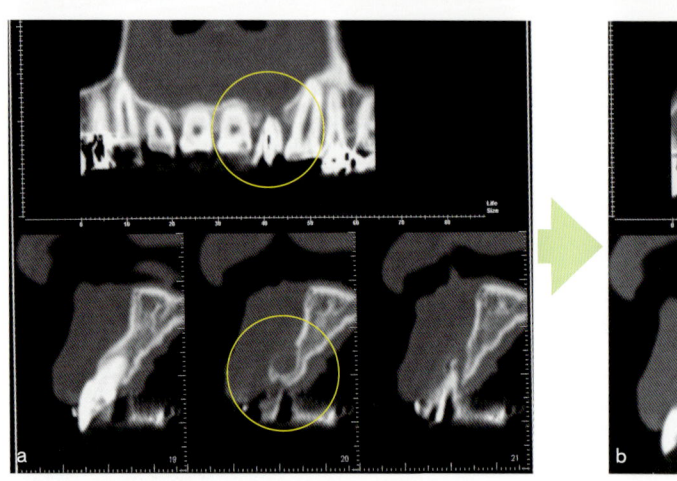

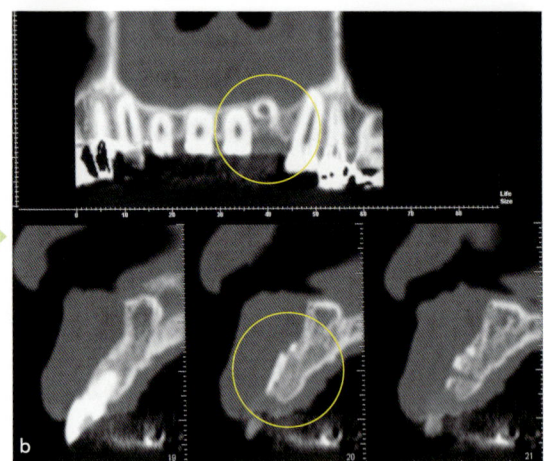

図7-1a、b CT画像での骨移植の術前と術後の比較。抜歯前では当該部の根尖部周囲の骨が大きく吸収しているが、骨移植後では、その骨形態が唇口蓋的厚みを含め改善されたことがわかる。

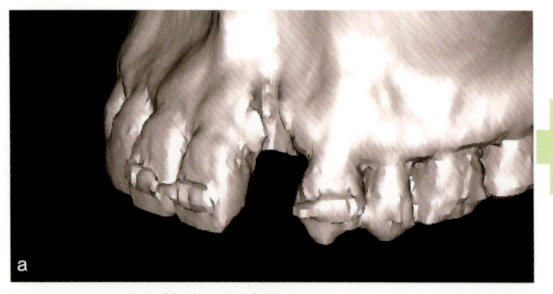

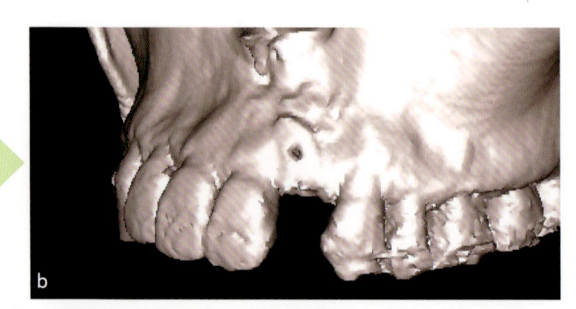

図7-2a、b 骨移植前と移植後の三次元イメージ画像。術後6ヵ月の画像では、術前の骨欠損部の修復が的確に行われていることがわかる。

Simplant®による診断／インプラント、サージカルテンプレートの選択

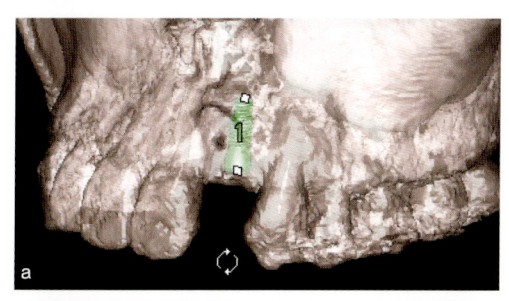

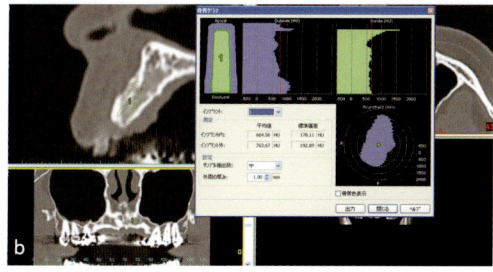

図7-3a、b　Simplant®を用いることで、適応するインプラントのサイズやその方向だけでなく、埋入する部位の骨質の判定も行える。本症例では診断の結果、一般的にテーパードタイプのインプラントでは、隣接する歯根の位置関係の安全性の確保や、初期固定にすぐれている反面、埋入深度の調整ができにくいこと、ブロック骨移植したような部位では、移植骨の剥離・脱離を起こす懸念がある点などを考慮し、ストレートタイプのScrew-Ventインプラントを選択した。

図7-4a　φ3.5×11.5mmのストレートタイプのScrew-Ventインプラント（ジンマー・バイオメット・デンタル社製）。0.6mm幅のシングルリードスレッドを持ち、3スレッド目から10°のテーパーが付与されている。この構造により、埋入が容易に確実に行いやすい。

図7-4b　ドリルや埋入パーツが整理されており、非常に使いやすいオーガナイザー。

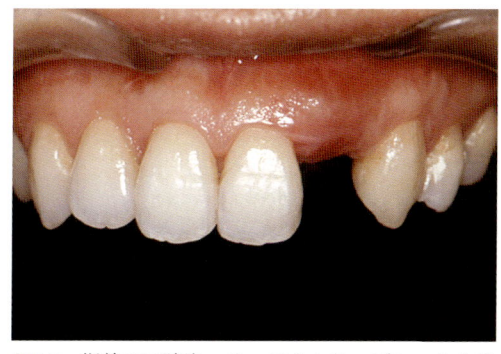

図7-5　術前の口腔内。サージカルテンプレートを用いて手術を行うことにした。

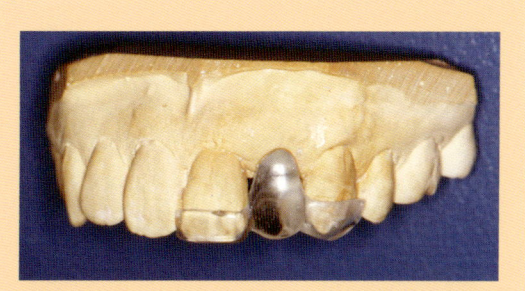

図7-6　サージカルテンプレートは両隣接歯に固定でき、歯頚部も含め最終形態を予測できるものが良い。

第7章　インプラント埋入の術前・術中・術後に必要な処置と作業

87

7-2 インプラント埋入の手順

骨量や骨質が良好で、なおかつコンピュータシミュレーションなどで正確な埋入位置や方向が設定できる場合は、フラップレス埋入のような外科的侵襲が必要最小限の術式が望ましい。しかし、必要な範囲で粘膜を丁寧に剥離し、骨形態や骨量を確認することは言うまでもない。

本症例のようにブロック骨移植を応用した場合は、移植骨の生着の度合から、万が一、骨の剥離・脱離が起こる可能性も考慮し、通法に従って切開線を設定し、手術を進めていくこととした（図7-7〜21）。

インプラントホール形成／インプラント埋入の手順

インプラントホール（埋入窩）の形成では、必ず専用のインプラントモーター・ハンドピースを用いて行い、埋入するインプラントメーカーの指定したドリルを、指定された順番でドリリングを行うことになる。そのうえで、以下の4点に留意する。

1	インプラントベットとも呼ばれる埋入位置の骨形態を修正する（歯槽頂形態を平らに修正する）	3
2	ドリリングでは高速回転を避け、ドリルを慎重に上下させながら指定の深度まで形成する	6
3	形成窩の発熱・火傷を防ぐために、精製水などによる注水下で行う	6
4	手首を固定できる姿勢で、コントラを（基本はペングリップで）しっかり保持し、必要に応じ左手をコントラヘッド（側面）に沿わせて角度や方向がズレないようにする	7 8

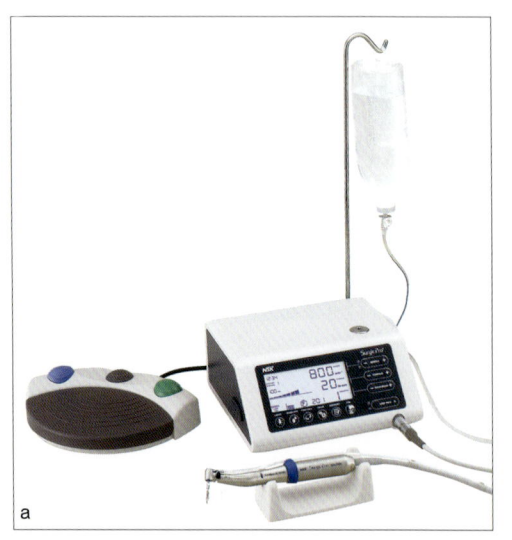

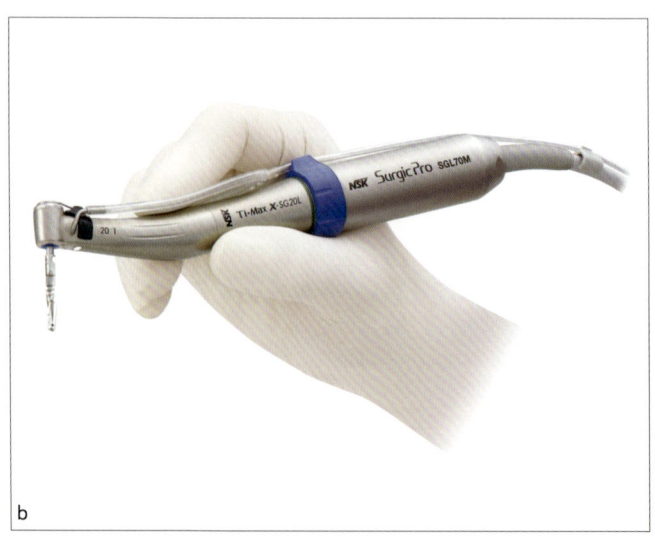

図7-7a、b　インプラントの埋入は必ず専用のインプラントモーター・ハンドピースを用いて行う。なお、筆者の医院ではバックアップ用に、もう一組のモーター・ハンドピースをつねに用意している。

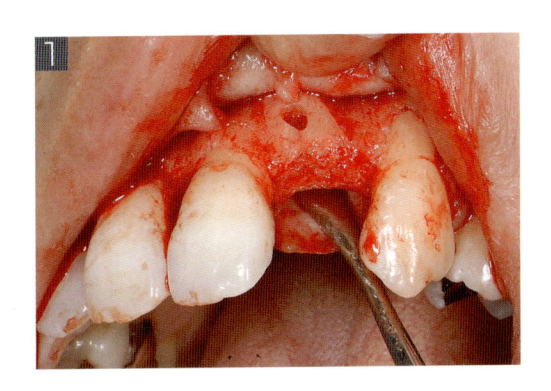

図7-8 歯間乳頭の喪失を避け、審美性の確保のため、周囲軟組織に対して繊細で丁寧な切開と剥離を行い、術野を明示した。ブロック骨は大部分が生着していたが、一部骨吸収が認められた。

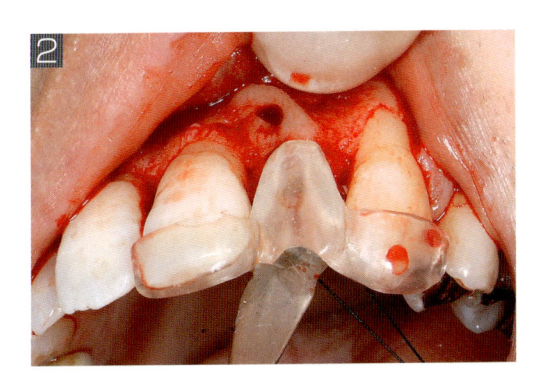

図7-9 移植骨の生着を確認したのち、Simplant®にて検討した埋入位置をサージカルテンプレートで確認・設定する。

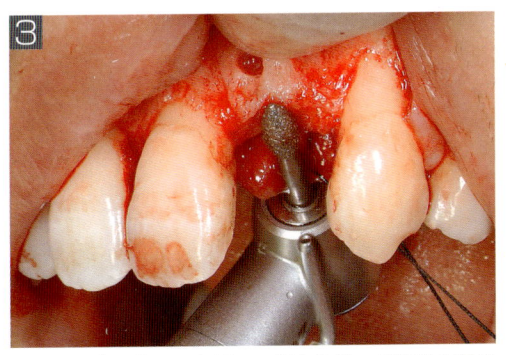

図7-10 蕾み状バーを用いて埋入位置の骨形態を微調整する。

図7-11 骨面の微調整には、田端義雄氏(明海大学歯学部・臨床教授)が考案した蕾み状のダイヤモンドバー(品番：SK-BLCA。日向和田精密製作所社製)が有効である。
☞100ページにて同種製品紹介

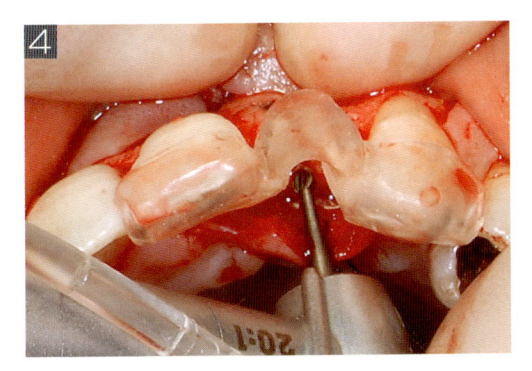

図7-12 サージカルテンプレートを装着して、ラウンドバーにて起始点を設定する。

第7章 インプラント埋入の術前・術中・術後に必要な処置と作業

89

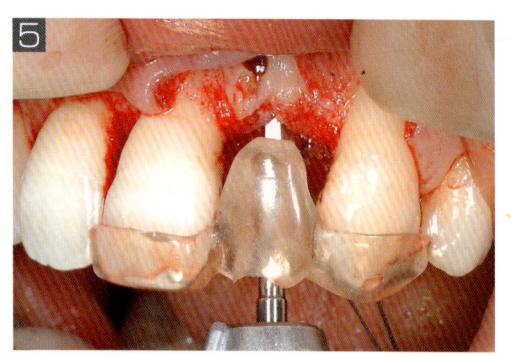

図7-13 プレシジョンドリルにてインプラントホールの形成を進めていく。

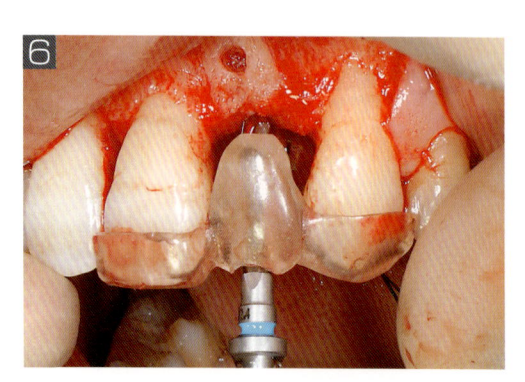

図7-14a 本症例で筆者が用いたプレシジョンドリル（ノーベルバイオケア社製）。

図7-14b 新しいタイプは10mmのライン1本になり、より見やすくなった。

図7-15 その後、移植した骨の状況を確認しつつ、移植骨が剝離・脱離しないように手指にて押さえながらドリリングを行う。ここまでの一連のインプラントホールの形成においては、左右の隣接歯軸や唇・口蓋側との関係を、アシスタントドクターや介助者と確認することが大切である。

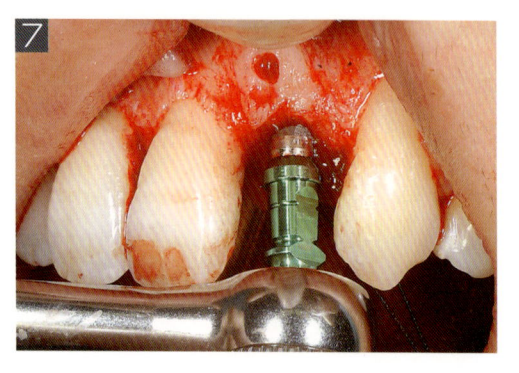

図7-16 同じく手指にて移植骨を押さえながら、Simplant®で検討した位置へ的確にインプラントを埋入する。このとき、いきなりインプラント体の全部を埋入するのではなく、サージカルテンプレートを外して方向・角度を確認する。

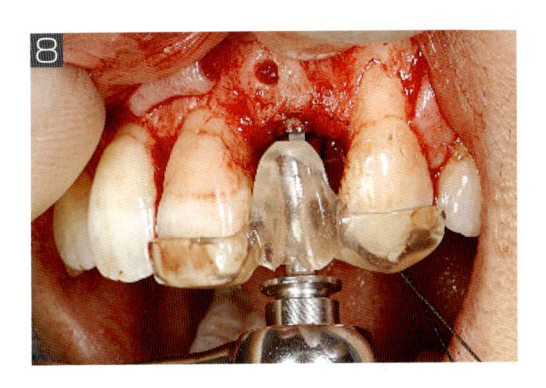

図7-17 サージカルテンプレートにて確認し、初期固定を得ながら最終深度まで埋入する。

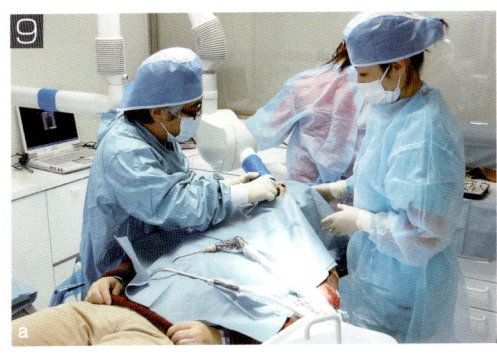

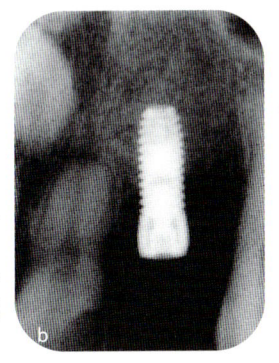

図7-18a、b 手術室に備えているX線にて、骨内のインプラントの位置や隣接歯根との関係を確認する。

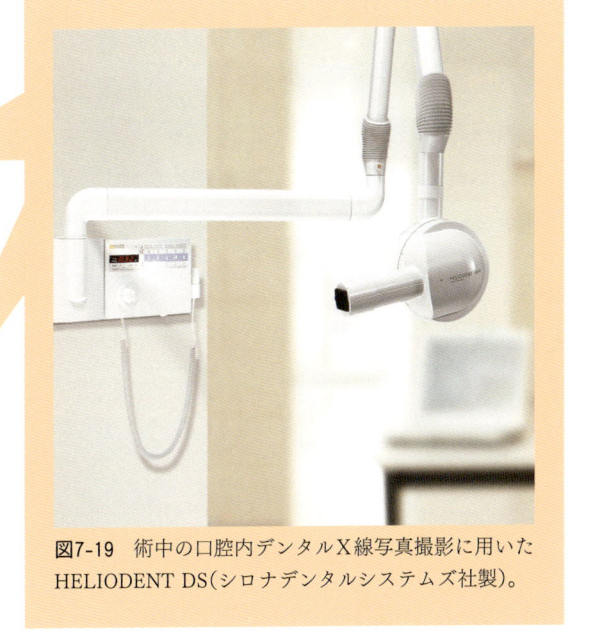

図7-19 術中の口腔内デンタルX線写真撮影に用いたHELIODENT DS(シロナデンタルシステムズ社製)。

図7-20 周囲硬・軟組織の形態を整える目的で、若干の骨整形と骨移植を行う。

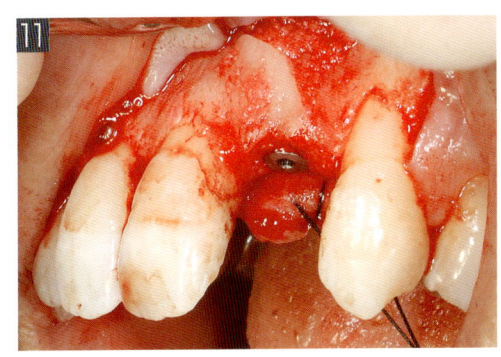

図7-21 6-0・7-0のモノフィラメントの縫合糸にて丁寧に縫合を行い、手術を終了。

第7章 インプラント埋入の術前・術中・術後に必要な処置と作業

考察ポイント　正しいインプラントの埋入位置とズレないための秘訣

補綴主導型インプラント治療[1]が叫ばれるなか、近年提唱されている埋入術式の多くは、インプラントを抜歯窩の中心に沿ってそのまま埋入するのではなく、口蓋側の骨内への埋入を推奨している。これは、
①抜歯後に起こる唇側の骨吸収や外科的侵襲を防ぐ
②唇側骨の陥凹部からのインプラントの露出を防ぐ
③初期固定を得るのに十分な骨領域を確保する
ことなどを理由としている。

また、埋入方向は最終補綴装置の形態や形状を考慮し、できる限り本来の歯軸に近い方向にすることが求められる(図7-22)。三次元的な埋入位置として、唇口蓋的には唇側層板骨を含め2〜4mmの骨幅を確保し、埋入深度は隣接歯CEJおよび想定する最終補綴装置、歯頸線から3mm離れた根尖側に設定し、近遠心的には隣接する歯から2mmの距離を保った位置が推奨される(図7-23)[2〜5]。

Sprayら[6]は、インプラント埋入後のリモデリングにより起こる骨吸収から、唇側の薄い骨は喪失し、結果的に歯肉退縮をまねくため、安定した審美性を確保するには4mmの唇側骨が必要だと述べている。また、インプラント-インプラント間は4mmの距離を保つことが、歯間乳頭の再建やインプラント周囲の生理的骨吸収からも必要と言われている[7,8]。

一方、抜歯窩口蓋側への埋入においては初期固定が重要であるが[9,10]、実際にはインプラントホール形成時や埋入時に、抜歯窩口蓋側の骨質と治癒した抜歯窩内の骨質が異なるため(抜歯後待時埋入時)、あるいは骨の硬さの違いや口蓋壁の硬さから(抜歯後即時埋入時)、ドリリングが骨質の軟らかい唇側へ振られてしまうことがある。そうすると、インプラント埋入位置や方向が不適切になる(図7-24)。

この唇側への「ズレ」は、結果として歯頸部組織の

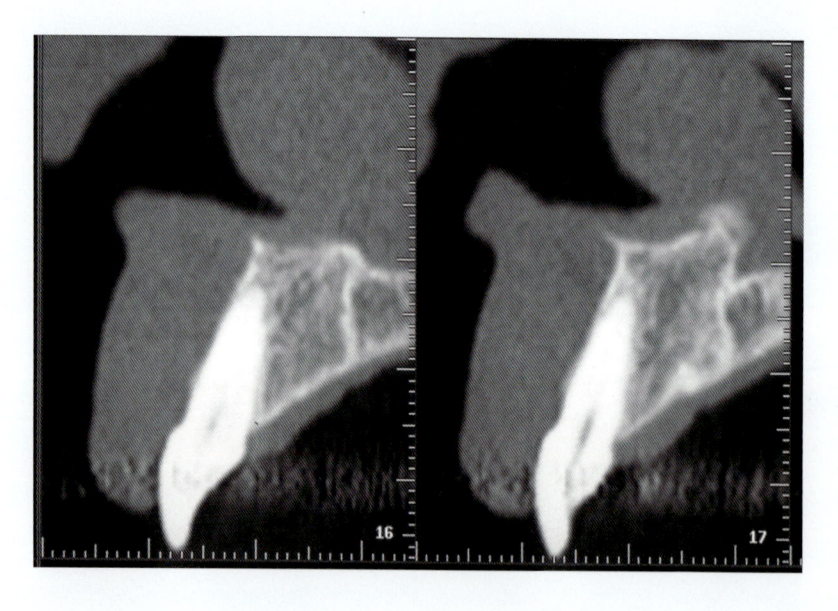

図7-22　健康的な上顎中切歯のCT画像。インプラントの埋入方向は、できる限り本来の歯軸に近い方向にすることが大切である。

吸収をまねき、歯肉の退縮や歯冠形態との不調和など、将来の審美性に大きな影響を与える。したがって、比較的術野が確認しやすいインプラント1本の埋入であっても、サージカルテンプレートの応用は必要不可欠であると考える。なお、抜歯窩側へドリルが倒れ込んだり、振られることが生じにくい器具として、2710バー（100ページ）や、本症例で用いた蕾状バーなどが考案されているほか、近年では、ピエゾサージェリーのチップも利用されはじめている。

インプラントの形状に関しては、唇側骨形態の陥凹や隣接歯根との近接、切歯管などとの接触を避けられること、軟らかい海綿骨を押し広げながら埋入し初期固定を得られることから、先端が細いテーパータイプは有効である。一方、インプラントの埋入深度を調整する場合、テーパータイプのインプラントを深い位置から浅い位置へ戻すと、初期固定を失うことにもなる。さらに、テーパー形状が付与されていることで、硬い口蓋側壁に影響され、前述のように抜歯窩内や軟らかい骨質方向へズレることも危惧される。

用いるインプラント体は、くれぐれも慎重に吟味し、選択しなければならない。

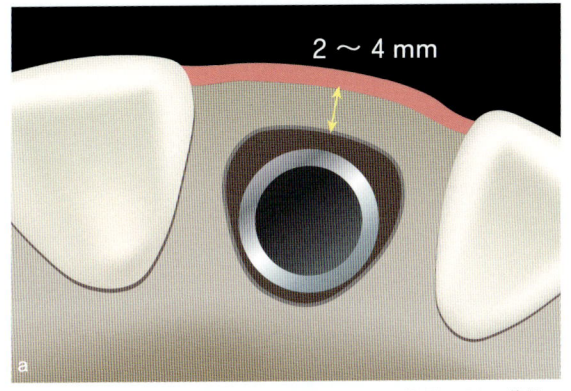

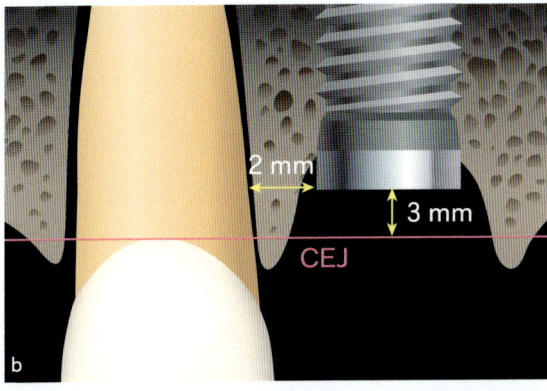

図7-23a、b インプラントの理想的な埋入位置。唇口蓋的には唇側層板骨を含め2〜4mmの骨幅を確保し、埋入深度は隣接歯CEJおよび想定する最終補綴装置、歯頸線から3mm離れた根尖側に設定し、近遠心的には、隣接歯から2mmの距離を保った位置が推奨されている。

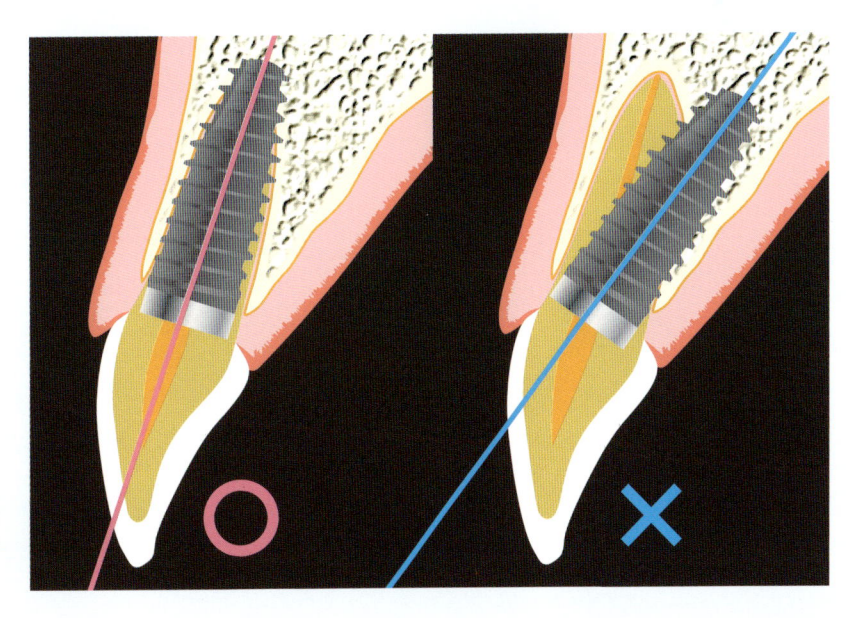

図7-24 埋入方向が唇側へズレて角度が強いと、歯肉が下がる危険性がある。

当時の治療を振り返って

今ならこうする！こうも使える！

骨移植後、インプラントではなく接着性ブリッジを応用

　患者さんは28歳、女性。「前歯がぐらぐらする。綺麗に治してほしいが、隣の歯はできるだけ削らないでほしい」との主訴で来院した。

　現病歴では、他院において10年前に当該部の治療を受けたとのこと。その後は順調な経過であったが、2年くらい前から周囲歯肉の炎症と退縮を認めた。既往歴では特記事項はない。

　口腔内所見では、1|に限局した周囲硬・軟組織の吸収を認め、動揺度3を呈していた（図7-25a）。当該部のX線所見から、唇側骨の吸収も大きく、保存的治療は難しいと思われた（図7-25b、c）。患者さんとの相談の結果、骨移植を含む治療法に理解と協力を得た。

　この患者さんの希望は、「綺麗に治してほしいが、隣の健康な歯は犠牲にしたくない」とのことである。ここでいう「綺麗」、すなわち審美性を考慮すると、当該歯の色調・形態・大きさなどを、左右の健康な歯・歯列に調和させなければならない。そのためには、どうしても歯周組織との調和が併せて不可欠となる。なぜなら、このような状況で、抜歯に至った場合、当該部硬・軟組織のさらなる吸収から、補綴歯の大きさや形態が隣接歯と異なり、審美性に問題を残すことになるためである。

　そのため、ブリッジ治療を選択するにしても、インプラント治療を行ううえでも、吸収した歯周組織の改善が必要となる。

　本症例では、患者さんに状況と治療方法を説明し、理解を得たうえで、吸収した歯周組織を改善させるための骨移植を行った（図7-26〜28）。骨移植は、右側下顎枝前縁部よりピエゾサージェリーを応用し、吸収した骨形態に合うように採取した。採取したブロック骨を調整し、マイクロピンにて母床骨に固定し、減張切開を加え丁寧に縫合した。その後、6ヵ月の治癒期間を待ち、再度選択する補綴方法の利点・欠点を踏まえ、患者さんと最終補綴治療の相談を行った。結果、患者さんの希望から、接着性ブリッジを選択し、審美的にも満足してもらえた（図7-29〜31）。本症例から学ぶべき大切なことは、このような場合、患者の多くは、「インプラント治療」を望んでいるのではなく、審美性を踏まえたうえで「他の歯を犠牲にすることなく、安心して使うことのできる欠損補綴」を望んでいるという点である。

　ブリッジであっても、丁寧に治療を行えば、安全で予知性の高い治療を行うことができる。「インプラントありき」と決めつけるのではなく、いろいろな選択肢の中から医療の本質を踏まえて「何が今必要で、何が最良なのか」を患者さんとよく相談・検討し、治療方針や治療方法を考えなければならない。

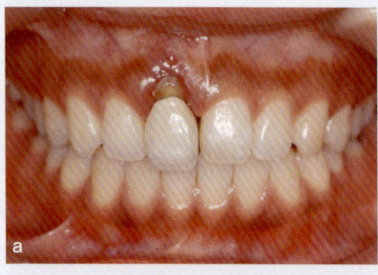

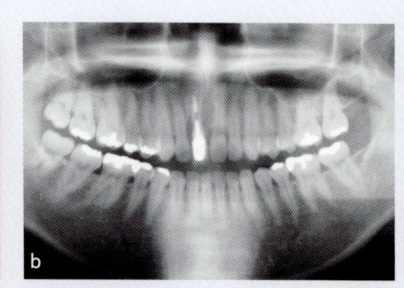

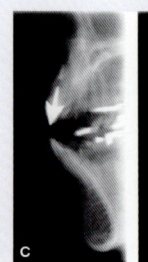

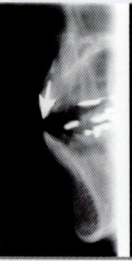

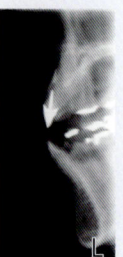

図7-25a〜c　初診時の口腔内とパノラマX線写真および1|部の断層所見。1|部周囲組織が大きく後退して動揺が大きい。

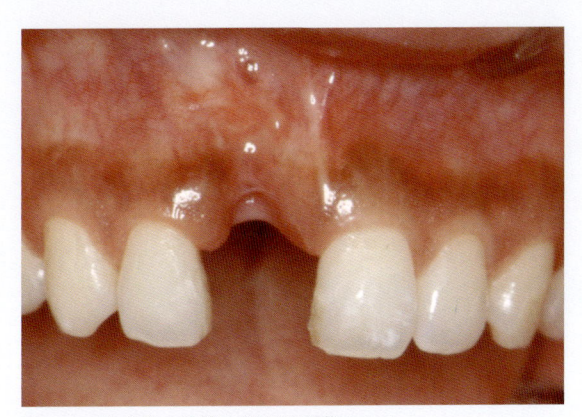

図7-26　抜歯後の状態。陥凹が顕著である。

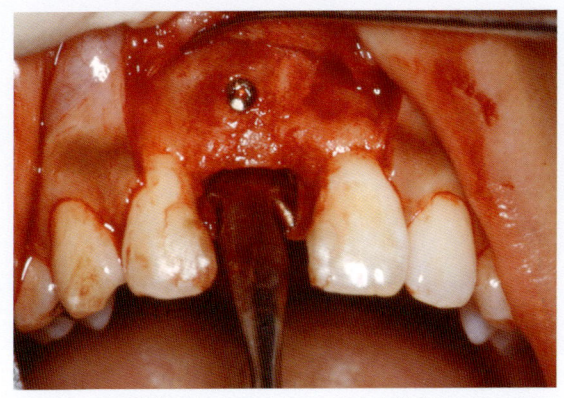

図7-27　下顎枝前縁部からのブロック自家骨移植を行った。

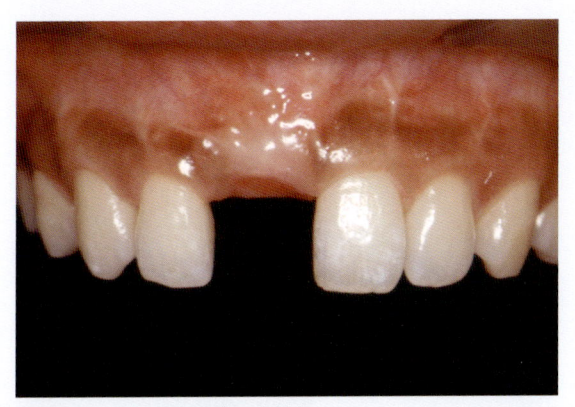

図7-28　上皮下結合組織の移植後。

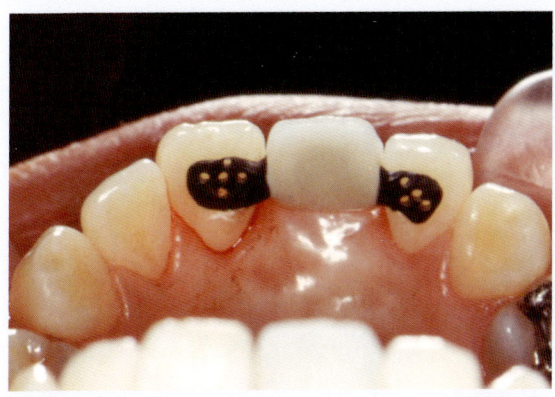

図7-29　咬合に配慮し隣接歯舌側部にリテンションの付いた設計とした。

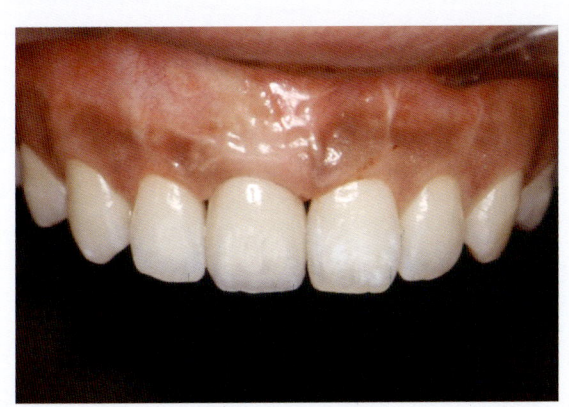

図7-30　最終補綴装置装着直後の口腔内。

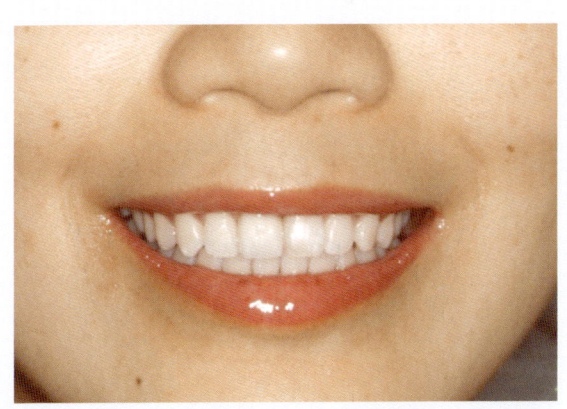

図7-31　術後2年経過時のスマイル。周囲歯肉とも良好な経過を保っている。本症例は2005年当時の設計であり、現在（2021年）はジルコニア製の片側カンチレバーの治療を採用している。

▼インプラント埋入のアシスタントワーク

　インプラント治療において、介助にあたるスタッフは3名以上必要である。当院では、施術に当たる主治医(術者)と、第一アシスタントと呼ばれる、バキュームや縫合の介助を行う歯科医師または歯科衛生士ないし歯科助手。患者の頭部を保持したり手術全体の状況を診たりする第二アシスタント。アンプルからインプラントを取り出したり、足りない器具・器材を提供したりする第三アシスタント(図7-32)。さらには、静脈内鎮静を行う場合には麻酔科医を含めた4〜5名の体制でインプラント治療に当たっている。第一〜三アシスタントの役割を以下にまとめる。

- 第一アシスタント：バキュームや縫合補助など
- 第二アシスタント：頭部や下顎の保持と患者の動向チェック
- 第三アシスタント：外回り(不潔域作業)での材料や器具出し

　第一アシスタントの手術介助やバキュームは特に重要で、患者に苦痛を与えず、口腔内に血液や水が溜まって不快にさせるようなことがないように注意したうえで執刀医の動きを見極め、的確・安全なアシスタントワークが求められる(図7-33)。また、第一アシスタントは口腔内を確実に見なければならず、

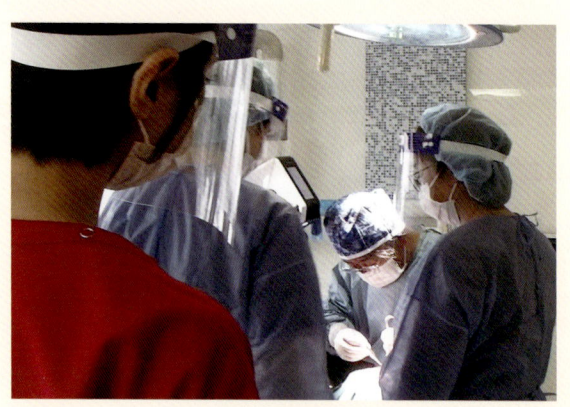

図7-32　第一〜三アシスタントの立ち位置。

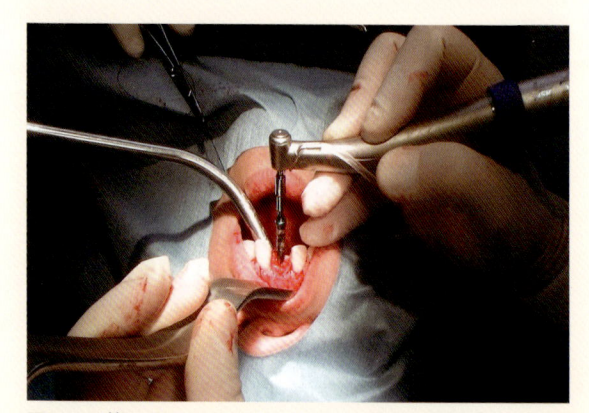

図7-33　第一アシスタントは主治医の動きを見極め、アシスタントワークを的確・安全に行うことが求められる。

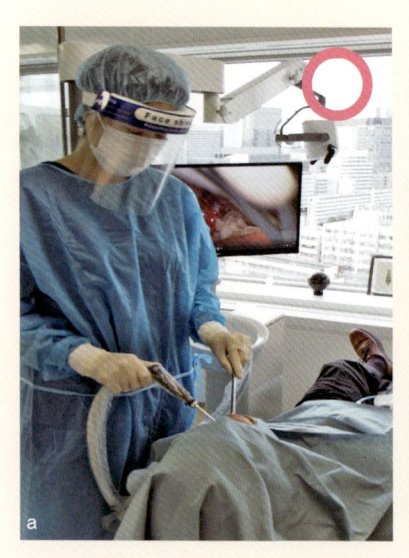

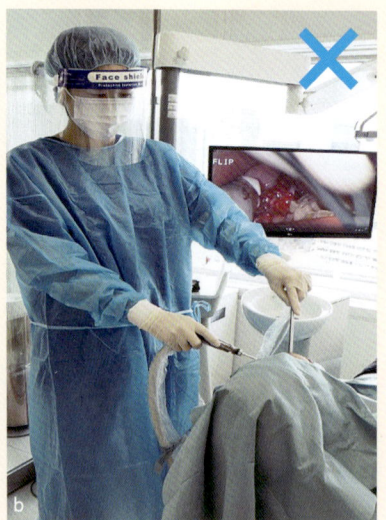

図7-34a　良いアシスタント例。口腔内を良く見ながらアシスタントを行っている。

図7-34b　悪いアシスタント例。腰が引けて、口腔内を見ないでアシスタントを行っている。

その姿勢も重要である（図7-34）。さらに、バキュームは滅菌できる外科用の大小2系統で行うのが望ましく、当院では、大きい外科用バキュームは舌の排除や喉の奥の唾液や血液の吸引用に、小さい外科用バキュームは術野周囲の血液吸引用にと分けて使用している（図7-35）。

縫合時のアシスタントも重要である。スタッフも手術する側に立つと、その難しさや手順を知ることができるため、歯科衛生士・助手を含め、手術スタッフどうしでのトレーニングは有効である（図7-36）。

特に開口器に糸が絡んだり、血液が持針器に付着して糸の滑りが悪くなることもあるので、アシスタントはピンセットで歯科医師の持針器の糸を滑らせるなどの気配りが大切である（図7-37）。

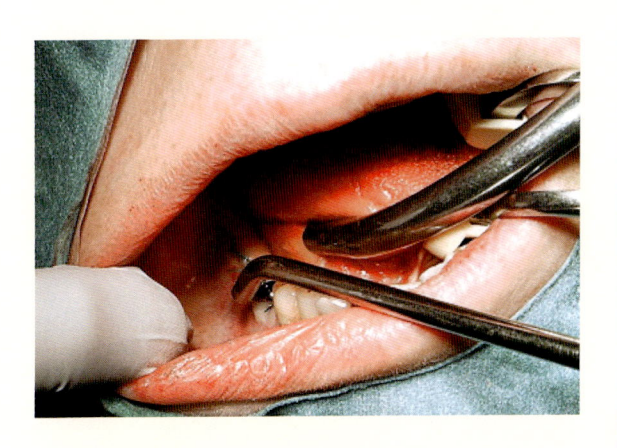

図7-35　筆者は大小2種類のバキュームを使い分けている。

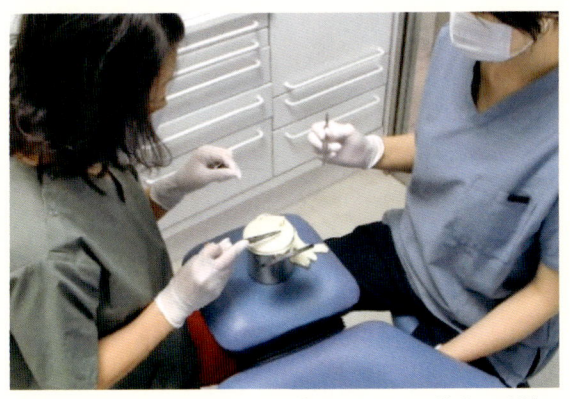

図7-36　オペスタッフどうしの練習によって、縫合の手順が頭に入り、アシスタントとしての気配りが生まれる。

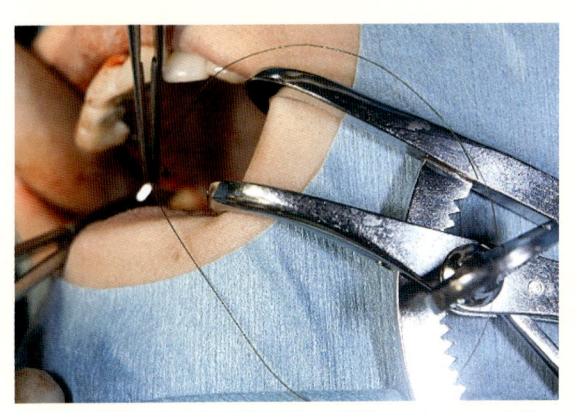

図7-37　実際の縫合時。開口器に糸が絡むことのないよう、気配りと配慮が必要である。

7-3 インプラント埋入手術後の注意事項

骨移植やインプラント埋入後に患者さんに注意点を伝えることになるが、患者さんは術後も緊張していることが多い点や、静脈内鎮静後は意識が不安定な点を考慮し、当院では口頭だけの説明だけでなく「インプラント埋入手術後の注意事項」の用紙を、担当歯科衛生士が詳しく説明を加えながら渡している。

筆者の医院が患者さんに提示しているインプラント手術後の注意事項

インプラント埋入手術後の注意事項

☆埋め込んだインプラントに、食物や義歯などによって力が加わることは避けなくてはなりません。傷口部分で噛まないように注意してください。

軟らかい食べ物
・お粥　・うどん　・豆腐　・プリン　・ヨーグルト　・カステラ　・野菜ジュース ・オートミール　・経口栄養剤　　など　　※刺激物、硬いものは控えてください。

☆術後はタバコは吸わないようにしてください。血管を収縮させ、血液の流れを減少させ、創の治癒を遅らせます。アルコールは腫れ痛みがなければ2～3日後からお飲みいただいても大丈夫です。ただし、血管を拡張させて出血を誘発させますので少量にしてください。

> 喫煙者には、喫煙のリスクを十分に説明する。場合によってはオッセオインテグレーションが獲得できなくなることがある旨を伝えておくのも効果的である。

☆明日くらいまでは血がにじんでくることもあるかと思いますが、気にして何度もブクブクうがいをしないようにしてください。傷口から絶えず出血がある場合はガーゼをロール状にして15分くらい噛んでください。

☆手術当日は、激しい運動は避けてください。入浴はシャワー程度なら問題ありません。シャンプーは控えてください。血行が良くなると止血しづらく、痛みや腫れが出ます。

> シャンプーを控えることや、手術周囲の化粧、マッサージ、エステについても控えることを伝えておく。

☆手術当夜は、多少高めの枕をお使いください。腫れを少なくし、出血を予防します。

☆熱っぽく感じるときは、口周囲の皮膚を水で濡らしたタオルで冷やしてください。氷などでの冷やし過ぎは注意してください。末梢血管が過度に収縮し創の治癒を遅らせます。

☆感染予防・痛みの緩和のため、内服薬は指示どおり必ず服用してください。

☆歯磨きは、約1ヵ月間歯磨き粉を使用せず、処方された消毒液で傷口を避けて磨いてください。傷口の周りの歯は柔らかい歯ブラシで、その他は普段お使いのもので磨いてください。

- ●腫れが著しい場合は下唇に軽い麻痺が出ることがありますが、普通は2週間ほどで消失します。
- ●手術を受けた部位に近い皮膚面に皮下出血が見られることがありますが、10日～2週間で消失します。
- ●上顎にインプラントをした場合には、軽い鼻血が出る場合があります。10日程度は強く鼻をかまないでください。

> 抜歯後など外科処置後の一般的注意点に加えて、帰宅後の注意点や腫れが著しい場合や皮下出血・鼻出血への対応を記載している。あらかじめこうした症状が出る可能性・経過を伝えておくと患者さんも安心する。

※手術を受けられた部分に関する疑問、あるいは不快な症状がみられた場合にはご遠慮なく担当歯科医師まで、ご連絡ください。

〒140-0002
東京都品川区東品川2-2-4　天王洲ファーストタワー15F
医療法人社団　清貴会　小川歯科
Tel:03-5460-8148
＜緊急連絡先＞　Tel:03-▊▊▊▊-▊▊▊▊　　院長携帯：090-▊▊▊▊-▊▊▊▊

> 医師の自宅や携帯電話番号を記載して、患者さんが何か不安を感じた時への対応ができるよう、また緊急時に連絡が取れるよう配慮している。

コラム　手術後に患者さんへ電話をしていますか？

筆者の医院では、治療後・夜8時前後に、できる限り術者(筆者)が患者さんの自宅もしくは携帯電話に電話をかけて、術後の状況を管理、患者の容態を把握するようにしている。

患者さんは、診療室で説明や文章を渡されて、その場ではうなずいたり了解した態度を示していても、緊張や興奮から、内容を理解していないことが少なくない。電話口では、出血や痛み、腫れなどにも気を配るだけでなく、食事・入浴・特に女性では洗顔・シャンプーなどの気遣いを、再度注意するように心がけている。

なお、こうした対応を取ることは、患者さんとの信頼を深めることにもつながるため、若い先生やインプラント治療の経験の浅い先生には、担当医としての責任を含め、できるだけ術者本人が電話をすることをお勧めしたい。

■ 本章のまとめ ■

上顎前歯部に代表される審美領域のインプラント治療では、特に補綴主導型のコンセプトから、その埋入位置は、深さ、角度とともに、成功の鍵を握るたいへん重要な要素である。

しかし、術者の経験や技量に大きく左右されることを踏まえても、埋入位置は抜歯窩や口蓋側(歯頸部)部の骨質や骨形態に大きな影響を受けやすい。ひいては、この位置の「ズレ」が、のちの審美的要素へ大きく影響するため、比較的術野が確認しやすい上顎前歯1本の埋入であっても、サージカルテンプレートを使用し、応用するバーや選択するインプラント体の特性を熟知し、慎重で丁寧なインプラント埋入位置の形成が必要である。

第7章　インプラント埋入の術前・術中・術後に必要な処置と作業

参考文献

1. Garber DA, Belser UC. Restoration-driven implant placement with restoration-generated site development. Compend Contin Educ Dent 1995；16(8)：796, 798-802, 804.
2. Tarnow DP, Cho SC, Wallace SS. The effect of interimplant distance on the height of inter-implant bone crest. J Periodontol 2000；71(4)：546-549.
3. Grunder U, Gracis S, Capelli M. Influence of the 3-D bone-to-implant relationship on esthetics. Int J Periodontics Restorative Dent 2005；25(2)：113-119.
4. Tarnow DP, Magner AW, Fletcher P. The effect of the distance from the contact point to the crest of bone on the presence or absence of the interproximal dental papilla. J Periodontol 1992；63(12)：995-996.
5. Saadoun AP, Le Gall MG. Periodontal implications in implant treatment planning for aesthetic results. Pract Periodontics Aesthet Dent 1998；10(5)：655-664.
6. Spray JR, Black CG, Morris HF, Ochi S. The influence of bone thickness on facial marginal bone response: stage 1 placement through stage 2 uncovering. Ann Periodontol 2000；5(1)：119-128.
7. Cochran DL, Hermann JS, Schenk RK, Higginbottom FL, Buser D. Biologic width around titanium implants. A histometric analysis of the implanto-gingival junction around unloaded and loaded nonsubmerged implants in the canine mandible. J Periodontol 1997；68(2)：186-198.
8. 勝山英明，北條正秋．審美部位におけるインプラント治療のクライテリアとその科学的背景．Part1 骨とインプラントのインターフェース．Quintessence DENT Implantol 2005；12(1)：13-22.
9. 船登彰芳．抜歯およびインプラント埋入時期．抜歯後即時埋入を中心に．別冊 Quintessence Dental Implantology インプラントの近未来を探る OJ 3rd ミーティング抄録集．東京：クインテッセンス出版, 2005；18-27.
10. Block MS, Kent JN, Guerra LR(eds). Placement of Implants into Extraction Site. Implants in Dentistry. Philadelphia：W.B. Saunders. 1997；157-166.

第7章 紹介器具・器材の関連製品／同種製品

骨切削用バー

2710バー（問い合わせ先：ジンマー・バイオメット・デンタル社）。船登彰芳氏が考案したバー。ダイヤモンドバーの特性から、繊細な形成や位置・角度の修正が可能である。

第8章
二次手術と印象採得

1 二次手術の手順と用いる器具
2 印象採得の手順と用いる器具

　オッセオインテグレーションの獲得を確認し、軟組織内に埋入されているインプラントの封鎖スクリューを除去し、ヒーリングアバットメントに換えることを、二次手術と呼ぶ。
　本章では、この二次手術と印象採得の基礎知識と基本手技を供覧し、併せて必要な器具・器材も紹介する。

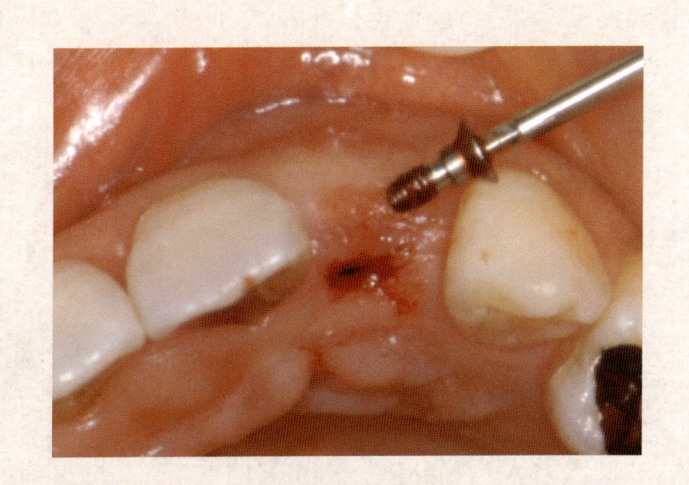

8-1 二次手術の手順と用いる器具

　インプラント埋入後3ヵ月間治癒を待ち、その後二次手術を行った。まず、X線写真を参考に、麻酔を行いながらインプラント埋入部位を確認し切開を入れる。刃先の小さい15Cのメスを用い、隣接する歯間乳頭部や周囲軟組織に大きく外科的侵襲が及ばないよう、できるだけ小さな切開とした（図8-1〜3)[1]。

　封鎖スクリューのネジ穴を確認後（図8-4a)、専用パーツにて封鎖スクリューを除去し（図8-4b)、歯肉貫通部の治癒を図るため、ヒーリングアバットメントを装着した（図8-5、6)。この際、歯肉縁下での適合が確認できず、歯肉を挟み込んだりしてしまうことがあるので、X線写真にて確認をした（図8-5a)。

二次手術時の切開

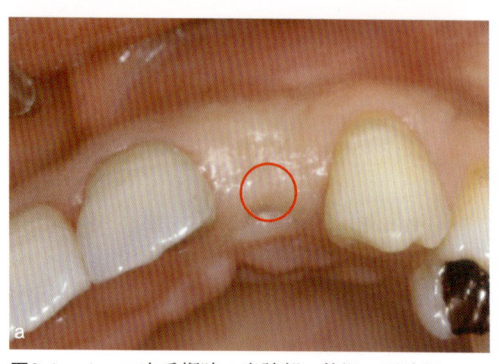

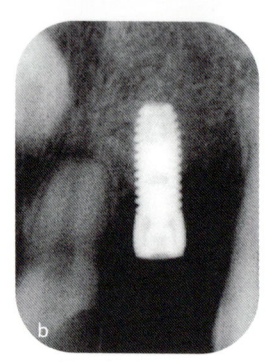

図8-1a、b　二次手術時の当該部の状況。再確認のために撮影したX線写真を参考に麻酔を行いながらインプラント埋入部位を確認した（○)。

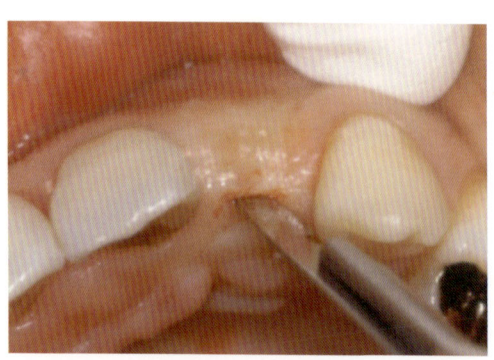

図8-2　やや口蓋側寄りにできるだけ小さく切開を加えた。パンチングのように、当該部組織全体を取るのではない。

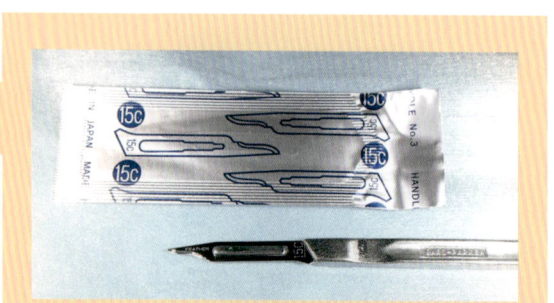

図8-3　二次手術の切開に用いたメス（フェザー安全剃刀社製)。極力小さな切開を加えるため、刃先の小さい15Cのメスを用いた。

封鎖スクリューの除去、ヒーリングアバットメントの装着

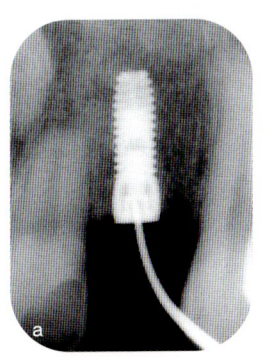

探針などにて封鎖スクリューのネジ穴を探り、周囲の軟組織をできるだけ傷つけないように心がける。

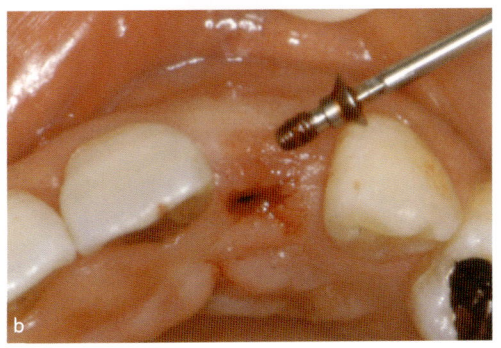

図8-4a、b 封鎖スクリューの位置をX線写真で確認後、専用パーツにて封鎖スクリューを除去する。

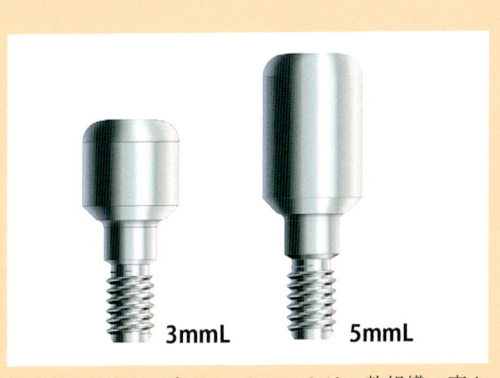

図8-6 ヒーリングアバットメントは、軟組織の高さに合わせて選択する。本症例では長さ5mmのものを選択(ヒーリングカラー：ジンマー・バイオメット・デンタル社製)。

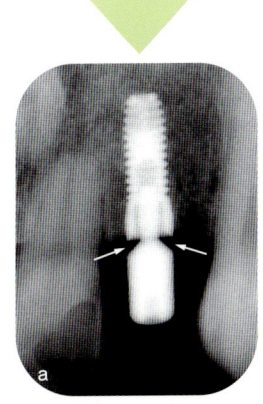

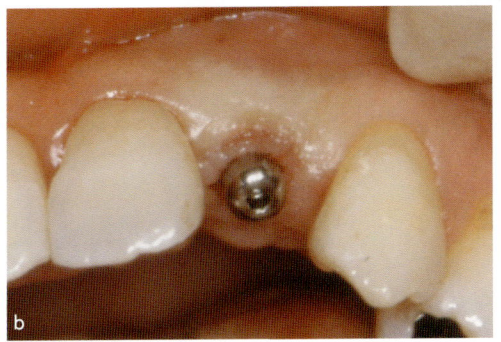

図8-5a、b 歯肉縁下ではインプラントとヒーリングアバットメントの適合が確認できないことがあるので、X線写真で確認する。図8-5aは不適合の状態(→)。この後アバットメントを締め直した。

ポイント

審美領域では当該軟組織形態が適切な形態で保持されることが重要な要素となるため、二次手術時に結合組織の移植や歯周組織形態の修正を併用して行うことも多い。

また、アバットメントの形態がプラットフォームより大きいと、周囲軟組織を押し広げる結果となり、後の唇側歯肉形態や歯間乳頭の退縮の原因となり、審美性獲得に不利になる場合もあることから、ヒーリングアバットメントの選択においては、プラットフォームの径と歯肉貫通部は一般的には同等の径のものが望ましい。

第8章 二次手術と印象採得

8-2 印象採得の手順と用いる器具

　当該周囲軟組織の治癒を待ち、カスタムトレー製作のための印象採得を行った。印象採得はオープントレー法で行うため、通法に従ってトレー用レジンにてカスタムトレーの製作を行った。その際、印象用コーピングの貫通部の設定はインプラントの埋入位置や方向性に左右されることから、熟知している術者（筆者）が製作し、印象用コーピングとカスタムトレーが干渉することなく適切なスペースを保てるように調整を行った[2]。

印象用コーピングの試適、オープントレーの製作

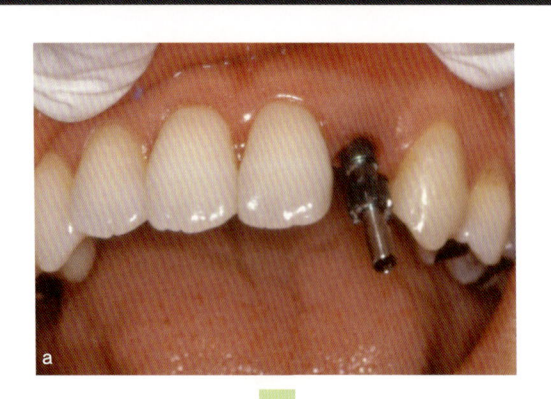

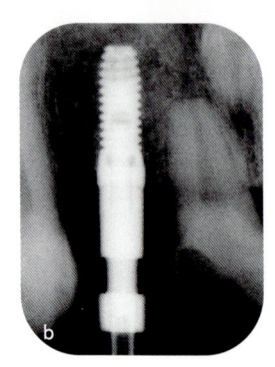

図8-7a、b　口腔内で印象用コーピングの試適を行い、周囲組織や隣接歯との確認を行った。この時にも、歯肉縁下では印象用コーピングとインプラントの適合が確認できないことが多いため、X線写真にて適合精度を再確認した[3]。

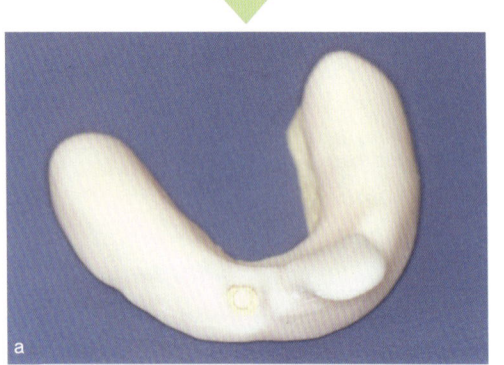

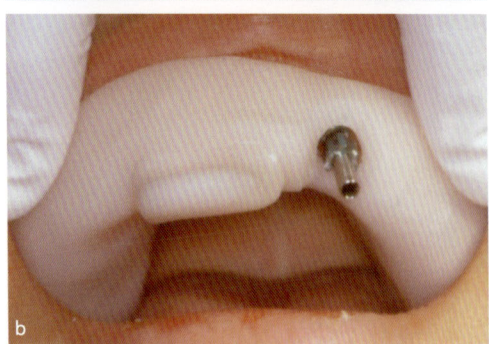

図8-8a、b　印象用パーツの貫通部の位置や方向は術者が熟知しているため、オープントレー法のカスタムトレーは当院では術者が製作している。

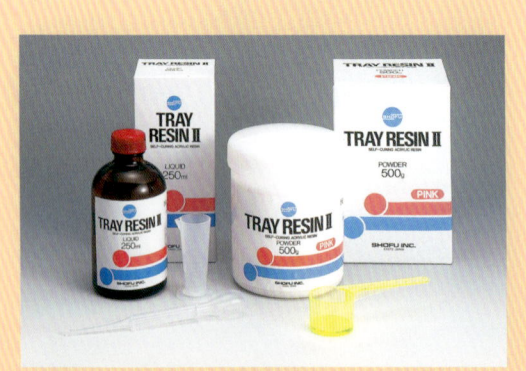

図8-9　トレー用レジンⅡ（松風社製）。手指にレジンが付きにくいすぐれた操作性と、短い硬化時間の特性を持つ。

トレーと印象パーツの固定、咬合関係の記録

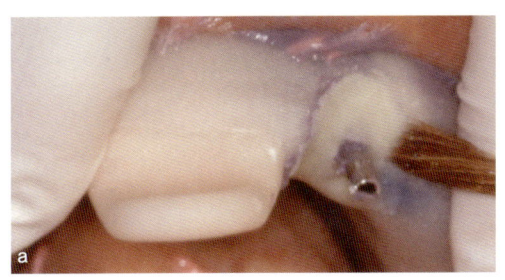

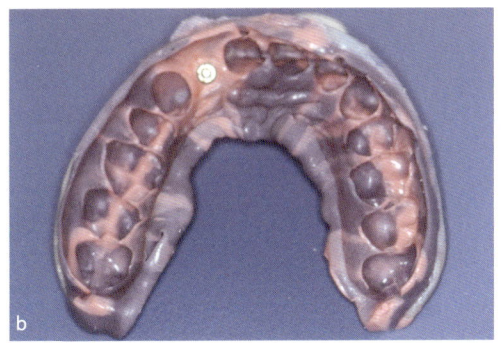

図8-10a、b 印象採得時に即時重合レジンにてトレーと印象パーツの固定を行う。インプラントは天然歯と異なりまったく動かないため、カスタムトレーと印象用コーピングが干渉しないよう調整したうえで確実に固定し、位置の誤差をなくす。

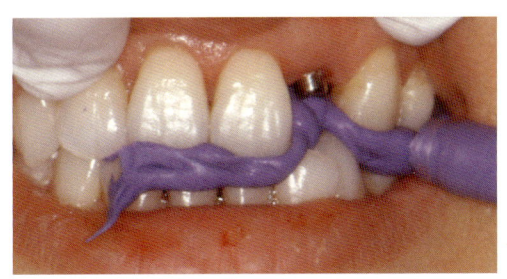

図8-12 印象採得後、当該部のクリアランスを利用し、咬合採得用シリコーン材を用いて咬合関係の記録をマッシュバイト法にて行った。

図8-14 周囲組織や口唇との関係は、担当歯科技工士の立会いのもと、口腔内写真などにて記録・検討した。

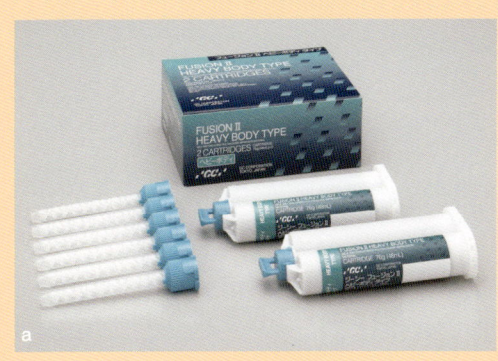

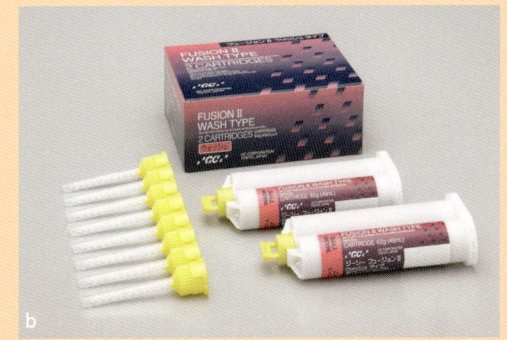

図8-11a、b フュージョンⅡ（ジーシー社製）。a：ヘビーボディタイプ、b：ウォッシュタイプ。シリコーン印象材に親水性にすぐれたポリエーテル印象材の特性を加えたハイブリッド印象材で、これらを含め5つの異なるタイプがある。印象採得時にはインプラント補綴の特性から、印象材は十分な硬さと永久変形が少なく、親水性のある本製品を使用した。
☞110ページにて同種製品紹介

図8-13 硬化時間が短く正確に咬合状態を再現できる、咬合採得用付加型シリコーン材（コレクトプラス・バイト・スーパーファースト：ペントロンジャパン社製）。

第8章 二次手術と印象採得

105

考察ポイント①　オープントレー法とクローズドトレー法

　インプラントの印象採得法には、オープントレー法とクローズドトレー法の2種類がある。きわめて基本的な知識ではあるが、それぞれの手法と特徴を確認しておきたい。

①オープントレー法

　ピックアップ印象法とも言う。印象用トレーに印象用コーピングの貫通部を有し、トレー外から印象用コーピングのスクリューを緩めることでインプラントから外し、印象採得を行う方法である。より精度の高い印象採得や、複数のインプラント体を連結して補綴する場合に用いる。

②クローズドトレー法

　トランスファー印象法とも言う。既製トレーを用いて印象用コーピングを口腔内に残したまま印象を撤去し、再度、印象材内に復位する方法である。
　開口量の少ない場合には有効であるが、オープントレーと比較して印象手技は簡便である反面、微妙な誤差が生じる可能性もある[4]。

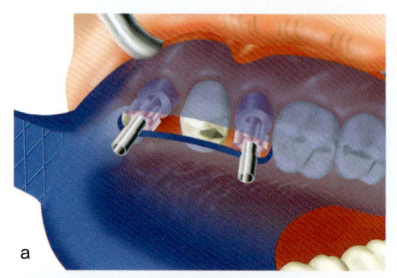

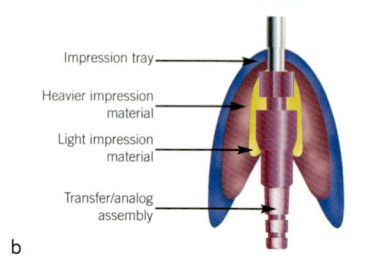

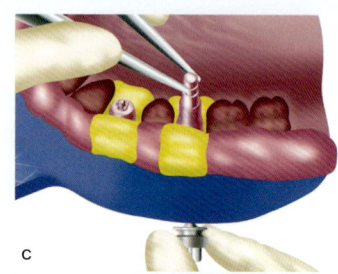

図8-15a〜c　オープントレー法。トレーを印象用コーピングと干渉しないように調整後、インプラントに印象用コーピングをスクリュー固定し印象採得を行う。スクリューを緩め、印象撤去後にインプラントレプリカを再度、スクリューにて接続する(ジンマー・バイオメット・デンタル社カタログより引用)。

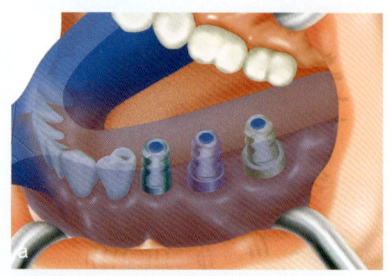

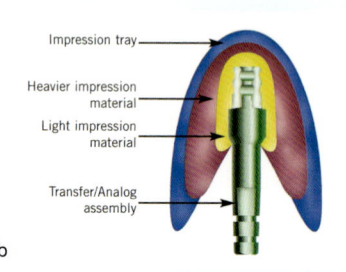

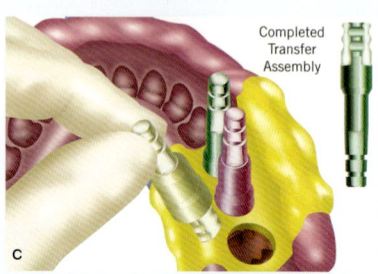

図8-16a〜c　クローズドトレー法。クローズドトレー用コーピングをインプラントに接続し、印象採得後にコーピングとレプリカを接続して復位する(ジンマー・バイオメット・デンタル社カタログより引用)。

考察ポイント❷　審美領域のインプラント治療に必要な歯肉圧排の技術

歯肉圧排を用いる場面は大きく分けて2つある。

一つめは、支台歯形成時における歯肉圧排で、おもにタービンなどの回転器具からの辺縁歯肉の損傷を防ぐためのものである。これは、フィニッシュラインを正確に形成する支台歯形成の一助となり、遊離エナメル除去やフィニッシュラインの連続性を確認するものである。

もう一つは、印象採得時の歯肉圧排である。支台歯形成ならびに周辺歯肉の再評価を行い、周辺歯肉を圧排糸にて外側に排除することで、フィニッシュラインおよび周囲の歯質を明示し、正確な印象採得を得るためのものである。このため歯肉を押し広げるような圧をかける必要もあり、2本の異なった糸を重ねて使用することから二重圧排という、2本の糸を重ねて用いる方法を選択することが多い。特に前歯部のような審美領域では、インプラント治療を含め、隣接する補綴装置を天然歯と同様に歯肉の中から生えてきているようにするために欠かすことのできない手技である。

二重歯肉圧排の基本的な手順を、図8-17〜22に示すので、ぜひ参考にしていただきたい。

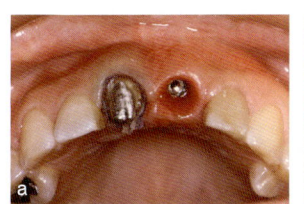

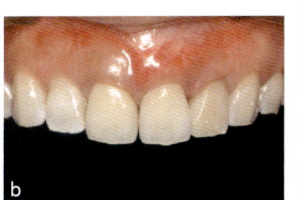

図8-17a、b　|1がインプラント、1|が天然歯の治療。歯肉圧排の技術がなければ、bのように仕上げることはできない。

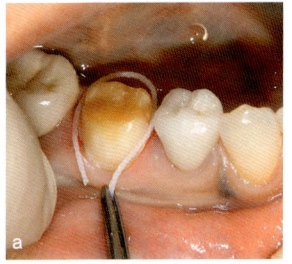

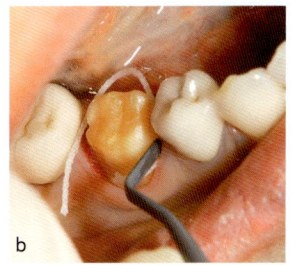

図8-18a、b　圧排糸を適度な長さに切り、歯頸部に巻くように位置付け、隣接面部から挿入していく。

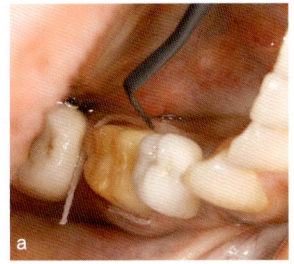

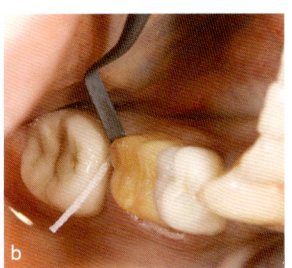

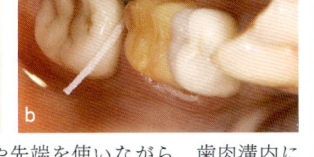

図8-19a、b　圧排器の隅角部や先端を使いながら、歯肉溝内に滑り込ませるように行う。

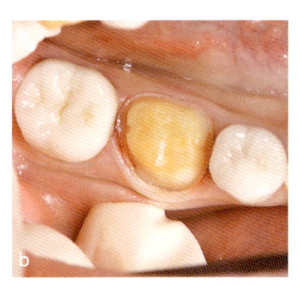

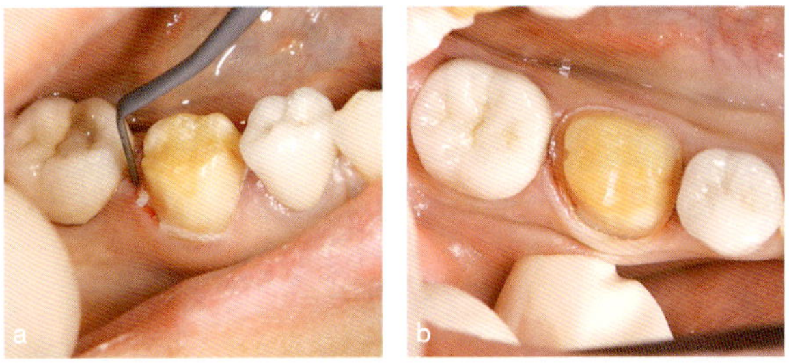

図8-20a、b　全周に均一に挿入後、余分な糸を切る。

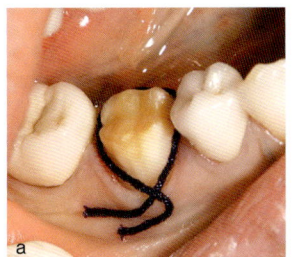

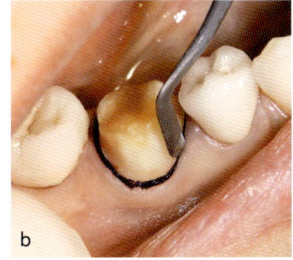

図8-21a、b　同様に二次圧排糸を歯と歯肉の間に乗せるように挿入していく。

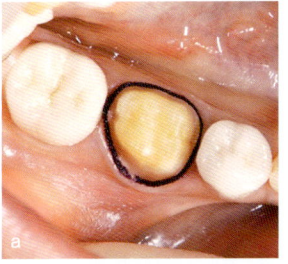

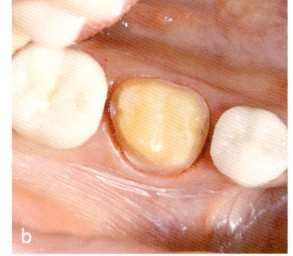

図8-22a、b　二重圧排の終了と、糸を除去した状態。歯肉が押し広げられているのがわかる。

当時の治療を振り返って

今ならこうする！こうも使える！

口腔内スキャナを用いた印象採得

　口腔内スキャナによる光学印象採得では、これまでの弾性印象材を用いた印象法で必要だった個人トレー、印象用コーピング、印象材、技工用コンポーネントなどが不要になる。また、印象材や石膏模型での寸法変化もなく、印象採得時の患者の不快感を軽減できることも優位点として挙げられる[5,6]。

　現状では1歯ないし2歯程度の上部構造製作において寸法精度や適合性が容認されるものの、多数歯欠損でのスクリュー固定や審美領域におけるエマージェンスプロファイルの獲得など、いくつかの問題点も指摘されている[7]。

　モデルレスの印象とした場合、3Dプリンタによるレジン系模型の収縮からコンタクトポイントや適合精度の確認については簡便になったとは言えず、実際の口腔内での調整が不可欠である一方、埋入手術直後にもインプラントにストレスをかけることなく印象・咬合採得が可能である。口腔内スキャナは今後もさらなる進化が期待される。

　以下に、口腔内スキャナを用いてインプラント補綴を行った症例を供覧する。

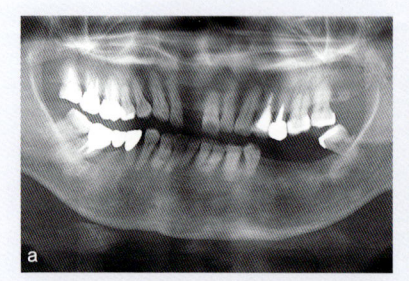

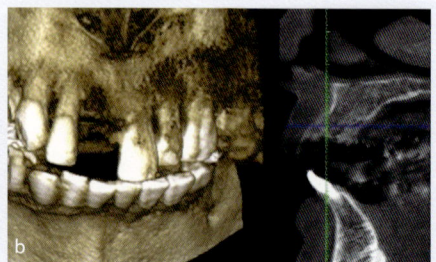

図8-23a、b　患者は60代の女性。1|ならびに左側下顎臼歯部の欠損を主訴に2019年8月に来院した。パノラマX線および前歯部のCT画像を示す。左側下顎臼歯部のインプラント治療終了後、同年12月に1|部のインプラント治療を計画した。

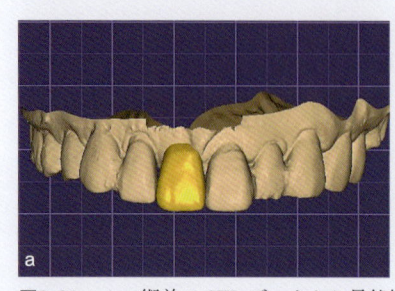

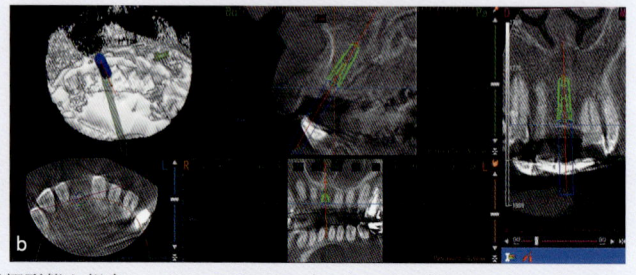

図8-24a、b　術前のSTLデータから最終補綴形態を想定し、CTのDICOMデータと重ね合わせてインプラント埋入シミュレーションを行った。

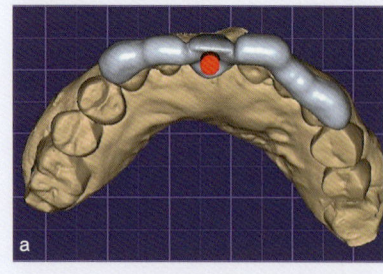

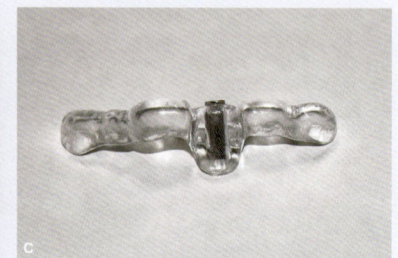

図8-25a〜c　担当歯科技工士とともにサージカルガイドを製作し、慎重にインプラント埋入を終えた。

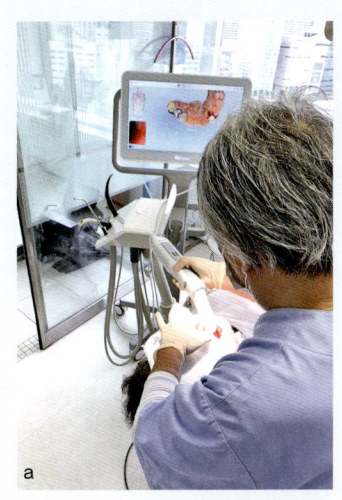

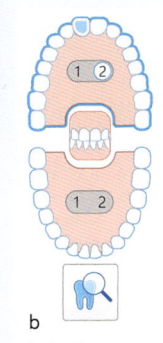

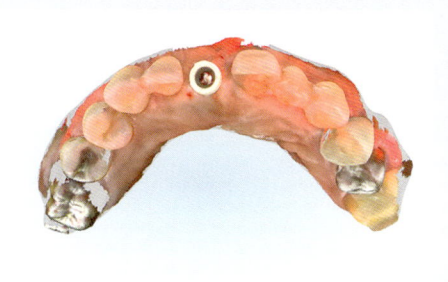

図 8-26a、b 当院で採用している口腔内スキャナ・iTero エレメント5D。スキャンボディをインプラント体に装着し、光学印象を行う。

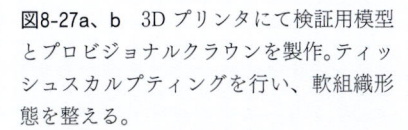

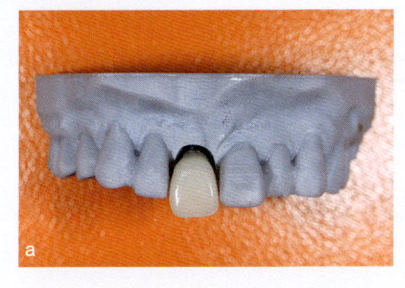

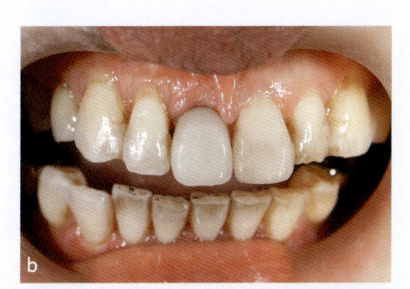

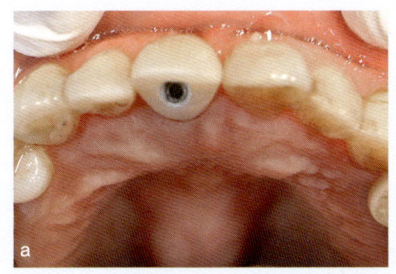

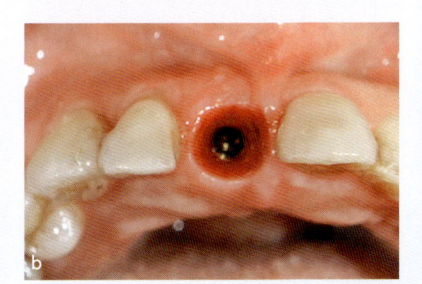

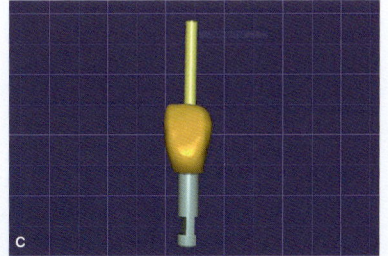

図8-27a、b 3D プリンタにて検証用模型とプロビジョナルクラウンを製作。ティッシュスカルプティングを行い、軟組織形態を整える。

図8-28a～c 獲得したエマージェンスプロファイルから、スクリュー固定による最終補綴設計を行う。

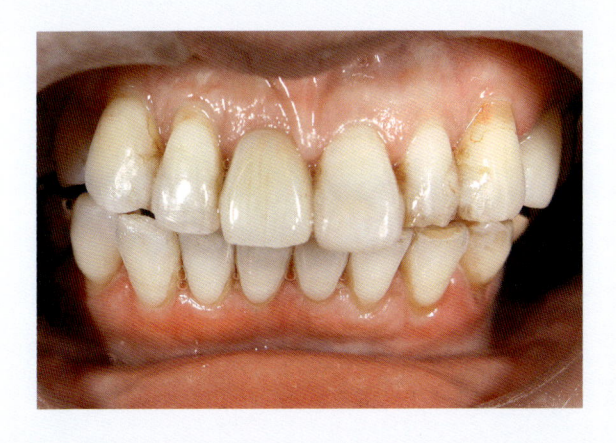

図8-29 隣接歯とも調和し、審美的にも満足のいく最終補綴装置が装着された(SHT グラデーションフルジルコニアクラウン：YAMAKIN社製)。技工担当は戸田勝則氏(T&S プランニング)。

第8章 二次手術と印象採得

本章のまとめ

繰り返しにはなるが、二次手術時には、歯肉の後退が生じたり、外科的侵襲が大きくならないように配慮することが重要である。

また、印象採得時には、X線を用いた印象コーピングの適合の確認やオープントレー法などを用いて、永久変形・永久歪の少ない印象材を合わせて使用する細かな配慮が大切である。

参考文献

1. Happe A, Körner G, Nolte A. The keyhole access expansion technique for flapless implant stage-two surgery: technical note. Int J Periodontics Restorative Dent 2010; 30(1): 97-101.
2. 十河厚志. 別冊QDT 若手歯科医師・技工士のためのインプラント補綴・技工 超入門. 診査・診断から上部構造装着までのステップバイステップ. 東京: クインテッセンス出版, 2010.
3. 渡邉文彦, 夏堀礼二, 飯島俊一, 十河厚志, 藤田一志, 木村健二, 杉野綾子, 淺沼朋未, 飯島孝大. MONTHLY FOCUS 精度の高い補綴治療にこだわる. どうする？ CAD/CAMインプラントブリッジの印象採得・作業用模型製作. QDT 2009; 34(2): 13-40.
4. Carr AB. Comparison of impression techniques for a five-implant mandibular model. Int J Oral Maxillofac Implants 1991; 6(4): 448-455.
5. 田中晋平, 高場雅之, 深澤翔太, 渡邊理平, 夏堀礼二, 近藤尚知, 馬場一美. インプラント治療における光学印象の活用―現状と今後の可能性―. 日補綴会誌 2018; 10(1): 23-31.
6. Wismeijer D, Mans R, van Genuchten M, Reijers HA. Patients' preferences when comparing analogue implant impressions using a polyether impression material versus digital impressions (Intraoral Scan) of dental implants. Clin Oral Implants Res 2014; 25(10): 1113-1118.
7. 田中譲治, 村上高宏, 菅野岳志, 木村健二. 口腔内スキャナー使用の光学印象による種々の臨床応用: フルアーチインプラント症例の光学印象からコピーデンチャーの製作まで. 日口腔インプラント誌 2019; 32(1): 71-79.

第8章 紹介器具・器材の関連製品／同種製品

シリコーン印象材

アフィニス（問い合わせ先：ヨシダ社）。親水性が高いため、湿潤な口腔内でも精度の高い印象採得が可能である。また、流動性も非常に高いため、形成歯・マージン部の細部まで印象採得が可能である（アフィニス プレシャス）。インジェクション用（4種類）、トレー用（2種類）、インプラント印象用（1種類）があり、目的に合せて使用することができる。

インプリント™3印象材（問い合わせ先：スリーエムヘルスケア社）。寒天のようなフローとすぐれた親水性、高い印象精度を有したシリコーン印象材。ガンタイプとペンタ™自動練和タイプから選択して使用できる。

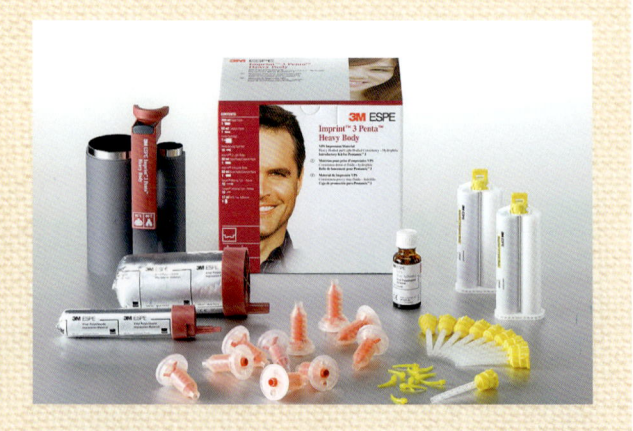

第9章

プロビジョナルレストレーションの製作と試適

1 プロビジョナルレストレーションの製作手順と用いる器具

2 プロビジョナルレストレーションの試適とティッシュスカルプティング

　上顎前歯部のような審美領域におけるインプラントのプロビジョナルレストレーションとは、暫間的なテンポラリークラウンとはまったく趣を異にするものである。
　これを用いて、咀嚼・発音などの機能回復はもちろんのこと、顔貌や歯列・周囲軟組織との調和を含め、最終補綴装置の形態・大きさ・清掃性などの確認を歯科技工士とともに行わなければならない。
　そうした点を踏まえ、本章ではプロビジョナルレストレーション製作の手順、用いる材料について解説する。

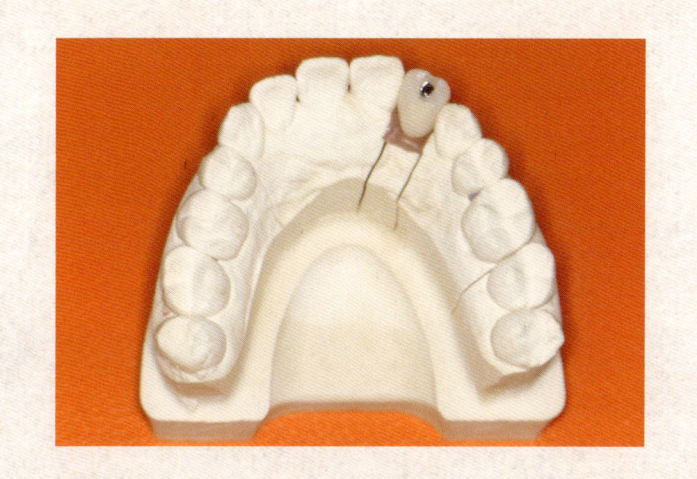

9-1 プロビジョナルレストレーションの製作手順と用いる器具

1）ガム模型の製作

　インプラント治療では、天然歯の治療とは異なる被圧変位から、その補綴装置により高い適合精度が求められる。そのため、印象体や印象面に不備がないかを注意深くチェックし（図9-1）、その後は通法に従い、印象体にインプラントレプリカを接続して作業用模型の製作を行った。そして、インプラント周囲の軟組織形態の付与やプラットフォームから歯肉貫通部の歯肉形態の調整を的確に行うために、作業用模型のインプラント部周囲には模擬軟組織としてのガム模型を製作した（図9-2、3）[1, 2]。

ガム模型製作の手順

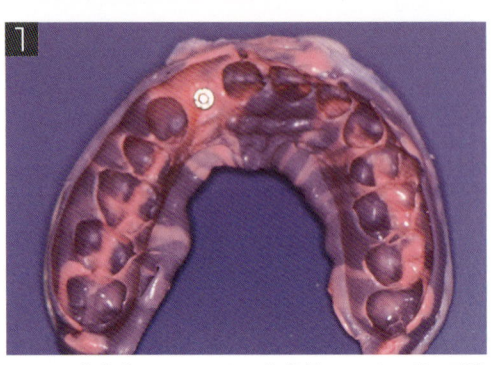

図9-1　印象体のチェック。印象用コーピングの不適切な連結による、印象材の巻き込みや気泡、動揺（印象材とコーピングが緩んでいること）といった不備がないかを注意深く確認する。この後、印象体にインプラントレプリカを接続して作業用模型の製作を行ったのち、模型のインプラント部周囲に模擬軟組織としてのガム模型を応用した。

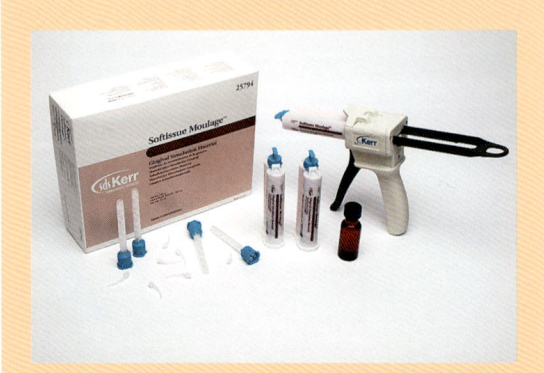

図9-3　ソフトティッシュムーラージュ（Kerr社製／問い合わせ先：カボデンタルシステムズジャパン社）。ガンタイプのため、操作性にすぐれ、盛り足し・修正も可能であり、長期的に保存が利く。ガム模型材は各社から発売されているが、比較的調整しやすいシリコーン材質のものが良いことから、筆者は本製品を使用し、直接、印象にガム模型材を流し込んで製作する方法を選択している。☞120ページにて同種製品紹介

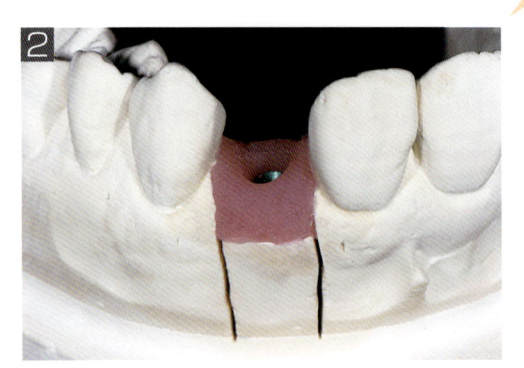

図9-2　ガム模型は可撤性で弾性を有することから、技工操作も行いやすい。

ポイント

ガム模型製作法には、印象に直接ガム模型材を流し込んでから石膏を流す方法と、石膏模型を作ってから歯肉の印象を採り、トリミング後にガム模型材を流し込む方法の2種類があるが、本症例ではソフトティッシュムーラージュを用いて後者の方法を選択した。

2）プロビジョナルレストレーションの製作

ガム模型が完成したら、次にプロビジョナルレストレーションの製作に移る（図9-4～19）。ここでの作業は歯科技工士が担当する仕事が中心であるが、お互いに綿密な連携を図って補綴装置製作作業を進める以上、歯科医師もその工程を理解しておくことが大切である。

プロビジョナルレストレーションの製作手順①（ワックスアップ）

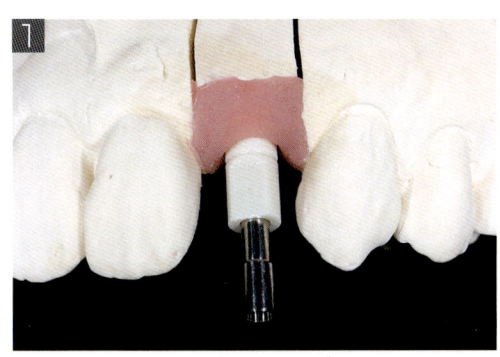

図9-4　レジン製テンポラリーアバットメントを、歯冠内に収まるような適切な形態に調整する。

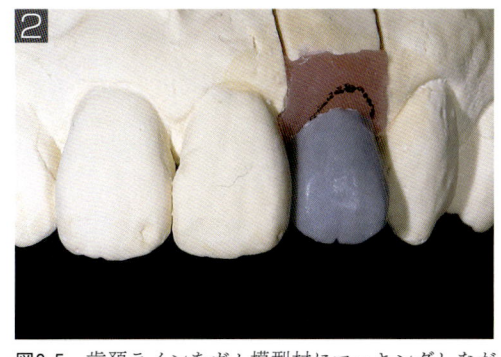

図9-5　歯頚ラインをガム模型材にマーキングしながら理想的な形態を模索する。

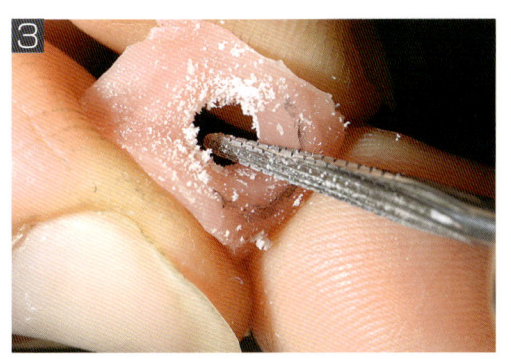

図9-6　ガム模型材を歯頚ラインに合せて内方に削合・調整し、歯肉縁下形態（トランジショナルカントゥア）の付与を行う。

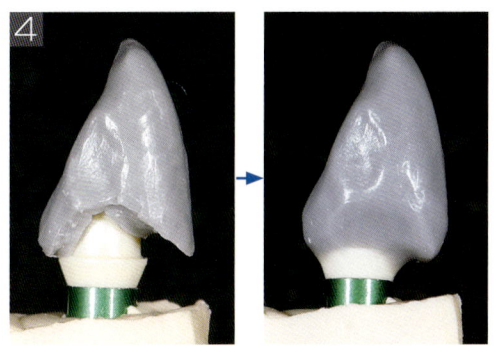

図9-7　歯肉形態に調和したワックスアップを完成させていく。この段階での歯肉縁下形態（トランジショナルカントゥア）の決定においては、周囲軟組織のバイオタイプによっては過度の圧迫や貧血から吸収を起こすこともあるので、過度な豊隆を与えず、若干レスカントゥアに仕上げるよう心がけている。

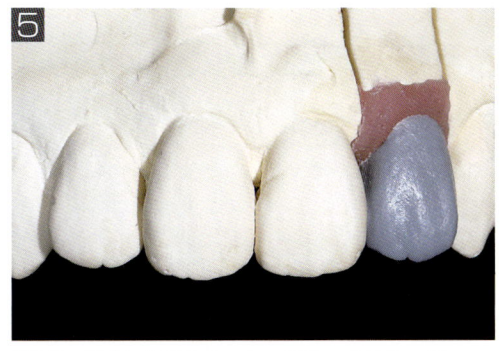

図9-8　完成したフルカントゥアワックスアップ。

第9章　プロビジョナルレストレーションの製作と試適

113

プロビジョナルレストレーションの製作手順②（レジンの流し込み、重合）

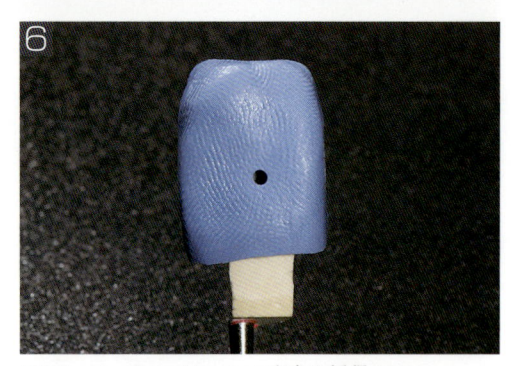

図9-9 ワックスパターンの印象を採得する。

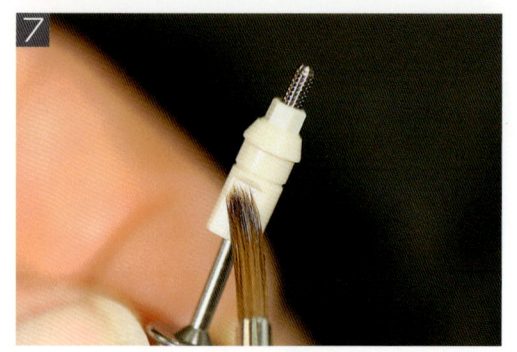

図9-10 テンポラリーアバットメントにレジンプライマーを塗布する。

図9-11 バイブレーター上で気泡が入らないように慎重にレジンを流し込む。

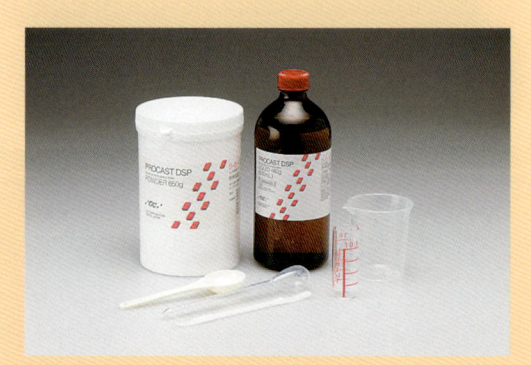

図9-12 本症例で用いたレジン（プロキャスト：ジーシー社製）。A1、A2の歯冠色を有し、流し込みレジンであることから、適合精度も良い。

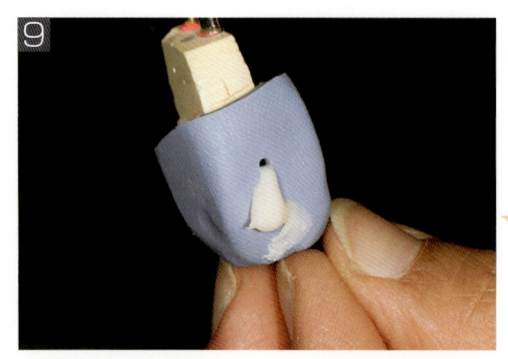

図9-13 流し込んだレジンを、加圧釜を用いて2気圧55℃の温水で30分重合した。レジンは加圧重合することで密になり強度を増すと同時に、より滑沢な研磨面が獲得できる。

図9-14 本症例で用いた加圧釜（ベストプレッシャー3：東邦歯科産業社製）。比較的小型で、操作性にすぐれている。

プロビジョナルレストレーションの製作手順③（研磨）

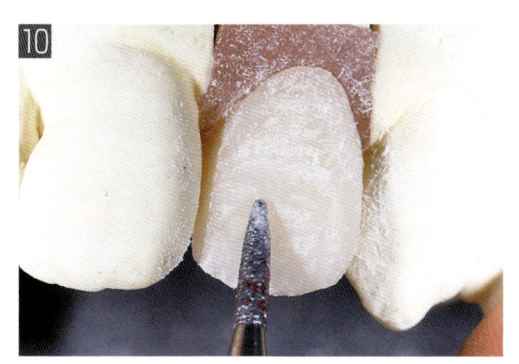

図9-15 重合終了後、カーバイドバーにて調整を行う。

図9-16 レーズを使い、ポリサンドで研磨を行う。

図9-17 本症例で研磨に用いたポリサンド（山田歯研産業社製）。6種類の粗さをもち、発熱を避けての表面研磨が可能である。

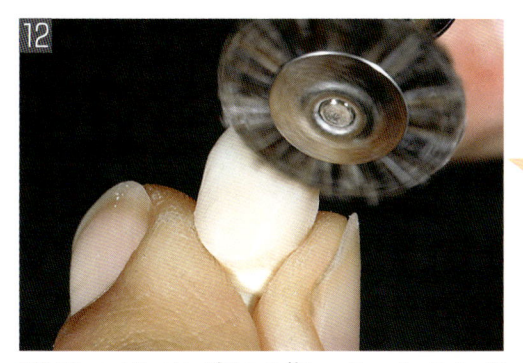

図9-18 ロビンソンブラシを使い、スーパースターVにて艶を出す。

図9-19 艶出しに用いたスーパースターV（日本歯科工業社製）。セラミックスはもとより、ハイブリッドレジン、即時重合レジンの艶出し研磨材としてラボサイド、チェアサイドで使用できる。

第9章 プロビジョナルレストレーションの製作と試適

115

9-2 プロビジョナルレストレーションの試適とティッシュスカルプティング

　プロビジョナルレストレーションの歯肉貫通部内を加圧したり、豊隆を与えることによって、インプラントのプラットフォームから歯肉貫通部の形態や歯頚部の形態を移行的に修正することをティッシュスカルプティングと呼ぶ[9]。

　このプロビジョナルレストレーションによるティッシュスカルプティングを経て、アバットメントのトランジショナルカントゥアや最終補綴のエマージェンスプロファイルが決定されることとなる。

プロビジョナルレストレーションの試適とティッシュスカルプティングの手順

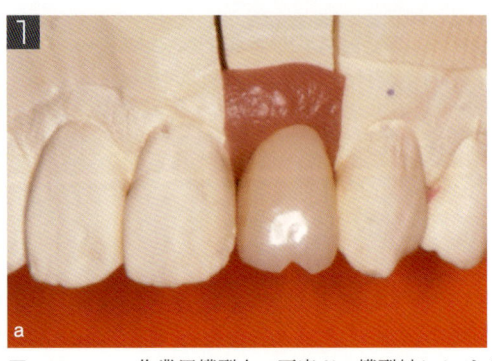

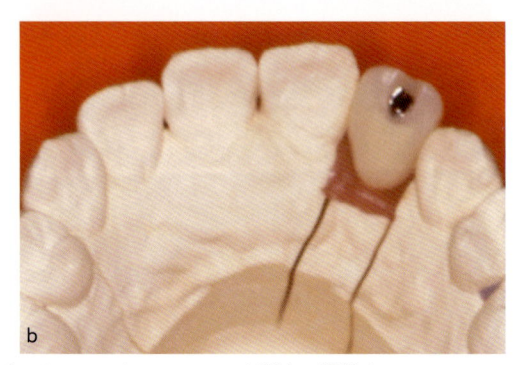

図9-20-a、b　作業用模型上で再度ガム模型材およびプロビジョナルレストレーションを削合・調整する。

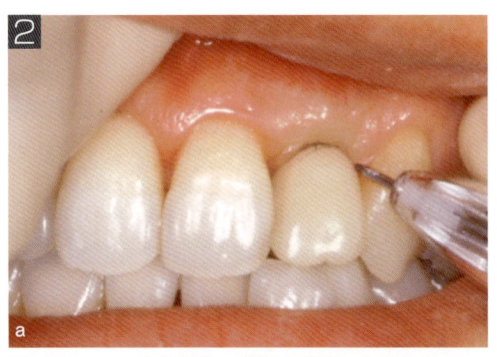

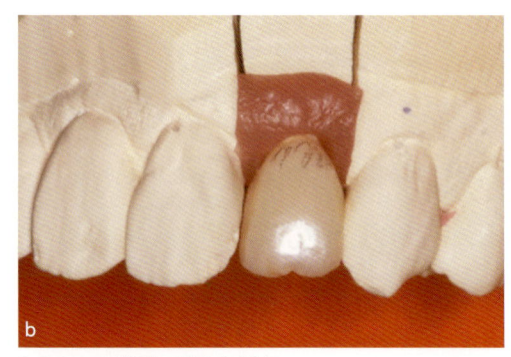

図9-21-a、b　貧血部位の状態を確認しながら、ペーパージスクなどにて慎重に削合を行う。

ポイント　試適時には、まず肉眼と手指の感覚からインプラント体との適合状態を確認し、適合状態に不安があればX線写真にて再確認を行うことが望ましい。また、歯肉縁下形態（トランジショナルカントゥア）の付与されたプロビジョナルレストレーションは、口腔内では、歯肉貫通部を加圧されることから、周囲軟組織に若干の痛みと貧血帯が生じることとなる。過度な加圧からの貧血部位は、周囲組織の後退をまねくことになるため、慎重な試適を行わなければならない。

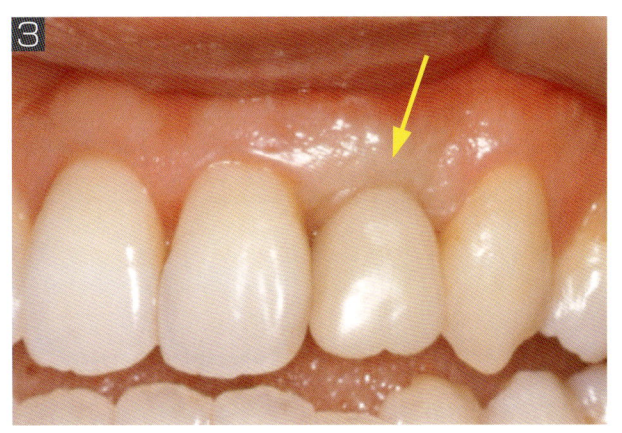

図9-22 プロビジョナルレストレーション装着直後2週、周囲軟組織の経時的変化により貧血帯がみられた(↙)。

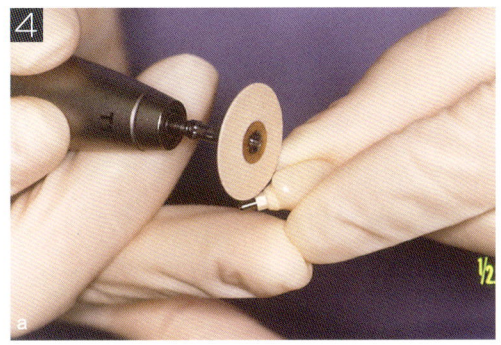

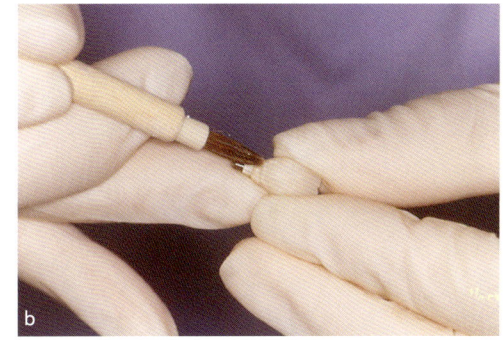

図9-23a、b 再度、歯頸部へのレジン添加や削合を行い、歯頸部形態の調整およびさらなる周囲組織との調和を図った。

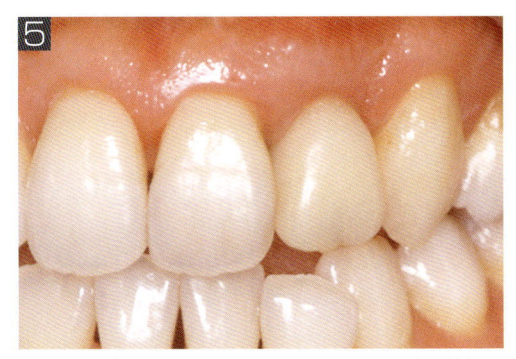

図9-24 プロビジョナルレストレーション再調整後の口腔内。この時点でプラークの付着や清掃性の確認を行うことも忘れてはならない。

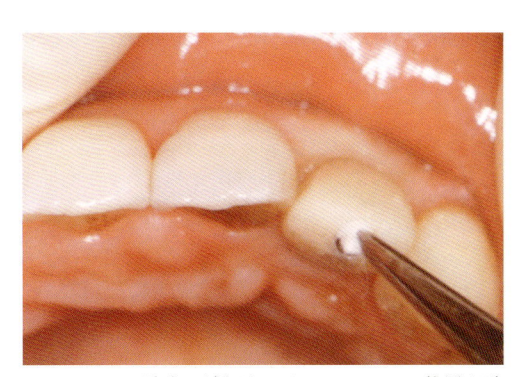

図9-25 この時点で適切なアクセスホールの位置を確保できた。もし、インプラントの埋入位置や方向が不適切であるとアクセスホールが唇側に露出し、審美的な問題が起こる結果となる。

第9章 プロビジョナルレストレーションの製作と試適

117

当時の治療を振り返って

今ならこうする！こうも使える！

審美領域のプロビジョナルクラウン

　術前に準備する接着性のテンポラリークラウンの作り方については第4章の55、56ページで解説した。ここでは、筆者が日常的に行っている、審美領域(前歯)の簡単なプロビジョナルクラウンの製作方法について解説する。プロビジョナルクラウンとは、その言葉が表すように、pro(前もって)vision(見る)crown(冠)で、最終補綴を見据えたものであり、テンポラリー(暫間)とは趣を異にするものである。

　審美領域のテンポラリークラウンを綺麗に作るには、まずはその支台歯形成が的確に行われていなければならない。すなわち、歯肉の中から天然歯のように生えてくるようなマージンの設定や、最終補綴装置の形態を妨げないようなクリアランスをもつこ

とが最低条件であり、さらに健全歯質の保全を図り、維持形態を与えなければならない。こうした点を踏まえ、筆者は時間的余裕があれば補綴設計を行ったうえで歯科技工士にテンポラリークラウンの製作を依頼しているが、単独歯やその場での必要性に応じて、既製のテンポラリークラウンを応用している。

　綺麗なテンポラリークラウンの製作の勘所は、余剰レジンのはみだしや過度な外形の修正がないように、既製冠の外形を生かし、マージン部の形態を丁寧に合わせることである。以下では、|2が失活し、審美障害を起こした症例を供覧しながら、その製作法を解説する(図9-26〜30)。

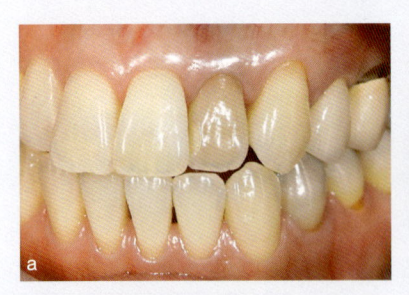

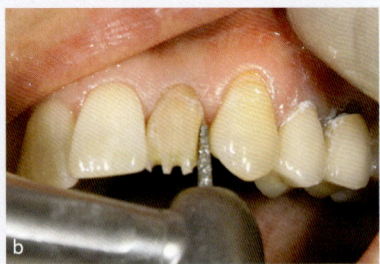

図9-26a、b　クリアランスや維持形態を考慮して健全歯質の保全を行う。

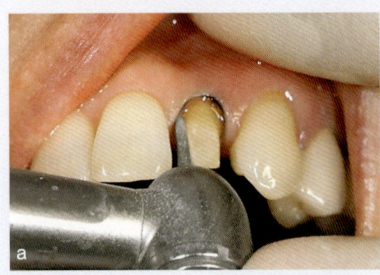

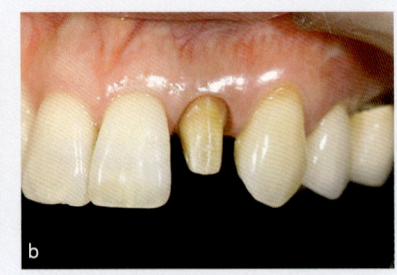

図9-27a、b　マージン部の軟組織を傷つけないように、歯肉圧排を行いながら、丁寧に仕上げる。

図9-28　形態や大きさに符合するものを見つけて、大まかにマージン部から適合させる。

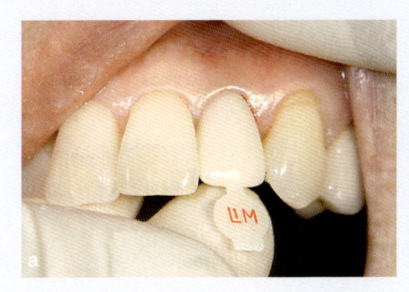

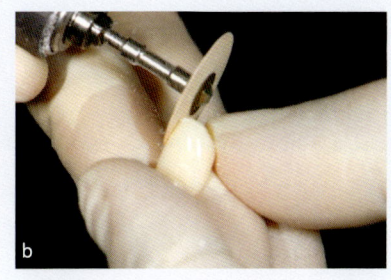

図9-29a、b　マージン部をジスクなどを用いて正確に調整。

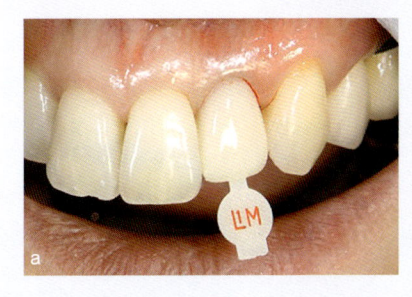

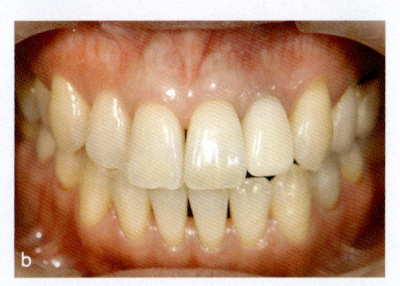

図9-30a、b　咬合関係を考慮して、前方運動時や側方運動時の過度な接触は控えるようにする。

コラム　「いつの日か」を夢見て

　審美領域の治療では、プロビジョナルクラウンはもとより、テンポラリーであっても、その「綺麗さ」は重要である。筆者は開業当時、いつかはモデルや女優の患者さんが来院されることを夢みていた。「綺麗な仮歯」を入れると患者さんがそれで満足し、来院しなくなるとの意見があるが、まったく見当違いである。

　開業して数年たったある日、ある女優さんが当院を訪れた。診ると前歯が折れて困って心配しておられたが、的確に短時間で綺麗な仮歯を装着することができた。日々、仮歯にも審美性を気遣っていた当院の診療に彼女は大変満足していただいた。もし、日ごろの気遣いがなければ、綺麗な仮歯を短時間で的確には製作できなかったであろう。「いつか」のために、仮歯であっても審美性も考慮し、少しでも綺麗で快適な治療をすることが大切である。

■ 本章のまとめ ■

　プロビジョナルレストレーションの製作にあたっては、繰り返しにはなるが、歯科技工士と歯科医師が連携を取り、咀嚼・発音などの機能回復はもちろんのこと、顔貌や歯列・周囲軟組織との調和を含め最終補綴装置の形態・大きさ・清掃性などの確認をともに図ることが重要である。

　特にプラットフォームから歯肉貫通部（トランジショナルカントゥア）の形態の調整は、歯間乳頭を含めた周囲軟組織の形態を左右し、後の最終補綴の形態の審美性や長期安定の鍵となることから慎重に行わなければならない。

参考文献

1. 別冊QDT 若手歯科医師・技工士のための インプラント補綴・技工超入門. 診査・診断から上部構造装着までのステップバイステップ. 東京：クインテッセンス出版, 2010.
2. 山﨑長郎, 高橋常男, 勝山英明, 井上 孝, 林 揚春 ほか(編). Ultimate Guide IMPLANTS. 東京：医歯薬出版, 2004.
3. 伊藤雄策, 高井基普, 西村好美. ザ・プロビジョナルレストレーションズ. 補綴物の機能・審美性を追求して. 東京：クインテッセンス出版, 2006.
4. 伊藤雄策. インプラント治療におけるプロビジョナルレストレーション. 審美と機能を獲得するために. Quintessence DENT Implantol 2007；14(6)：13-30.
5. Priest G. Esthetic potential of single-implant provisional restorations: selection criteria of available alternatives. J Esthet Restor Dent 2006；18(6)：326-388.
6. del Castillo R, Drago C. Indexing and provisional restoration of single implants. J Oral Maxillofac Surg 2005；63(9 Suppl 2)：11-21.
7. Kourtis S, Psarri C, Andritsakis P, Doukoudakis A. Provisional restorations for optimizing esthetics in anterior maxillary implants: a case report. J Esthet Restor Dent 2007；19(1)：6-17.
8. Ganddini MR, Tallents RH, Ercoli C, Ganddini R. Technique for fabricating a cement-retained single-unit implant-supported provisional restoration in the esthetic zone. J Prosthet Dent 2005；94(3)：296-298.
9. 山下恒彦, Marchack BW, Marchack CB. CLINICAL PR-ACTICE：インプラントを用いた審美修復の米国西海岸におけるトレンド. 1. 補綴的観点からみた軟組織のマネージメントの潮流. Quintessence DENT Implantol 1997；4(6)：59-73.

第9章 紹介器具・器材の関連製品／同種製品

ガム模型材

エステティックマスク(シリコーン系ガム用模型材)(Detax社製／問い合わせ先：茂久田商会社). 練和が簡単で良好な流動性を持ち, 気泡が入りにくい. また, 劣化変色しにくく繰り返しの着脱が可能である.

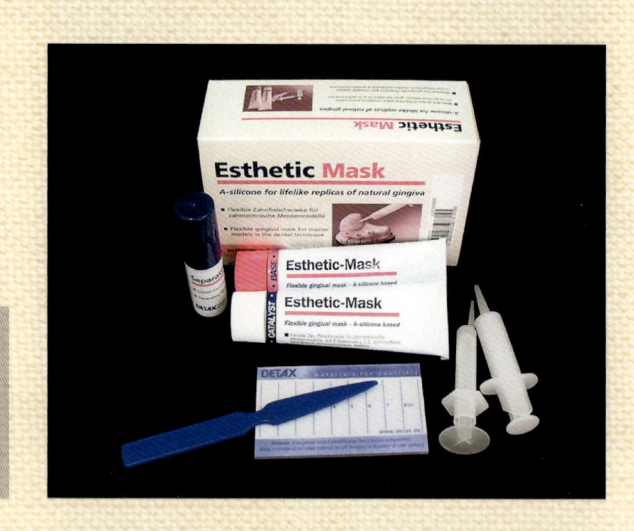

ベストガム(ポリエーテルラバー歯肉模型材)(問い合わせ先：スリーエムヘルスケア社). 周囲軟組織やフィニッシングラインに調和させることができ, 歯周病学的に衛生的で審美性の高い補綴に不可欠な材料である.

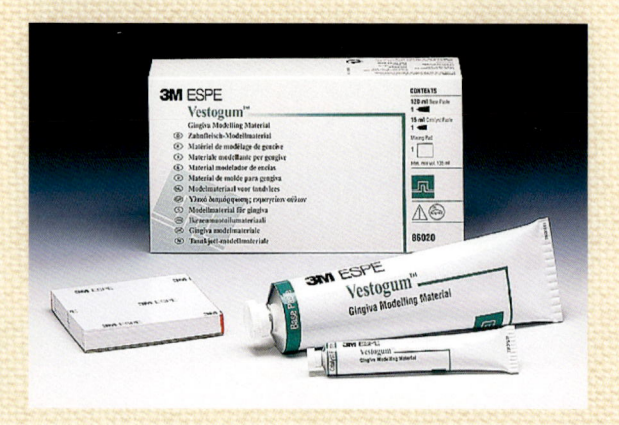

第10章
アバットメント製作と技工操作

1 軟組織形態の再確認とアバットメントの選択
2 アバットメント製作・調整の手順

　プロビジョナルレストレーションから得られた情報をもとに、歯科医師・歯科技工士は連携を図り、最終補綴装置の設計を行うこととなる。とくに審美性の要求が強く求められる場合には、周囲軟組織の形態や厚みを踏まえて、アバットメントのデザインや材料を検討しなければならない。
　本章では、その作業工程と注意点、用いる器具・器材について解説する。

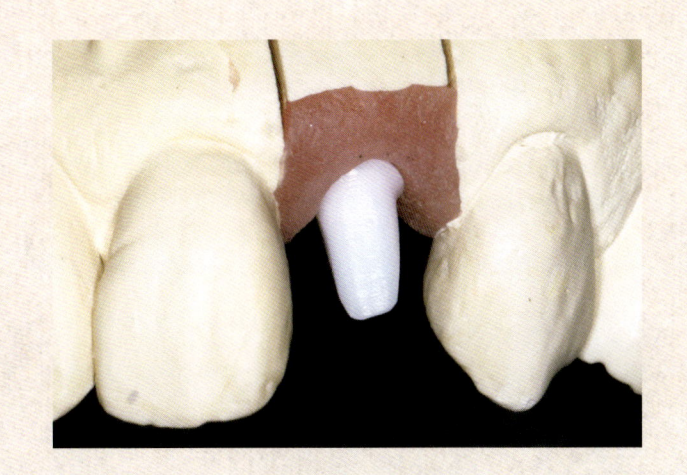

10-1 軟組織形態の再確認とアバットメントの選択

1）軟組織形態の再確認

アバットメントのデザインや材料を検討するためには、歯頚ラインの獲得のためにレジンを添加・調整を終えたプロビジョナルレストレーションの粘膜下形態の情報を再度、作業用模型に再現する必要がある。

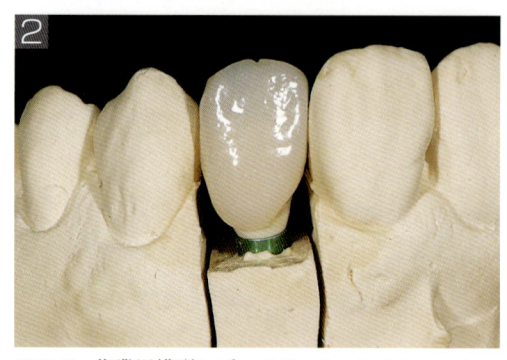

その方法としては、作業用模型にプロビジョナルレストレーションを戻し、再びガム模型材を丁寧に流し込む方法（図10-1〜3）と、さらにそのガム模型から固有の印象用コーピングを製作し、再度最終印象を行う「カスタムインプレッションコーピング法」（図10-4〜7、いずれも文献2を参照のもと作図）がある[1, 2]。

本症例では、歯頚ラインの調整を終えたプロビジョナルレストレーションを作業用模型に戻し、ガム模型材を周囲に流し込む方法で適切なガム模型を作ることができたため、カスタムインプレッションコーピングでの再度の印象採得は適応しなかった。

本症例で用いた軟組織形態の確認方法

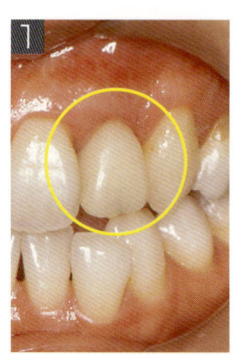

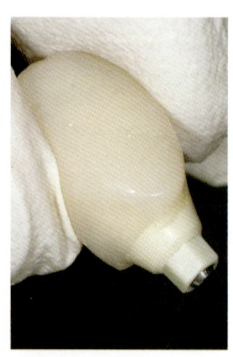

図10-1　歯頚部の最終形態を調整したプロビジョナルレストレーションを口腔内より取り出す。

図10-2　作業用模型にプロビジョナルレストレーションを戻す。

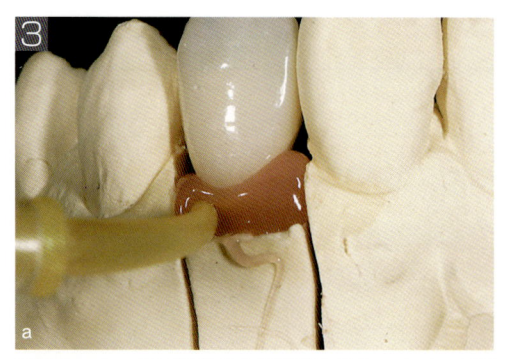

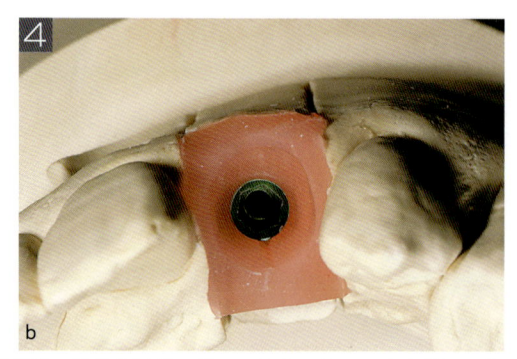

図10-3a、b　ガム模型材を再度流し込むことで、口腔内の軟組織の情報を正確に得ることができる。本症例では印象採得時に比べ、スキャロップ形態が大きく変化していることがわかるため、より審美的な補綴装置の製作が可能となった。

カスタムインプレッションコーピングを用いた場合の軟組織形態の確認方法

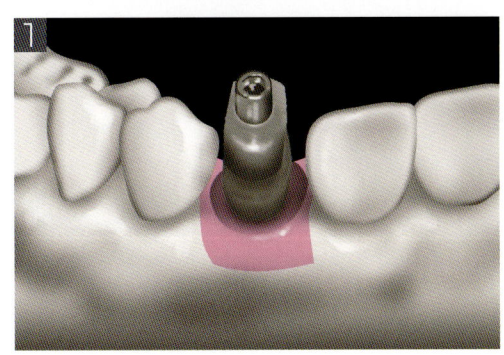

図10-4　インプレッションコーピングの装着。

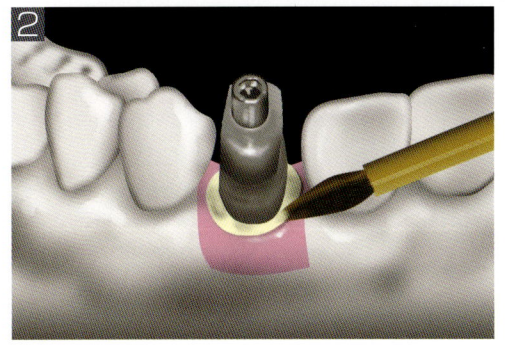

図10-5　シリコーン印象材で採得されたプロビジョナルレストレーションの外形と印象用コーピングとの隙間に即時重合レジンを填入。

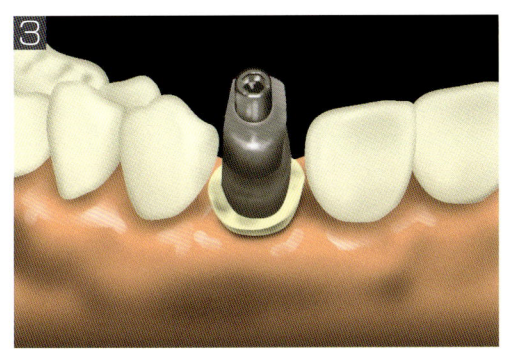

図10-6　即時重合レジンが硬化し、カスタムインプレッションコーピングが完成。

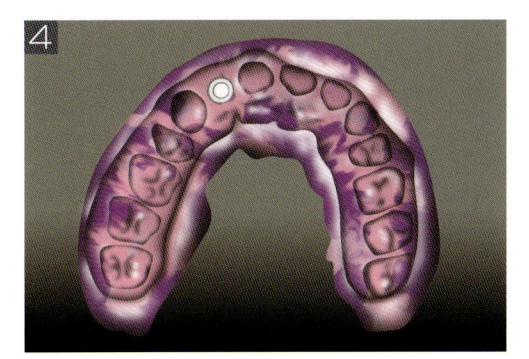

図10-7　コーピングを口腔内に装着し、再度印象を採得する。

2) アバットメントの選択

　軟組織形態が再現された作業用模型をもとに、アバットメントの選択と製作を行った。上顎前歯部のような審美領域では、周囲軟組織形態の退縮を避け、長期の安定と審美的な歯冠形態を阻害しないためにもカスタムアバットメントが推奨されている[3]。インプラントシステムによっては適応できない場合もあるが、カスタムアバットメントには大きく分けてキャストトゥタイプ、プレッパブルタイプ、CAD/CAMタイプがある(表1)[2]。

　本症例では、埋入の位置や方向がほぼ適切であったことから、プレッパブルタイプのアバットメントが応用可能であった。また、患者さんの強い審美性への要求から、周囲軟組織にアバットメントの金属色の影響を及ぼすことがなく生体親和性の高いジルコニア製アバットメントを選択した(表2)[4〜6]。これは、多くの形状・種類をもつが、埋入位置、特に深度や角度が適切でなければ使用が難しい。インプラント埋入に際しては、最終補綴装置を想定したサージカルテンプレートの応用をお勧めする。

表10-1　カスタムアバットメントのタイプ(文献2より引用・改変)

タイプ	特徴
キャストトゥタイプ	アバットメント・コンポーネント上にワックスアップを行い、鋳造・鋳接によって製作される。金合金にて製作されることから、適合性にはすぐれるが金属色などから審美性に劣る。
プレッパブルタイプ	チタンやジルコニアからなるアバットメントを各形状に合わせて切削加工して作る。
CAD/CAMタイプ	フルカントゥア・ワックスアップからカットバックした形状をスキャナにて読み取り、チタン、ジルコニアなどのブロックからコンピュータ制御のミリング機器にて切削・加工されるもので、形態付与の自由度も大きい。

本症例で使用したアバットメントの特徴と選択基準

表10-2 本症例で使用したScrew-Ventインプラントのジルコニアアバットメント（いずれもジンマー・バイオメット・デンタル社製）

アバットメントのタイプ	プラットフォーム	フレア	外形
ZRAアバットメント	3.5mmD	4.5mmD	
	3.5mmD	5.5mmD	
	4.5mmD	5.0mmD	
	4.5mmD	5.5mmD	
ZRAアバットメント17°	3.5mmD	5.0mmD	
	3.5mmD	6.0mmD	
	4.5mmD	5.0mmD	
	4.5mmD	6.0mmD	

ジルコニアアバットメントは自然な色調の再現を可能にし、強度も高いことが特長である。

インプラント体との接合部にチタン合金製の座環を設置しているため高い接合性を得られ、スクリューの緩みも防止できる。

ストレートタイプとアングルドタイプがラインアップされている。

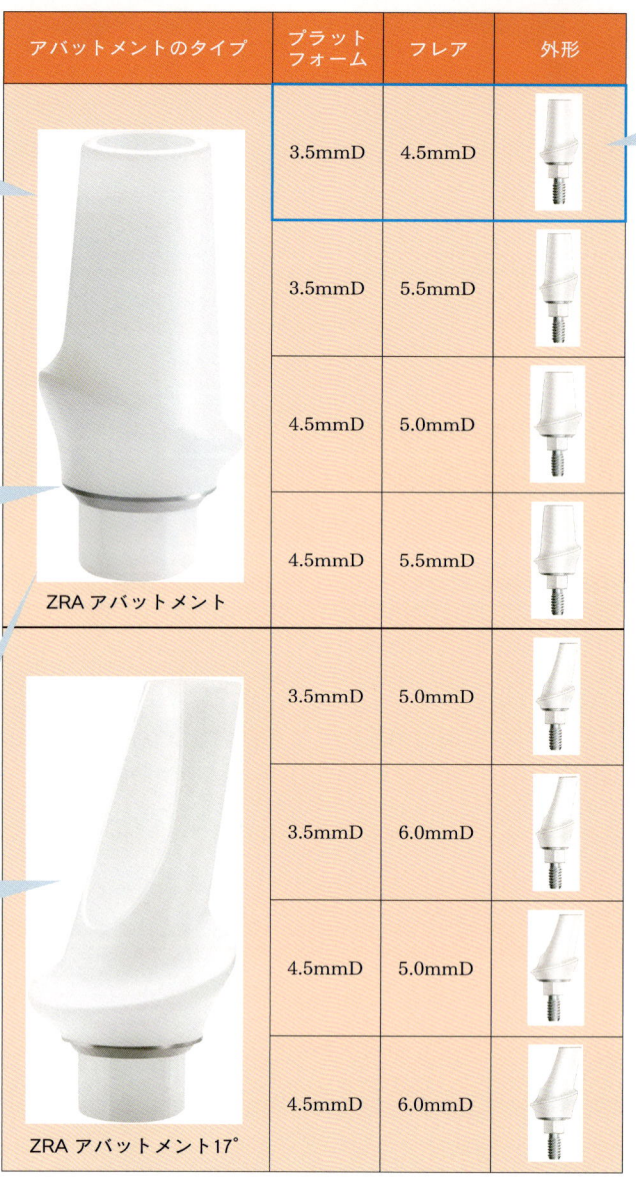

本症例では、最終補綴を見据えた埋入位置を正確にシミュレーションしていたので、上顎側切歯に理想的な、ストレートタイプ・プラットフォーム3.5mmD、フレアー4.5mmDのアバットメントの選択が可能であった。

ポイント 上顎前歯部のような審美領域では、できれば、審美的見地からもジルコニアのような周囲軟組織にいわゆる金属の影を及ぼさないようなものを選択したい。しかし、そのためには、プロビジョナルクラウンでトランジショナルカントゥアを含め歯頸部軟組織形態を再現した模型が必須になってくる。その周囲軟組織模型に合わせて、選択するアバットメントの選択が正確に行えるのである。

10-2 アバットメント製作・調整の手順

1）アバットメントの製作・調整

まずミリングマシーンにて上部構造との着脱方向を決定し、軸面を調整（図10-8、9）。次に両隣接コンタクト内側のアンダーカット部を避けてフィニッシングラインの位置設定を行い、長さや頬舌側形態を整えた。最後に軟組織に合わせアバットメントを調整した（図10-10、11）。

アバットメント製作・調整の手順

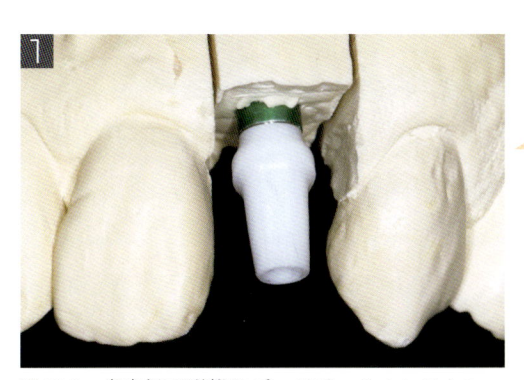

図10-8　歯肉縁下形態はプロビジョナルレストレーションをもとに調整し、フィニッシングラインはショルダー幅2mmに設定し、頬側から隣接面部にかけては歯肉縁下約1.5mmに設定した。

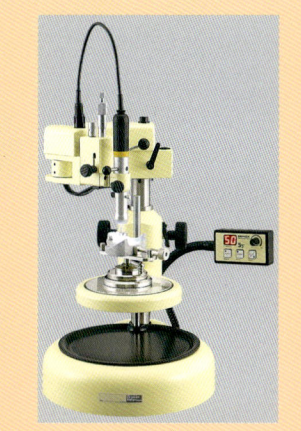

図10-9　ミリングマシーン（S3-マスター：ヘラウスクルツァー社製）。偏芯度0.015mm以下で軸ブレせず、ミリングバーを圧接しても一定回転数を保つコンピュータ制御によって正確なミリング面が得られ、正確な切削が行える。本症例では前のモデルの同社製Combilabor. CLMF2002Sミリングシステム（現在は生産中止）を使用した。
☞130ページにて同種製品紹介

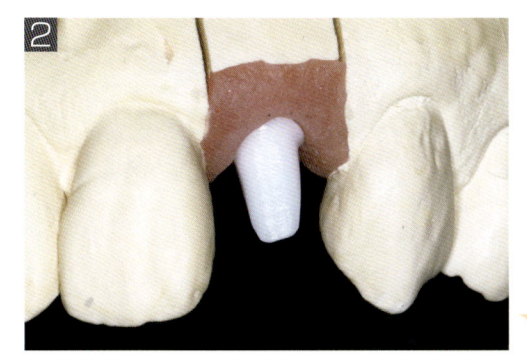

図10-10　ジルコニアアバットメントなどの切削には、発熱からマイクロクラックを予防するために専用バー（ダイヤジンターボ）を使用した。

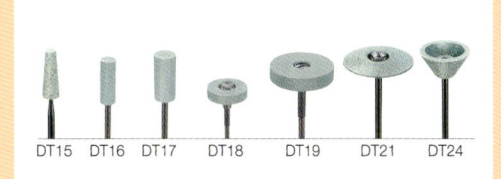

図10-11　ダイヤジンターボ（ブレーメン社製／問い合わせ先：日本歯科商社）。多くの形状をもち、わずかな圧力で金属・ポーセレンなどの形態修正が行えるハイブリッドダイヤモンドポイント。

ポイント

上部構造とのフィニッシングラインに関しては、これまで周囲硬・軟組織の経年的退縮が多く報告されている。そのため筆者は、周囲軟組織の状況を踏まえ、生理的形態や清掃性も考慮し、若干深い位置にラインを設定している。

2）フレームの製作

続いて上部構造のフレームの製作に移る。本症例では、インプラントの埋入位置が適切であったことからフレームデザインに問題がなく、審美性を優先し、素材はアルミナを選択した。なお、アルミナフレームはCAD/CAM法、ハンドメイド法、エレクトロフォーミング法などにて製作できるが、筆者は適合の良さと簡便性からエレクトロフォーミング法で製作している。

フレーム製作の手順

図10-13　エレクトロフォーミング（セハ・ホワイトESCシステム：日本歯科商社製）。電気泳動堆積作用によって、生体親和性と高い適合精度を併せ持つフレームを簡便に製作することができる。

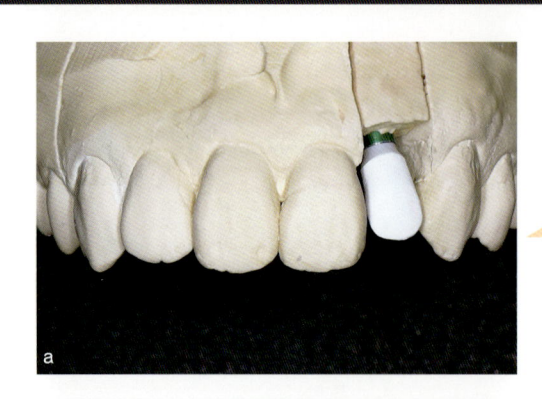

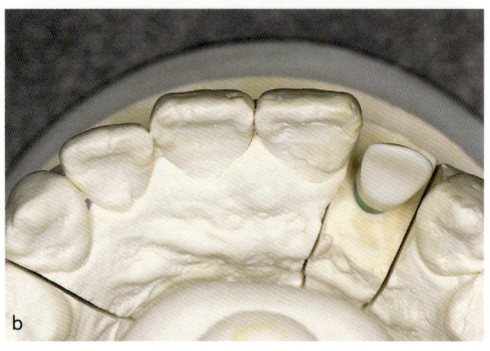

図10-12a、b　エレクトロフォーミングによって得られた高い適合精度を持つフレーム。審美性を優先し、アルミナフレームを採用した。

> **ポイント**
>
> 上部構造のフレームは一般的には、金属、ジルコニア、アルミナなどから選択することができる。金属フレームは適合性やフレームデザインの自由度にすぐれ、フレームの厚みも0.3mmで強度が確保される。
> 　一方、ジルコニアやアルミナではフレームの厚みは0.4～0.5mm必要となることから、フレームデザインは規制されることもあるが、蛍光性や透過性といった審美性にすぐれている。こうした点から、筆者らはフレームに関しては使用部位、歯の欠損状態、インプラントの埋入の位置・方向、フレームデザインなどによって使い分けが必要だと考えている。

コラム　つねに歯科技工士さんへの敬意を忘れないこと

　歯科技工士さんは、歯科医師を支えてくれる大切な仲間であり、同志といっても良い存在である。ならば、たとえば歯科技工士さんに対して、見えない印象や支台歯形成を「心の眼で見ろ」などとは言えないはずであろう。

　若い歯科医師の先生は、ぜひ一度ご自身の臨床の支台歯形成模型をもとに、トリミング、ワックスアップや人工歯配列をしてみていただきたい。精度の高い補綴装置を製作することが、いかに大変な作業であるかがわかると思う。ましてや、インプラントでは埋入位置や深さが不適切では、いくら経験豊富で技術力の高い歯科技工士さんといえども、良い補綴装置を製作することは困難である。

　本書の9〜11章では、歯科技工士が中心となって作業を行う、インプラント補綴装置の製作過程についても解説をしている。歯科医師の読者諸氏の中には、これらを読んで「歯科医師である自分には必要ない知識じゃないか？」と思う方がいらっしゃるかもしれない。しかしながら、こうした知識を歯科医師(術者)が習得・再確認しておくことは、非常に重要であると、今一度申し述べておく。

　逆に、骨の形態・状況によって手術にも限界があるという事実を、歯科技工士さんにわかってもらうことも重要である。筆者の医院では、症例に応じて歯科技工士さんにも手術に立ち会ってもらい、実際の口腔内でのインプラントの位置や角度の設定を見てもらっている。

　また、たまには歯科技工士さんの日ごろの苦労をいたわって、たとえば一緒にお寿司を食べに行ったり、お酒を酌み交わしたりすることも大切だと筆者は考えている(必ずしも無理して高級なところに行かなくても良いのである。心から歯科技工士さんを敬い・ねぎらうことが大切なのだから)。片腕となる歯科技工士さんを見つけ、健全なパートナーシップを構築できるかどうか。それは、歯科医師の人生を大きく左右するといっても過言ではないであろう。

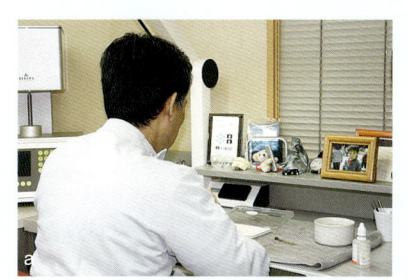

図10-14a〜c　インプラント技工では使用するパーツやネジなどが多様で小さいことから、整理・整頓された技工室の中で、精密な作業をすることが歯科技工士には求められる。本症例でも、図のような技工環境で担当の歯科技工士さんに質の高い仕事をしていただいた。

図10-15　筆者の片腕である歯科技工士の浅見晃朗氏(左)と筆者(右)。食事に行ったレストランにて。

当時の治療を振り返って

今ならこうする！こうも使える！

スクリュー固定式補綴

　最終上部構造の装着後、経年的な顎位の偏位からセラミックスの破折などの問題が起こり、結果的に上部構造の修理・再製作を余儀なくされることも少なくない。また、アバットメントスクリューが緩み、ガタつき・不具合が起こる。このようなことから、近年では前歯部においても、長期予後を踏まえて修理や再製作しやすいようにできる限りスクリュー固定での補綴が推奨されている。しかしながら、上顎前歯部では顎骨形態や埋入条件から、最終補綴にスクリュー固定を応用するのは容易ではない[7]。

　GarberやBelserらが提唱した、補綴主導型インプラント埋入(Restoration-driven implant placement)や補綴前の硬・軟組織の再健(Restoration-generated site development)とした考え方[8]から、1歯欠損症例でも、歯科技工士と相談し、最終補綴形態を想定したフルカントゥアワックスアップを行い、そこから治療計画を詳細に設計しなければならない。

　以上の事柄を念頭に置き、C̲B̲|(永久歯欠損)の違和感を主訴としてインプラント治療を希望し、他院より紹介された20代・女性の症例を提示する。

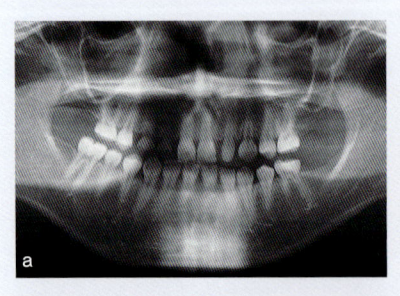

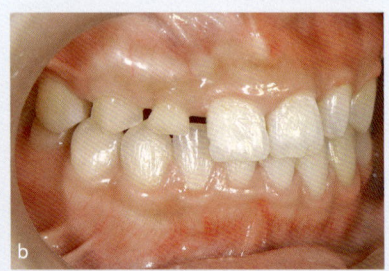

図10-16a、b　先天性歯牙欠損症例。矯正による歯列の保全が行われていた。

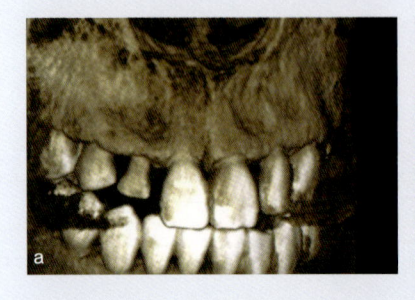

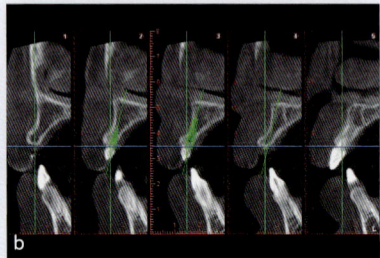

図10-17a、b　初診時のCT画像。B|の顎骨には陥凹部があり、適切な方向にインプラントを埋入した場合、露出することが予想された。

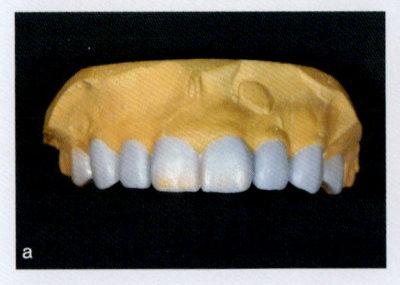

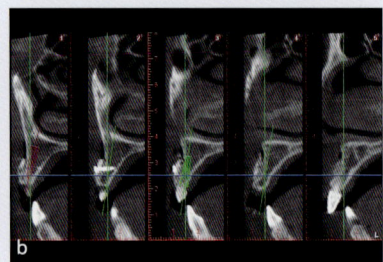

図10-18a、b　ワックスアップと骨移植の埋入シミュレーション。患者さんには状況を説明し、インプラントを選択した場合の骨造成と治療の順序を理解していただいた。

図10-19a、b B|を抜歯せずに、シミュレーションした陥凹部にブロック骨移植を行った。

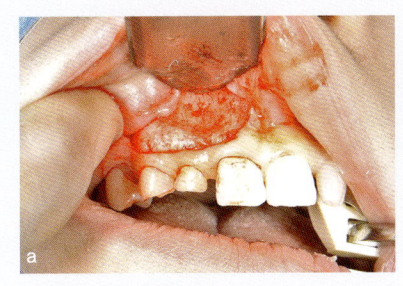

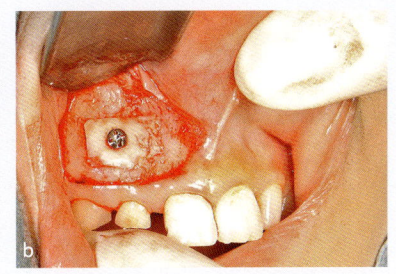

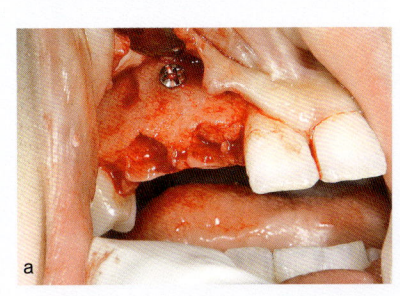

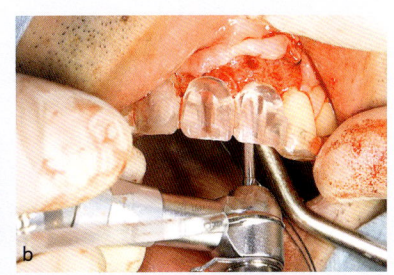

図10-20a〜d　移植骨の安定を待った後、C B|に抜歯即時インプラント埋入。最終補綴形態から埋入位置・方向を設定しサージカルガイドを製作した。隣接歯に固定でき、唇側にドリルが振られないように、口蓋側埋入のためのドリルが誘導できるスリットを入れている。

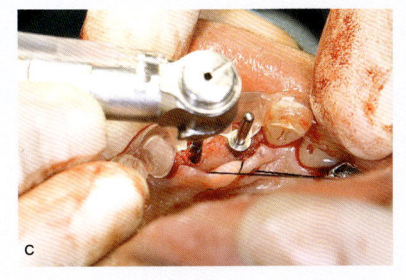

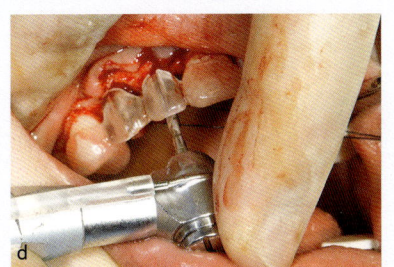

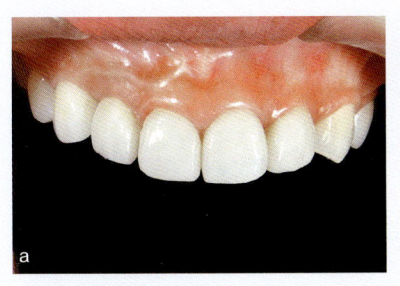

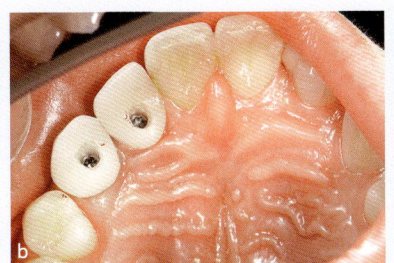

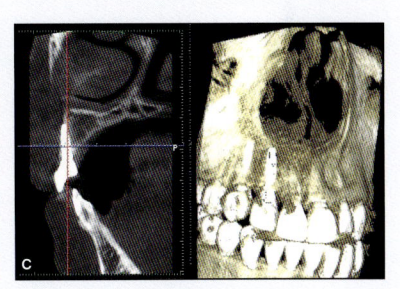

図10-21a〜e　最終補綴装置装着時の所見。ジルコニアアバットメントに二ケイ酸リチウムガラスセラミックスで最終上部構造を製作し、スクリュー固定とした。1|1 2は、右側インプラント部と調和させるためラミネートベニアにして審美性の回復を図った。最終補綴形態を想定した補綴主導型のインプラント埋入が実現できた。

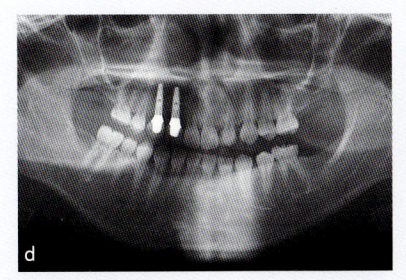

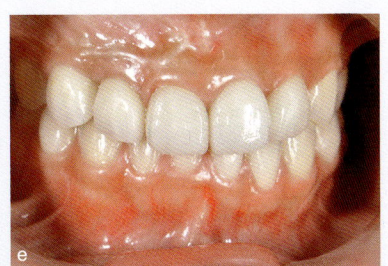

第10章　アバットメント製作と技工操作

129

■ 本章のまとめ

上顎前歯部のような審美領域でのインプラント補綴では、さまざまな技工過程や操作から、歯科医師・歯科技工士に共通したより専門的な知識や術式が要求されることとなる。

アバットメント製作過程を含めて、形態や材質の選択においても、これまで以上に歯科医師と歯科技工士が連携を密に取ることが、より良い補綴装置製作のための基本であると考えている。

参考文献

1. Hinds KF. Custom impression coping for an exact registration of the healed tissue in the esthetic implant restoration. Int J Periodontics Restorative Dent 1997 ; 17(6) : 584-591.
2. 十河厚志. 別冊QDT 若手歯科医師・技工士のための インプラント補綴・技工 超入門. 診査・診断から上部構造装着までのステップバイステップ. 東京：クインテッセンス出版, 2010.
3. 山本尚吾, 船登彰芳, 長谷川嘉平, 新屋茂樹. インプラント技工のマテリアルセレクションを柔軟に行うためのヒント CAD/CAM時代に再考したいカスタムアバットメントの素材とその適応・設計 ―失敗から学んだ選択基準―. QDT 2010 ; 35(2) : 99-122.
4. Wohlwend A, Studer S, Schärer P. The zirconium oxide abutment-a new all-ceramic concept for esthetically improving suprastructures in implantology (in German). Quintessenz Zahntech 1996 ; 22 : 364-381.
5. Welander M, Abrahamsson I, Berglundh T. The mucosal barrier at implant abutments of different materials. Clin Oral Implants Res 2008 ; 19(7) : 635-641.
6. Sailer I, Zembic A, Jung RE, Siegenthaler D, Holderegger C, Hämmerle CH. Randomized controlled clinical trial of customized zirconia and titanium implant abutments for canine and posterior single-tooth implant reconstructions : preliminary results at 1 year of function. Clin Oral Implants Res 2009 ; 20(3) : 219-225.
7. Wittneben JG, Millen C, Brägger U. Clinical performance of screw- versus cement-retained fixed implant-supported reconstructions--a systematic review. Int J Oral Maxillofac Implants 2014 ; 29 Suppl : 84-98.
8. Garber DA, Belser UC. Restoration-driven implant placement with restoration-generated site development. Compend Contin Educ Dent 1995 ; 16(8) : 796, 798-802, 804.

第10章 紹介器具・器材の関連製品／同種製品

ミリングマシーン（CAD/CAM）

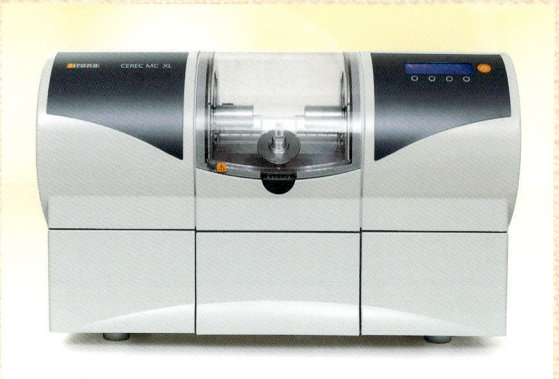

CEREC MC XL（問い合わせ先：デンツプライシロナ社）。咬合面と内面を同時に加工するため、時間の節約を図ることができる。また、精度を保証するために、CEREC MC XLおよびCEREC MC Lは、ミリングを開始する前にツールの摩耗をチェックする機能が付いている。さらに、高性能ミリング制御システムによって、最小限の騒音でのセラミックブロックの加工が可能である。

Aadvaスキャン（問い合わせ先：ジーシー社）。1支台歯あたりのスキャニング時間はわずか25秒、6～8歯でも70秒あまりのハイスピードスキャニングを実現。支台歯モデルの連続計測が可能で計測作業を大幅に簡略化できるマルチ・ダイ・スキャニングのほか、アバットメント専用のソフトウェアを標準装備しているため、カスタムアバットメントを直接デジタルでデザインすることも可能である。

第11章

最終補綴装置の製作と装着

1 カラーマッチングおよび陶材築盛に必要な器具・器材と作業手順
2 最終補綴装置装着の手順

　審美領域の補綴装置には、当然ながら高い審美性が要求される。そのため、歯科医師は、担当する歯科技工士に、多くの情報を提供しなければならない。また、その技工手順や技工知識を歯科医師と歯科技工士が共有することで、生理学的にも美しく、また機能美を併せ持つ補綴装置を患者さんに装着することができる。
　本章では、歯科医師も覚えておくべき必要な技工手順と必要な知識について解説する。

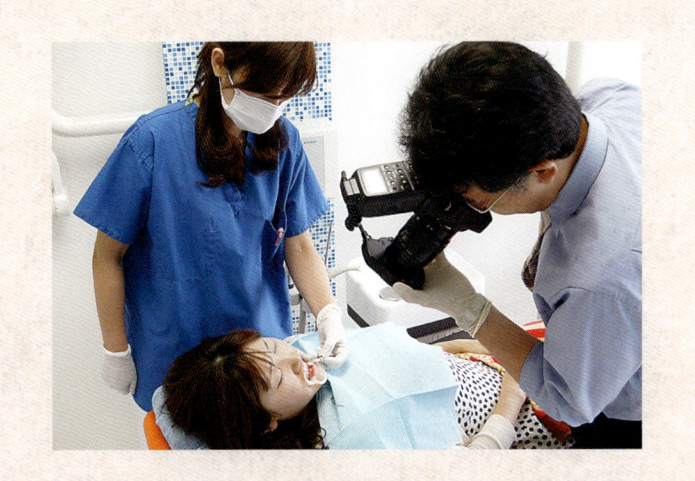

11-1 カラーマッチングおよび陶材築盛に必要な器具・器材と作業手順

1) カラーマッチング

記録した口腔内写真(図11-1～3)を参考に、フレーム上に陶材築盛を行っていく。筆者らは、厳密な色調再現が可能なカラーマネージメント液晶モニター(ColorEdge CG223W：ナナオ社製)を用いて、環境光の整備も含めて、カラーマッチングを行っている。

そして、液晶モニターを確認しながら、歯科技工士がカラーマッチングおよび陶材築盛を行っていく(図11-4～7)。

カラーマッチングのための写真撮影

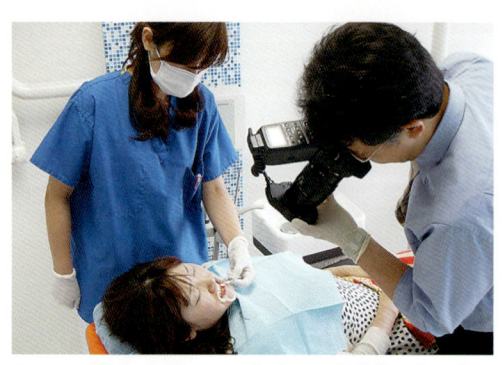

図11-1　筆者の医院では、担当する歯科技工士が自ら口腔内写真を撮影している。異なる2つのシェードガイドを当該歯に近接させ、多方向から数枚の写真を撮る。この時、長い間エアーをかけたりすると、天然歯は乾燥し色調が変化するので注意が必要である。

図11-2　筆者は、口腔内撮影用に設定されたEOS 20D(キヤノン社製／問い合わせ先：ソニックテクノ社)を使用している。
☞23ページにて本製品の特徴を解説

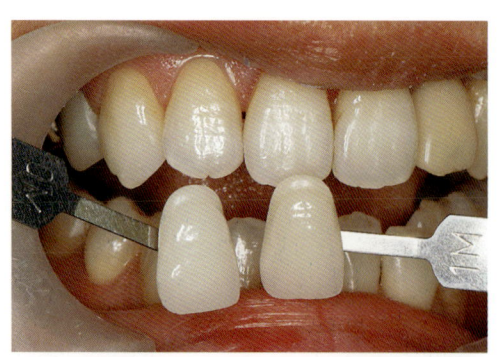

図11-3　写真撮影時の色調記録。当該歯の反対側同名歯からも色調を記録する。

ポイント

微妙な色調を合わせるには、当該部位にもっとも近いシェードガイドが入った写真と、ワンシェード明るいもの、ワンシェード暗いものが入った写真、さらにエナメル質の質感やマメロンの内部構造がわかるような写真も必要である[1]。

カラーマッチングおよび陶材築盛に用いた器具・器材と技工環境

図11-4 カラーマネージメント液晶モニター（ColorEdge CG223W：ナナオ社製）。厳密な色調再現が可能である。

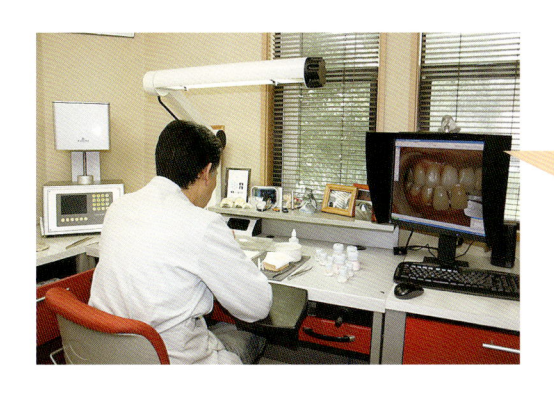

図11-5 パレットは、使用していない時などに陶材が乾燥せず、ゴミやほこりが入らないように蓋ができるものが良いことから、ウエットパレット（アート＆エクスペリエンス：日本歯科商社製）を使用している。

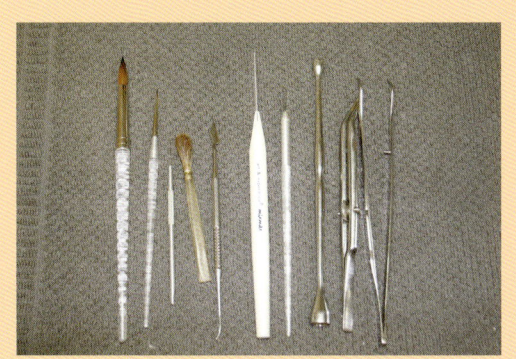

図11-6 陶材築盛のための筆やスパチュラ。筆者は同じくアート＆エクスペリエンス（日本歯科商社製）を使用している。審美性の高いものを作るには、築盛以外の関連器具なども非常に大切である。

図11-7 オールセラミックス専用陶材 VM7（VITA社製／問い合わせ先：ジーシー社）。摩耗動態が天然エナメル質に近似した微粒子陶材。

2）陶材築盛

陶材築盛にあたっては、まず蛍光性を出すためにエフェクトライナーを歯頸部、歯冠中央部、切縁に合わせて築盛した（図11-8）。

次に、ベース・デンティンを築盛し、その上にトランスファー・デンティン、各種エナメルを築盛し焼成した（図11-9）。この過程では、陶材の収縮を踏まえて大きく築盛しないことが肝要である。

その後、切縁部のクラックラインや細かなキャラクタライジングを加えたインターナルステインを行った（図11-10）。最後に、トランス・エナメルなどで整え（図11-11）、最終築盛を終えた（図11-12）。

陶材築盛の手順

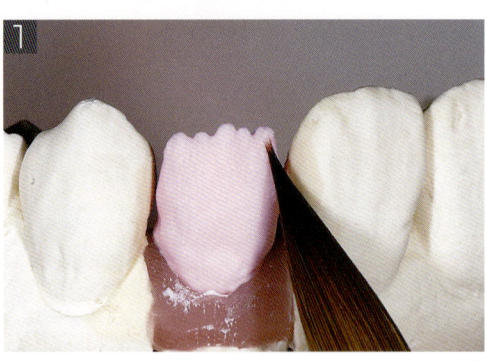

図11-8　蛍光性を得るためのエフェクトライナーを築盛。

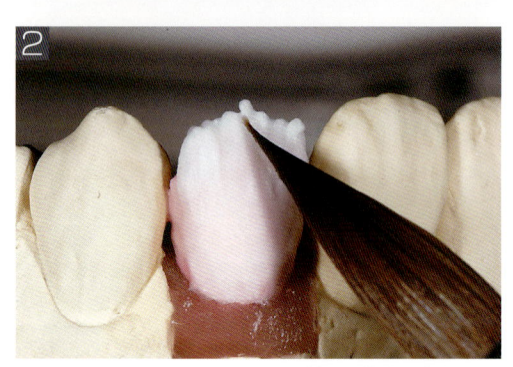

図11-9　デンティンエナメルで歯冠の基本的色調を再現する。

図11-10　細かなクラックラインなどのインターナルステインを加える。

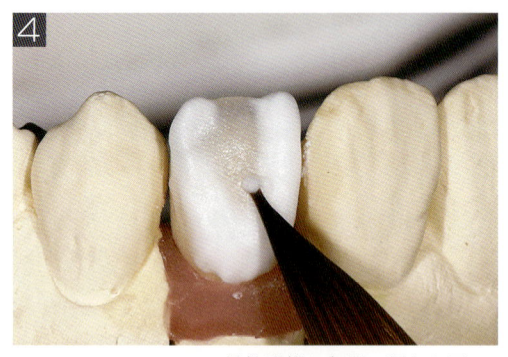

図11-11　トランスにて最終形態と色調の調和を図る。

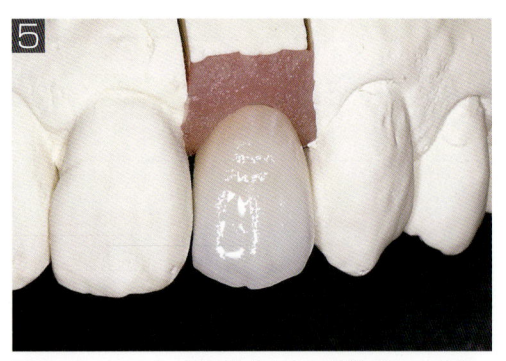

図11-12　ステイン液を塗布した、最終グレーズ前の最終補綴装置。

ポイント

チェアサイドステインでは大きくシェードの変更ができないことから、この時点で完成度の高い陶材の築盛・焼成をしなければならない[2,3]。

11-2 最終補綴装置装着の手順

1）最終補綴装置（最終グレーズ前）の調整

まず挿入ガイドを用いて慎重にアバットメントを所定の位置に固定した（図11-13）。その後、前方運動や側方運動を含め、隣接歯との咬合状態を確認し、慎重に咬合調整を行った。とくにセラミックスでのインプラント補綴では、天然歯と違い、歯の被圧変位が異なることから十分な調整が必要となる。続いて、口腔内・外にて、細かな形態修正と隣接歯と近似した表面性状を模索した（図11-14）。また、同時に微妙な色調を獲得するために、チェアサイドステインを行った（図11-15）。

最終補綴装置（最終グレーズ前）の試適および調整の手順

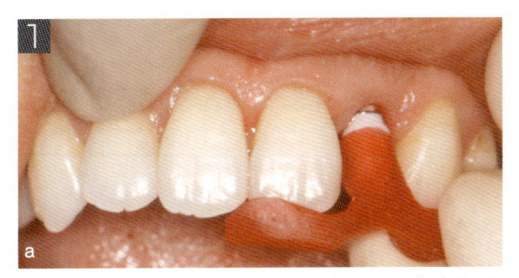

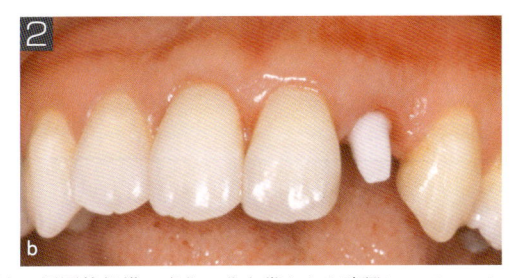

図11-13a、b まず、挿入ガイドを用いて、歯肉縁下での適合・周囲軟組織の変化・貧血帯などを確認し、アバットメントを適切な位置へ固定した。

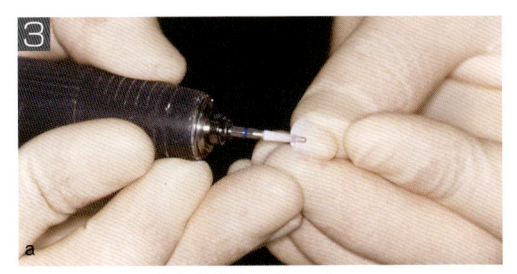

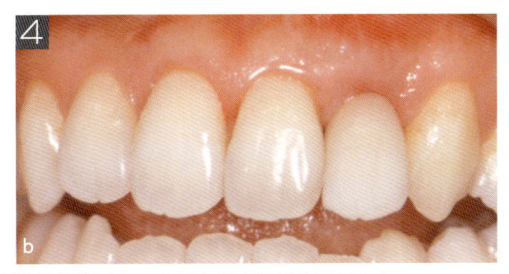

図11-14a、b 咬合調整終了後、ダイヤモンドバーにて細かな形態を修正し、自然な表面性状を再現した。

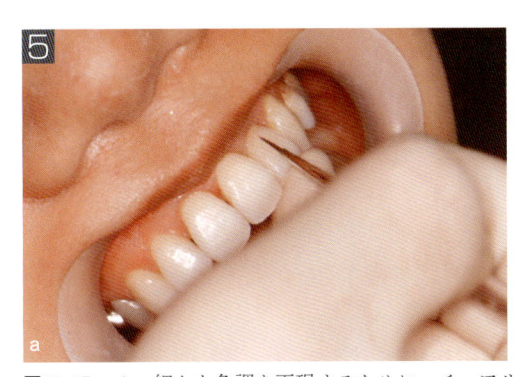

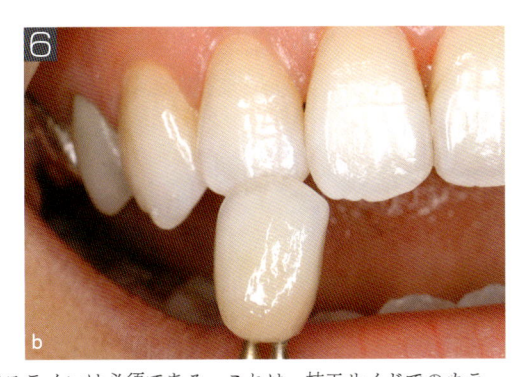

図11-15a、b 細かな色調を再現するために、チェアサイドステインは必須である。これは、技工サイドでのカラーマッチングの限界を補うものであり、本症例ではエナメルの明度や一部彩度の調整を行うために、グレー系のステインを遠心隅角部に加え、天然歯の自然観を再現した。

2）仮着セメントを用いた最終補綴装置の装着

本症例では、最終上部構造の装着に、仮着用セメント（GC Fuji TEMP：ジーシー社製）を用いて装着を行った（図11-16）。また、装着時のセメントがアバットメントマージン部に迷入し、除去が難しくなることもあるので、マージン部にあらかじめ印象採得用の圧排糸や外科用の縫合糸などを巻きつけておき、余剰セメントの除去を行うといった配慮が大切である（図11-17）。

仮着セメントを用いた最終補綴装置装着の手順

図11-16　GC Fuji TEMP（ジーシー社製）。6μmの被膜厚さを有し、長期仮着に有効なグラスアイオノマー系の仮着材である本製品を使用した。

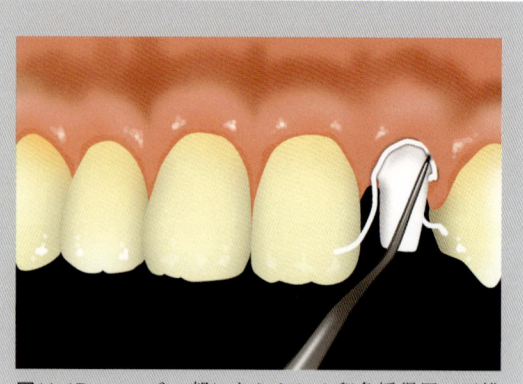

図11-17　マージン部にあらかじめ印象採得用の圧排糸や外科用の縫合糸などを巻きつけておき、余剰セメントを除去する。

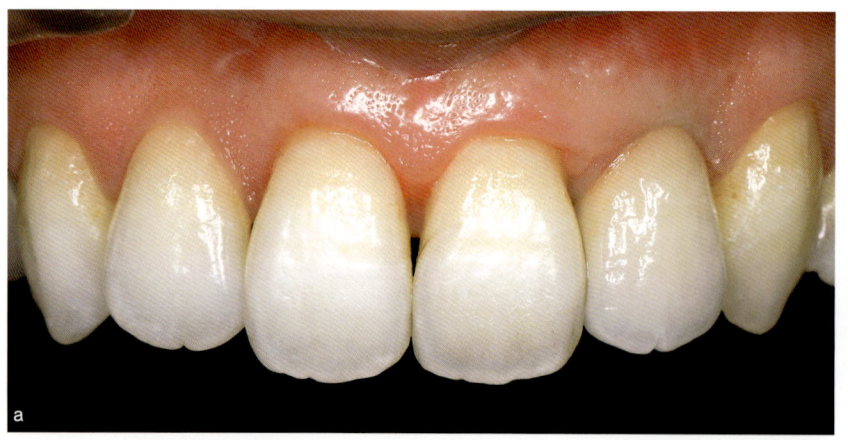

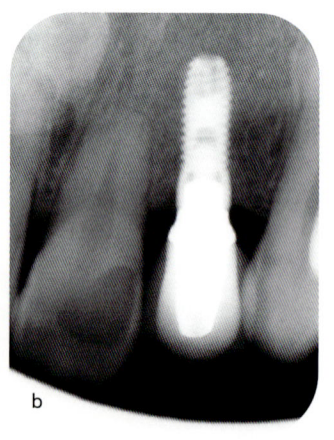

図11-18a、b　最終補綴装置装着後の口腔内およびデンタルX線写真。周囲硬・軟組織とも調和が取れている（技工担当：浅見晃朗氏［ドルフィンデンタルラボ］）。

ポイント　従来、補綴装置の装着には一定期間の仮着後、合着用セメントが用いられてきた。これは、口腔内装着後、咬合関係や生活習慣を含め、装着した補綴装置の不具合を修正・調整するためである。本症例のようなインプラント治療においては、天然歯の歯根膜が存在せず、また一般的に、欠損していた期間や範囲が大きいことから、咬合関係の偏位や口腔内環境の変化も踏まえ、できれば一定期間あるいは長期の術者可撤式の補綴方法が望ましいと言われている[4, 5]。そのため、スクリュー固定式あるいはセメント固定式であっても、長期にわたり仮着できることが必要とされている[6, 7]。

| コラム | 歯科医師は、歯科衛生士や歯科助手、歯科技工士に支えられている |

筆者は、インプラント症例などの術後写真を見ると、「歯科医師一人で歯科治療を行うことなど到底できない」といつも思う（無論、患者さんの協力や理解なしでは行えないが）。

じっとマイクロを見ながら模型のトリミングを行い、繊細な技術で素晴らしいセラミックスを作ってくれる歯科技工士さん。患者さんを気遣い、細やかな配慮を重ね、歯を管理して、健全な口腔衛生環境を保ってくれている歯科衛生士さん。「彼らにしかできない彼らの仕事」を抜きにして、歯科医療は成り立たない。

本書の症例でも、複雑な骨の移植や繊細な歯肉の移植、適切な位置へのインプラント埋入は、すべて（歯科衛生士さんの仕事の成果である）健康な歯周組織と、（歯科技工士さんの仕事の成果である）天然歯と見間違うセラミックスに覆い隠されている。したがって、歯科医師の仕事は「患者さんの健康を支える」一方で、「歯科衛生士や歯科助手、歯科技工士に支えられている」とつくづく思う。彼らの業務は、歯科医療にとって欠かすことのできない大切な仕事であり、さらに言えば「医療そのものである」ことを忘れてはいけない。

図11-19　じっとマイクロを見ながらトリミングをする歯科技工士の姿。

図11-20　患者を気遣いながらブラッシング指導をする歯科衛生士の姿。

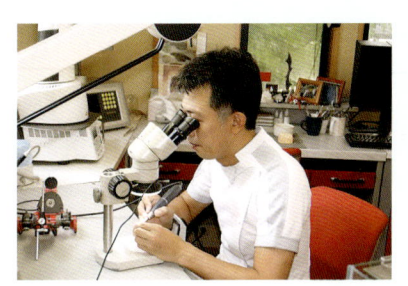

本章のまとめ

審美領域での最終上部構造には、たしかに審美性が強く要求される。しかし、その「審美性」とは、長期の予後や咬合・機能性を十分に踏まえたうえで、硬・軟組織にも調和した生理学的にも美しい「機能美」も併せ持つものであると考えている。

担当する歯科医師や歯科技工士は、安易に審美性を求めることなく、歯科医療の本質としての「機能美」を探求してほしい。

参考文献

1. 小田中康裕, 梶田範行, 德冨博一, 内藤孝雄, 中澤 章, 山本尚吾. QDT 別冊 若手歯科医師・技工士のためのシェードテイキング超入門. 歯の色が理解できればシェードテイキングは簡単. 東京：クインテッセンス出版, 2007.
2. 湯浅直人. インターナルステインの本質を考える. その活用術と製作の実際. QDT 2009；34(11)：133-151.
3. 青島 仁. 内部ステインテクニックによる個性的色調表現の実際. QDT 1989；14(8)：67-79.
4. Brånemark PI, Svensson B, van Steenberghe D. Ten-year survival rates of fixed prostheses on four or six implants admodum Brånemark in full edentulism. Clin Oral Implants Res 1995；6(4)：227-231.
5. Albrektsson T, Zarb G, Worthington P, Eriksson AR. The long-term efficacy of currently used dental implants：a review and proposed criteria of success. Int J Oral Maxillofac Implants 1986；1(1)：11-25.
6. 山﨑長郎, 高橋常男, 井上 孝, 勝山英明, 林 揚春(編). Ultimate Guide IMPLANTS. 東京：医歯薬出版, 2004.
7. Hebel KS, Gajjar RC. Cement-retained versus screwretained implant restorations：achieving optimal occlusion and esthetics in implant dentistry. J Prosthet Dent 1997；77(1)：28-35.

第11章 紹介器具・器材の関連製品／同種製品

シェード測定器

シェードアップナビ(問い合わせ先：松風社)。天然歯専用のホワイトニング用測色器。シェードアップナビは天然歯の色調を数値化(ex.1、2、3)するホワイトニング専用測色器である。付属の専用シェードガイドとともに活用することで、目視による色調と対応した数値を具体的に示すことができるので、患者さんへの説明ツールとして使うことができる。

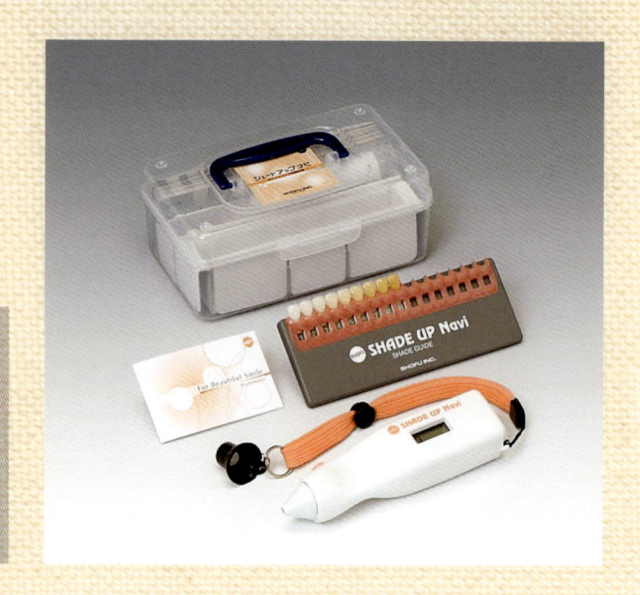

ビタ イージーシェードアドバンス(問い合わせ先：白水貿易社)。高性能なLEDから、診療室の明暗や視野・術者の感覚などの環境に左右されにくく、比較的正確なシェードテイキングが自動に行える。

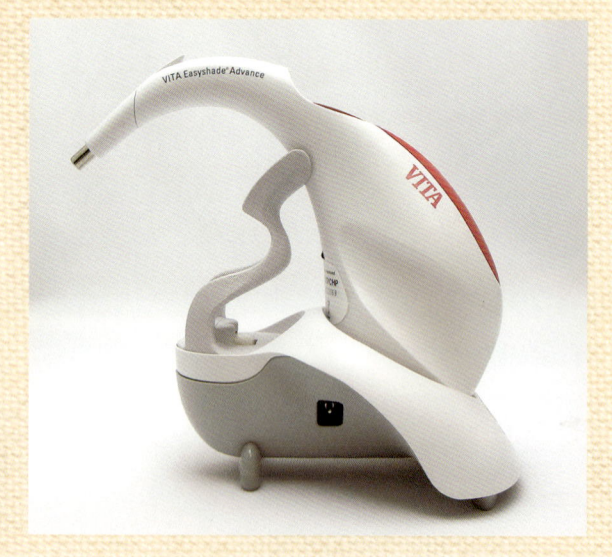

第12章
メインテナンスの手順と必要事項

---

1 メインテナンスの手順と使用する器具

2 リコールに応じてもらうための工夫

本章では、メインテナンスの手順と、必要な器具・器材について解説する。インプラント治療の本質は、獲得した歯周組織や補綴装置を長期に維持・安定させることにある。そのためには、メインテナンスにおいて、歯を失った経緯や原因を含め、患者さんの生活習慣の改善や口腔衛生状況の維持に関して、治療開始から治療中、治療後まで患者さんの意識を保ち続けることが重要である。そのためには歯科医師だけでなく歯科衛生士の負う責務が大きいことは言うまでもない。

12-1 メインテナンスの手順と使用する器具

　筆者の医院では、メインテナンスを担当する歯科衛生士は、基本的に治療開始時から担当し、患者さんの性格や習慣を十分理解したうえで、術後にもモチベーションを維持させるよう心がけている。

　しかしながら、術後の補綴装置によっては、セルフケアでの口腔清掃器具などの扱い方が異なることから、患者さんへの十分な説明が必要になる。また口腔内環境の変化や加齢といった要素を加味し、適時その指導や方法も変えていかなければならない[1〜4]。これらを踏まえて、最終補綴装置装着後から3〜6ヵ月に1度のリコールを患者さんにお願いしている。本症例では、比較的患者さんの口腔内状況やセルフケアに問題がないことから、最終補綴装置装着後1ヵ月、4ヵ月、8ヵ月、12ヵ月、18ヵ月でリコールを行った。メインテナンス時に行う項目を図12-1に、用いた器具を図12-2〜11に示す。

　本症例は、現在、術後約12年が経過している。移植した硬・軟組織を含めてインプラント周囲の炎症や骨の状況・咬合状態の変化などを、今後も丁寧なメインテナンスと注意深い経過観察を行っていきたい。

筆者の医院が行っているメインテナンスの項目

①問診
　口腔内の異常や噛み合わせなど、患者さんからの訴えを聞く。また、リコールのスケジュールを的確に設定するため、問診においては、全身状態も含め口腔内の異常・症状などの状況を聞くだけでなく、患者さんの生活環境の変化（結婚、引越し、転職、定年など）を知っておくことも重要である。

②口腔内検査
　当該部を含め、口腔衛生状況（プラークの沈着の有無など）、歯周組織の炎症や歯の動揺の有無、咬合状態、残存を含む他の補綴装置の破損や問題などをチェックする。また、X線検査と合わせ、プローブにてインプラント周囲の骨の状況を確認する。

③口腔衛生指導（OHI）
　モチベーション、セルフケアの確認。特にデンタルフロス、スーパーフロスの使い方をチェックし、過度な電動ブラシや歯間ブラシの使用による歯周組織の損傷や退縮に配慮している。

④プロフェッショナルケア
　歯周組織や補綴装置に損傷を与えないよう配慮しながらのPMTC、スケーリングなど。加齢変化にも対応していく必要がある。

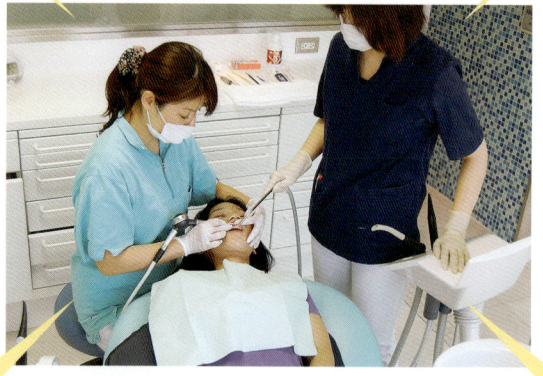

図12-1　当院におけるメインテナンスの風景。

口腔内検査、口腔衛生指導（OHI）、プロフェッショナルケアに用いた器具

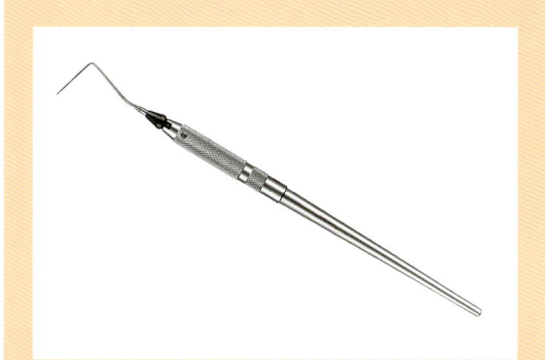

図12-2　検査時のプロービングにはチタン製のペリオプローブ（YDM社製）を用いる。

図12-4　筆者がメインテナンスに用いているデンタルフロス（ルシェロフロス：ジーシー社製）。医院でのPTCに適した「アンワックス」、歯間に入れやすいワックスコーティングを施し、セルフケアに適した「ミントワックス」の2タイプがラインアップされている。

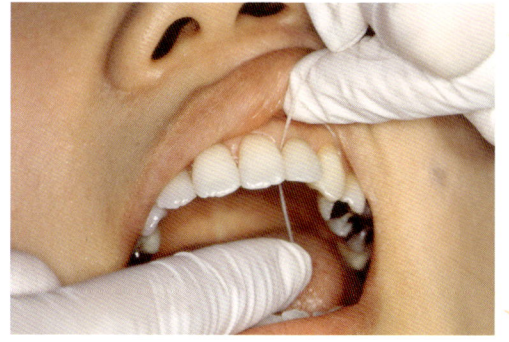

図12-3　歯間ブラシなどは使えないこともあり、デンタルフロスやスーパーフロスでのセルフケアが大切である。

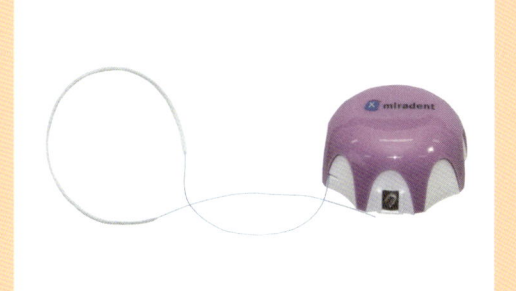

図12-5　0.2%のクロルヘキシジンが配合されているスーパーフロス（ミラフロスCHX：Hager社製／問い合わせ先：茂久田商会社）。

第12章　メインテナンスの手順と必要事項

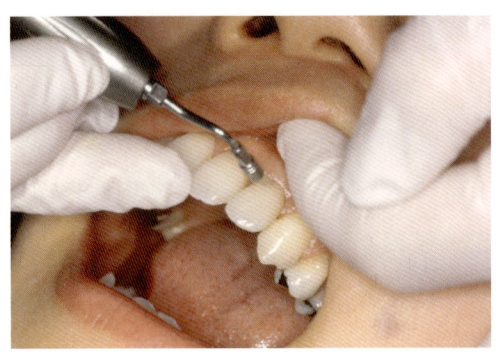

図12-6 プロフェッショナルケアでは、歯周組織や補綴装置に損傷を与えないよう配慮しながらPMTCを行う。

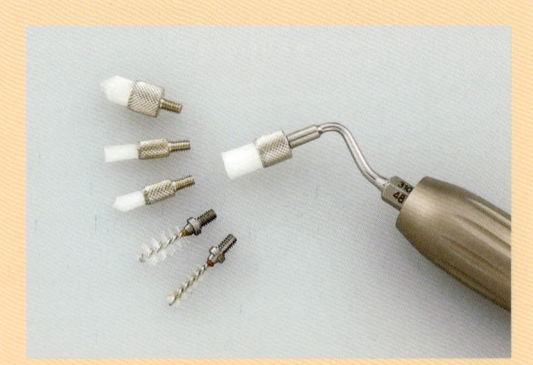

図12-7 ソニックブラシ(ナカニシ社製)は、小さな毛先と多くの形状から細部まで清掃することができる。
☞148ページにて同種製品紹介

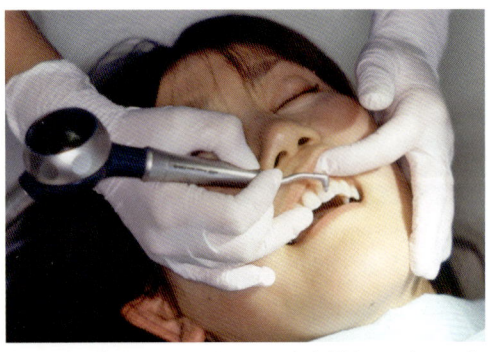

図12-8 プロフィーメイトneoを応用することで、入り組んだ部位の汚れやステインも簡単に落とすことができるが、強さのコントロールができないことから、過度の使用は控えたほうが良い。

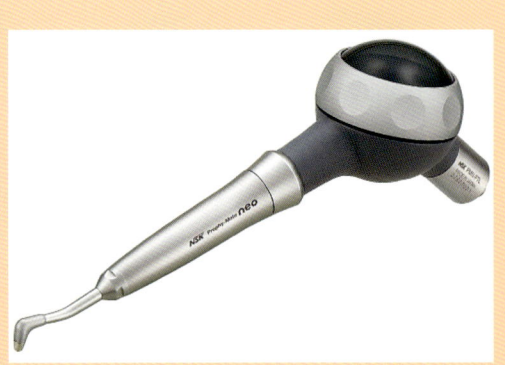

図12-9 プロフィーメイトneo(ナカニシ社製)。
☞148ページにて同種製品紹介

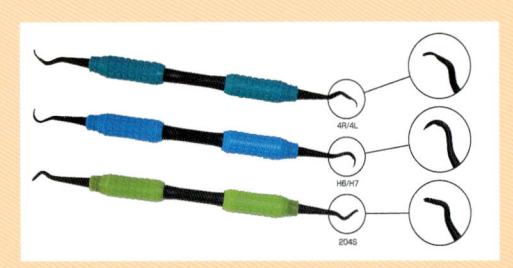

図12-11 筆者が用いているオートクレーブ対応のプラスチックスケーラー(インプラクリーン:トライマント社製)。鋭利な刃先が補綴装置を傷つける場合もあることから、プラスチック製のものを使用したり、過度なストロークによるオーバーインスツルメンテーションに注意している。

図12-10 フラッシュパール(ナカニシ社製)。球状粒子のため歯面を傷つけにくい。パウダーは重曹タイプよりこうした粒子の細かいカルシウムタイプを応用することで、歯周組織や補綴装置に配慮する。

第12章 メインテナンスの手順と必要事項

術後1年6ヵ月、3年の状態

補綴装置装着直後 → 1年6ヵ月後

補綴装置装着直後 → 1年6ヵ月後

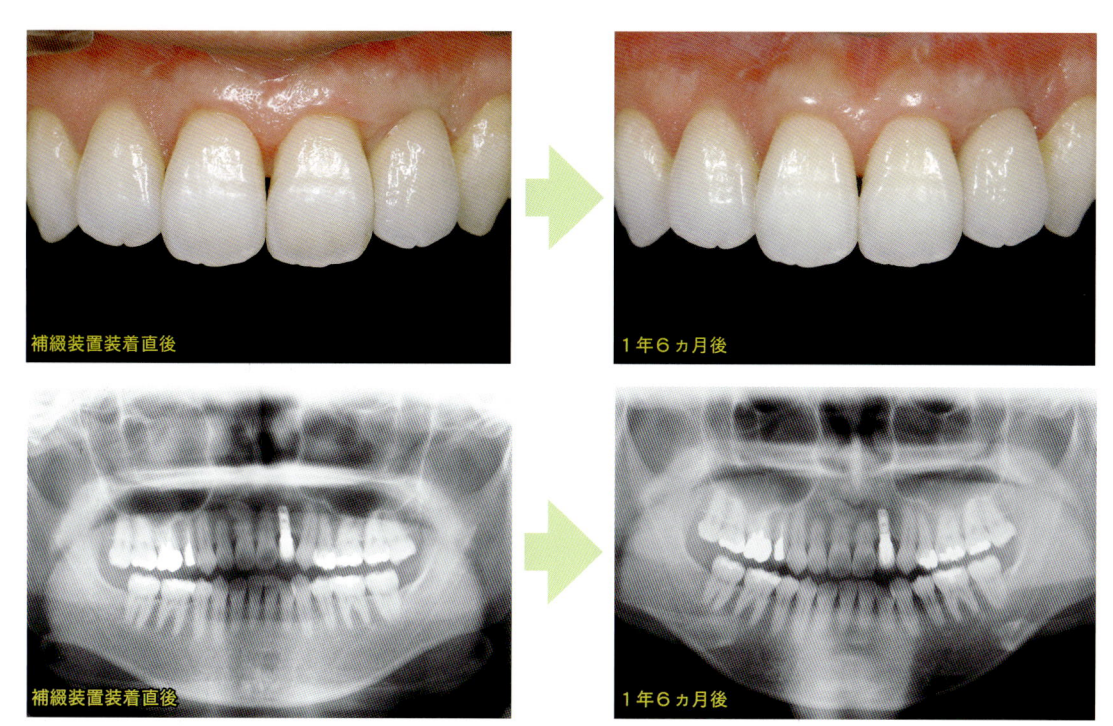

図12-12 最終補綴装置装着直後および1年6ヵ月後の口腔内写真、パノラマX線写真の比較。周囲組織、周囲骨のレベルは安定している。

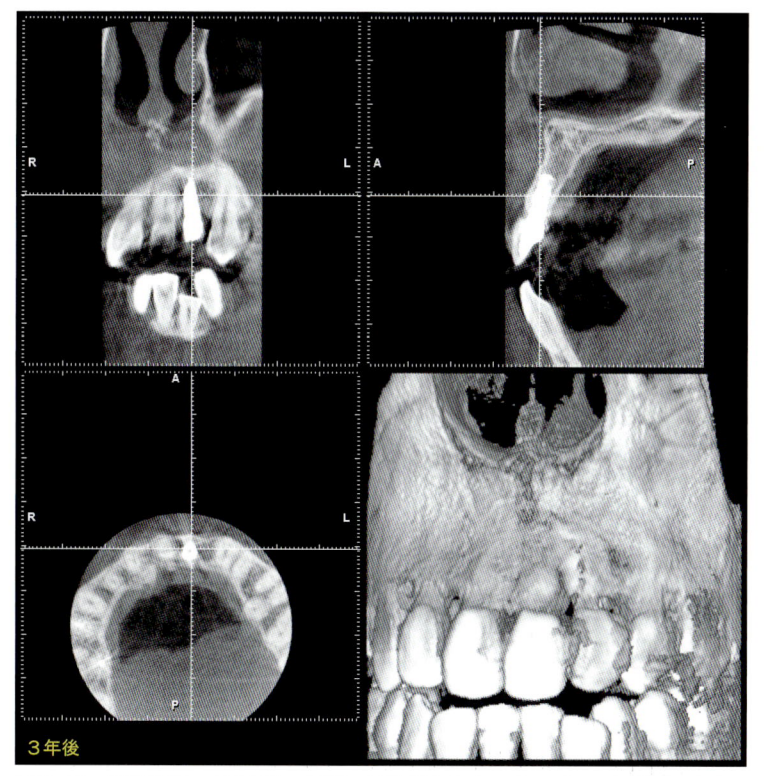

3年後

図12-13 術後3年のCT画像。唇側の骨移植を含め、インプラント周囲に安定した骨梁を認める。

第12章 メインテナンスの手順と必要事項

術後12年の状態

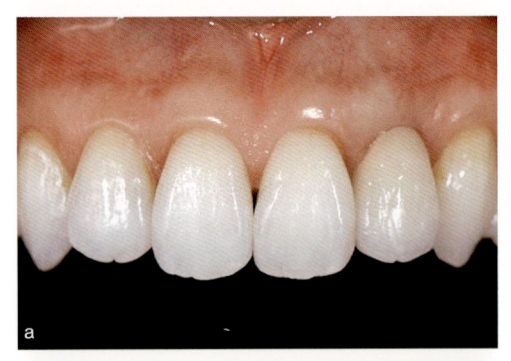

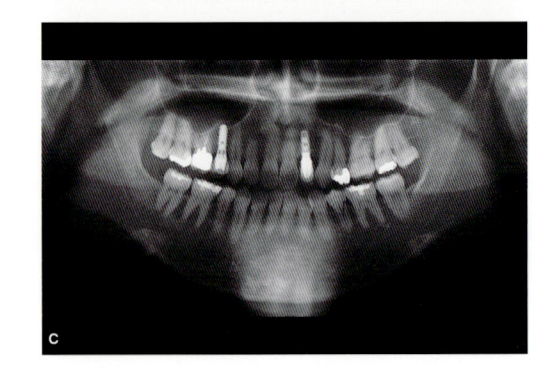

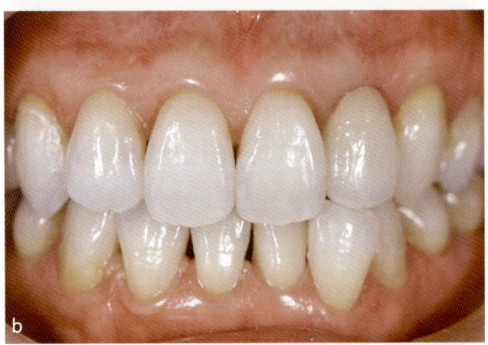

図12-14a〜c 術後12年（2021年2月）の口腔内およびパノラマX線写真。口腔内所見では、歯頸部全体が引き締まったように見える。なお、当該歯とセラミックスの明度が低くなっているように見えるのは、セラミックスそのものの表面に日々の食品のステインなどが沈着して影響を及ぼしているためと考えられる。なお、4|は2018年に歯根破折を起こしたため、インプラント治療を行っている。

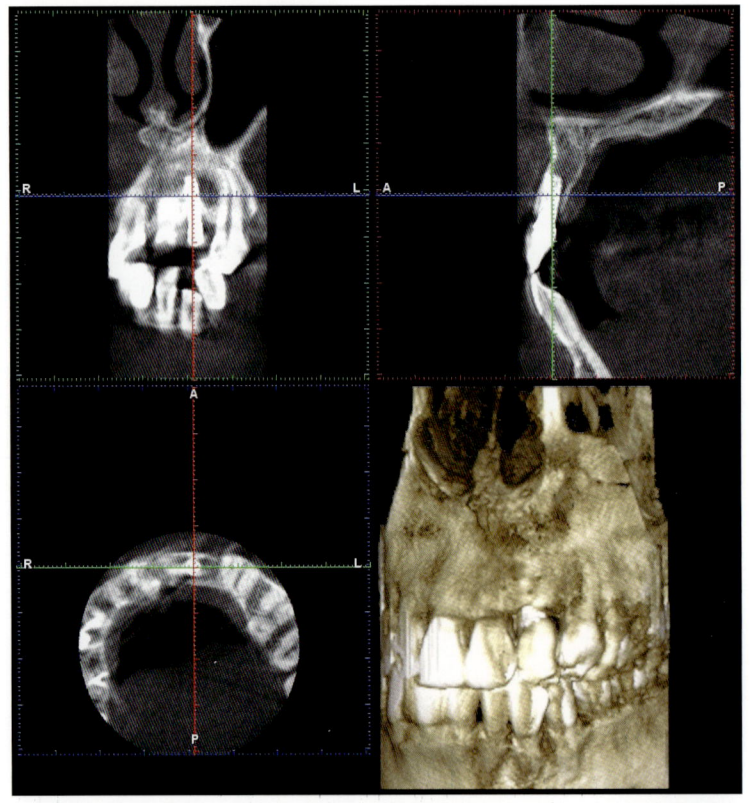

図12-15 同CT画像。術後12年を経ても、移植骨部・インプラント周囲骨に吸収などは認められない。

12-2 リコールに応じてもらうための工夫

　筆者の医院のリコールの実施は、治療内容や患者さん状況によって1ヵ月、3ヵ月、6ヵ月、1年などであり、定期的にハガキ・電話にて来院を促している。ハガキの場合は以下のようなリコールハガキを送付している。また、直接電話する場合には、電話の理由や趣旨を丁寧に伝えて、患者さんの理解を得られるようにしている。

リコールに応じてもらえない患者さんに送る書類（リコールハガキ）

> 筆者の医院では専用のリコールハガキのフォーマットを作成し、その中に、治療の内容や来院の日時が記載できるようにしている。

> 担当する受付や歯科衛生士の名前を記載し、手書きにて季節の挨拶や来院のお願いの旨を添えている。

ポイント

ハガキ・電話を数回繰り返しても、リコール・メインテナンスに応じてもらえない場合には、来院しなかった場合の患者さんのリスクを記載した内容の手紙を配達証明にて郵送している（次ページ参照）。

第12章 メインテナンスの手順と必要事項

ハガキや電話でリコールを勧めても返事がない患者さんに送る手紙の例

▢▢▢▢ さま

平成24年5月▢日

治療後の定期検査受診のお願い

平成22年5月▢日に治療が終了し、経過を診ておりますが、その後はいかがでしょうか？

虫歯や・歯槽膿漏・歯を失った原因のケア・メインテナンスは、治療以上に大切です。ぜひ、最低一年に一度の定期検査・クリーニングには応じ頂き、健康で快適なお口の中を保つ為に、ご協力お願い申し上げます。

なお、▢▢▢▢さまは平成22年9月▢日以来、一度も、リコール・定期検査・クリーニングに応じて頂けておりません。
この状況では、治療保障についても、修理・無料保証も応じる事は出来かねます。

平成24年6月末までに、出来ればご来院頂き、定期検査・クリーニングをさせていただきたく重ねてお願い申し上げます。
また、他院において通院等されていても、出来れば、インプラント・移植等は当院の責任もございますので、ご来院頂きたく思います。

このようなお手紙を差し上げるご無礼をお詫び致し、ご多忙とは思いますが、ご理解とご協力を頂ければ幸いです。

院長も大変心配しております
御連絡 御来院をお待ちしております

医療法人社団清貴会　小川歯科　天王洲インプラントセンター
鶴見大学　顎口腔インプラント科　非常勤講師
神奈川歯科大学　顎口腔機能修復学講座　客員教授

歯学博士　小川勝久

注釈:

- こうした文章のほかにも、「このまま放置すると、表面的には何も問題がなくても骨が溶けている可能性があります」、「噛み合わせの変化などでセラミックスの破折、インプラントへの過剰な負荷が生じるリスクがあります」といった文章を記載し、リコールを促す場合もある。

- 手書きにて「心配しております」「お待ちしております」との旨を添える。

- 治療を担当した歯科医師の名前を必ず入れる。

ポイント　度重なる連絡にもかかわらず返事がもらえない場合、患者さんが確かに受け取ったという事実を明確にするため、筆者の医院では配達証明郵便にてこうした手紙を送っている。読者の中には、「そこまでする必要があるのか」という異論も持つ方もおられると思うが、患者さんへの治療保障や予後を管理することに対して医院がもつ責任の一環として行っている。リコールやメインテナンスは、治療を行った医師・医院の大切な義務であると筆者は考えている。

自院の患者さんの転院先が決まったときの挨拶の例

📧 送信　宛先（TO）　三木先生

件名　■■■■様ご紹介の件について

SAKURA DENTAL CLINIC KOBE　三木通英 先生

この度は、当院の患者さまを受け入れていただき、どうもありがとうございます。
■■■■様、61歳をご紹介します。左下大臼歯部(⌞6 7⌞欠損)にGBR後、インプラントを埋入しています。
●●●社の役員の方で、神戸に転勤となりました。
大掛かりな自家骨移植後に会社で転勤の話が持ち上がり、どのタイミングで他院と連携を取るべきか、患者さまとも相談していました。自家骨移植の経緯もあり、ご紹介をインプラント治療終了後とさせていただきました。

お手数をおかけしますが、三木先生には■■様のメインテナンスなどをお願いできれば幸いです。なお、自家骨移植およびオッセオインテグレーションの不具合などが生じた場合は、もちろん当院に責任がございますので、遠慮なくお申し付けください。
簡潔ではございますが、経過とX線写真を添付してお送りします。
どうぞよろしくお願い致します。

追伸　■■様は温厚で人柄もすばらしく、申し分ない患者さまです。

＝＝＝＝＝＝＝＝＝＝＝＝＝＝＝＝＝＝＝＝＝＝＝＝＝＝＝＝＝＝
医療法人社団清貴会　小川歯科・天王洲インプラントセンター
神奈川歯科大学　顎口腔機能修復学講座　客員教授　歯学博士　小川勝久
＝＝＝＝＝＝＝＝＝＝＝＝＝＝＝＝＝＝＝＝＝＝＝＝＝＝＝＝＝＝

初診：2017年12月。⌞6 7⌞の歯根破折を認める。治療説明をし、治療計画書を提示。同月に抜歯。

2018年2月、左側下顎枝前縁より採取した自家骨とBio-Ossを混ぜ（1：1）、チタン強化膜併用にて骨移植。

2018年8月、SwissPlusインプラント（ジンマー・バイオメット・デンタル社）埋入［OPB10、LOT63710562、4.1×10mm］。2019年1月、上部構造装着（セラミックス：e.max）。咬合面のアクセスホールをレジンにて仮封したスクリュー固定。

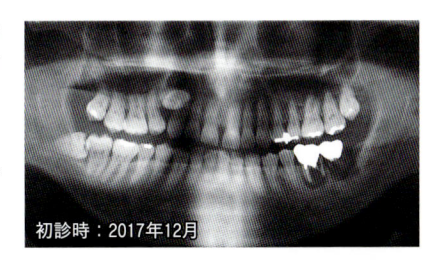

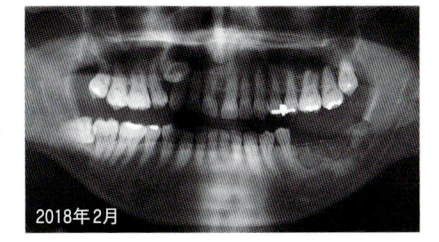

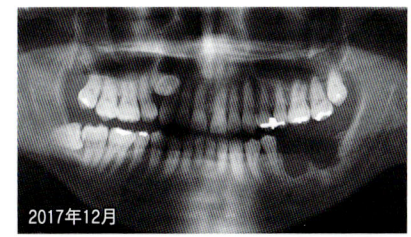

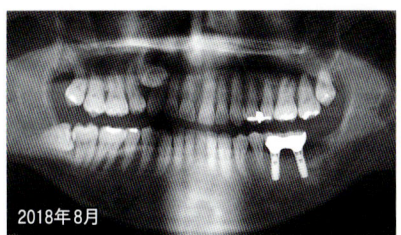

初診時：2017年12月　　2017年12月
2018年2月　　2018年8月

ポイント　患者さんの転勤や転居によってメインテナンスが自院で行えなくなることは少なくない。このような場合、当院では転院する患者さんへ紹介状を用意するようにしている。その内容は、初診の状況・手術時・終了時日時・現在の状況、そして使用しているインプラントのメーカー・サイズなどを記載し、できるだけ同じインプラントメーカー・システムを使用している医院に紹介するように心がけている。その患者さんとの相性も考え、複数の歯科医院を紹介することもある。
なお、患者さんが紹介先に通院することが決まった場合には、上掲のように先方の院長にメールなどで直接連絡を取り、患者さんが気持ちよく診てもらえるように配慮している。

本章のまとめ

最終補綴装置が口腔内に入り「治療は終わり」ではない。機能と審美性を含め、獲得した口腔内の健全な環境を維持させるための「メインテナンス」という新たな医療が始まるのである。このことは、患者さんだけでなく歯科医師も歯科衛生士とともに肝に銘じておかなければならない。

参考文献

1. 渡邉文彦, 多和田泰之, 廣安一彦, 阿部田暁子, 松岡恵理子, 佐々木美幸. 新装版 インプラント治療のためのアシスタントワークとメインテナンス. オッセオインテグレーテッド・インプラント治療のために. 東京：クインテッセンス出版, 2005.
2. 中島 康, 柏井伸子, 小川勝久, 前田千絵, 丸橋理沙, 山口千緒里. 別冊歯科衛生士 新版 みるみる理解できる図解スタッフ向けインプラント入門. 東京：クインテッセンス出版, 2016.
3. 和泉雄一, 鷲野 崇, 小野寺良修, 関根秀志, 木津康博. スペシャルシンポジウム インプラント周囲組織評価シート─メインテナンス時にみるべきポイント. デンタルダイヤモンド 2009；34(11)：19-42.
4. 中村公雄(監修), 佐々木 猛, 西川 徹, 住友万紀子(執筆). 歯科医療チームで支える補綴物の長期的安定. 歯科医師・歯科技工士・歯科衛生士が示す条件とその共有. QDT 2008；33(10)：15-40.

第12章 紹介器具・器材の関連製品／同種製品

メインテナンス器具

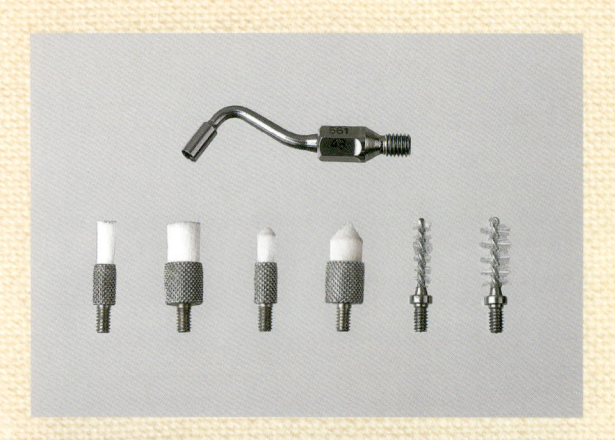

ルーティー SUSブラシ（問い合わせ先：ヨシダ社）。チップを交換するだけで、スケーリング・根管内洗浄・歯周ポケット洗浄・歯面清掃が行える。SUSブラシを装着すると、サブソニック振動と3タイプの内部注水ブラシで効果的に歯面清掃が行える。

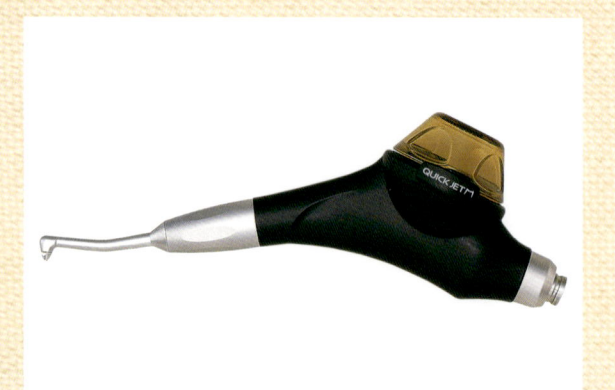

クイックジェット M（問い合わせ先：ヨシダ社）。回転式のヘッド機構のため、持ち変えることなくクリーニングが行える。パウダーはグリシンを主成分とする「ファイン」と「エクストラファイン」があり、歯肉を傷つけることがない。

第13章

特講：歯科医師が患者さんに詫びるとき

---

1 治療結果に問題が生じ、患者さんに謝罪と対応を行った事例

2 医事紛争を未然に防ぐためのポイント

　歯科医療において日常臨床の中でも「ミス」は起こりうる。まして、インプラント治療のような外科手術や骨移植、歯肉移植をともなう治療においては、つねにすべての症例が最良の結果に導かれるわけではない。無論、細心の注意を払った治療を歯科医師はつねに心がけているわけだが、結果として、患者さんの満足が得られないこともあるだろう。

　そこで本章では、筆者自身の経験をもとに、治療結果に問題が生じたのち、医事紛争を避け、患者さんとの信頼関係を保つことができた事例を提示する。

13-1 治療結果に問題が生じ、患者さんに謝罪と対応を行った事例

1）症例1：インプラント埋入後、歯頸部歯肉が根尖側方向へ退縮したケース

(1) 症例の概要と最初の治療

　患者さんは、当時30代の女性。2001年4月に審美性の改善を主訴に、インターネットでの検索から当院を選択し、来院した。3|の先天性欠損にC|(乳犬歯)が残存し、前歯部の被蓋は反対咬合を呈していた。

　治療計画としては、反対咬合の治療を含め、根吸収を起こしているC|部へはインプラント治療を行うこととした。約1年4ヵ月間の矯正治療を経て、咬合の安定と前歯部の被蓋の改善を行うとともに、C|部へのインプラント埋入に際してのスペースを確保した。

　通法においてC|の抜歯を行い、サージカルテンプレートを応用し、想定した所定の位置へインプラントホールの形成を試みた。ホールの形成位置は、抜歯窩より近心寄り口蓋側の骨梁へ設定した。しかしながら、抜歯窩内の斜面からドリリングを行ったため、骨形態や骨壁の影響を大きく受け、バーが抜歯窩内方向に振られてしまい、正確な埋入位置の設定が行えなかった。その後、2mmの唇側骨幅を確保するため、唇側骨の一部に縦切開を加え、スプリットを行い、抜歯窩内での初期固定を得ようとアダプテーションテクニックを用いたが、残念ながらインプラントは想定した位置より約2mm唇側、1mm遠心へとズラされる結果となった。

(2) 問題が生じたことを患者さんに報告・事情説明

　筆者は手術中に埋入位置が不適切であると認識しており、その結果が術後の審美性に大きく影響することを苦慮したことは言うまでもない。そこで、手術の5日後、患者さんに「インプラント手術でのお詫びとご報告」と題する書面を提示し、手術の経緯と状況の説明を行い、理解を得た。

(3) 再治療によるリカバリー

　完全埋入後のインプラント埋入手術における炎症や感染は見られず、約3ヵ月間オッセオインテグレーションを待った。二次手術後、トリートメントクラウンの装着を行い、歯冠形態と周囲歯肉とのバランスを図った。

　トリートメントクラウンから歯周組織の形態を図り、角度付アバットメントを付与し最終的な補綴を製作した。インプラントそのもののオッセオインテグレーションや犬歯としての機能性は問題ないと思われた。

　しかしながら、当該部(3|)の歯頸部歯肉の根尖側方向への退縮を防ぐことはできず、上顎前歯部歯周組織での周囲歯肉の連続性と左右対称性は損なわれてしまった。しかしながら、患者さんとの大きな信頼関係の喪失はなく、治療結果に理解と容赦を得た。

　この症例では、大きく審美性が損なわれる結果をまねくことはなかったが、患者さんから見れば、矯正治療およびインプラント治療に2年近い期間を要し、治療費も相当な金額を払っている。そればかりでなく、治療における痛みや精神的苦痛を思えば、歯科医師と患者双方にとって決して満足のいく結果とは言えない。

　もし、手術後になんら経緯の報告や説明をせず治療を進め、突然に患者さんが意図とする治療結果と反することになっていれば、患者さんとの信頼関係は失われ、医療訴訟などの大きな問題に発展したかもしれない。

症例1：インプラント埋入後、歯頸部歯肉が根尖側方向へ退縮したケース

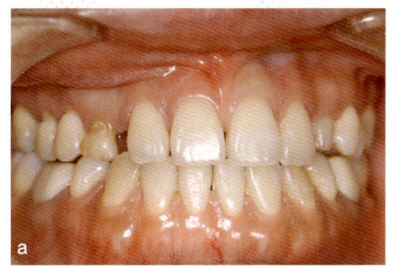

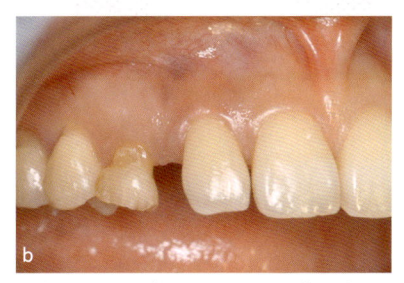

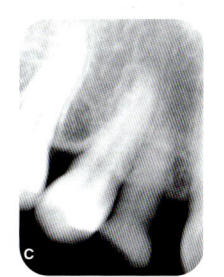

図13-1a〜c　2002年9月。矯正治療終了時の口腔内およびC⏌部のデンタルX線写真。

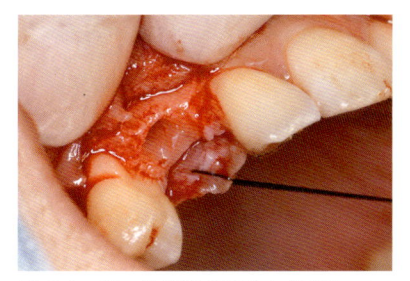

図13-2　C⏌の抜歯窩が遠心に位置していることがうかがえる。

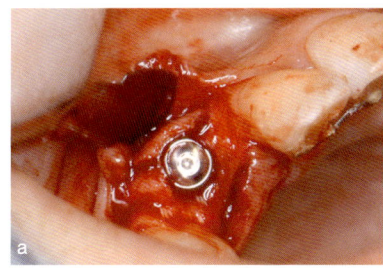

図13-3a、b　唇側骨幅を確保するため、スプリットテクニックを応用したが、インプラントは想定した位置より唇側に約2mm、遠心に約1mmズレてしまった。

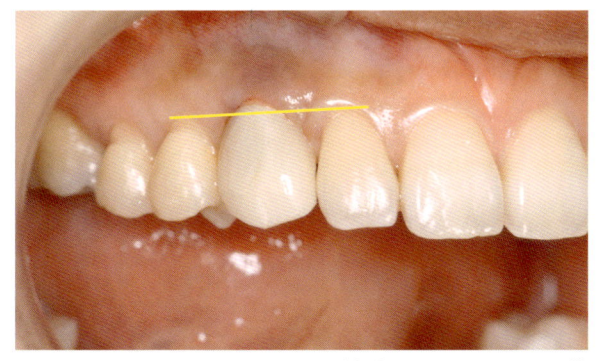

図13-4　トリートメントクラウンの唇面にアクセスホールの陰影がみられることから、インプラント埋入位置が唇側であることがうかがえる。

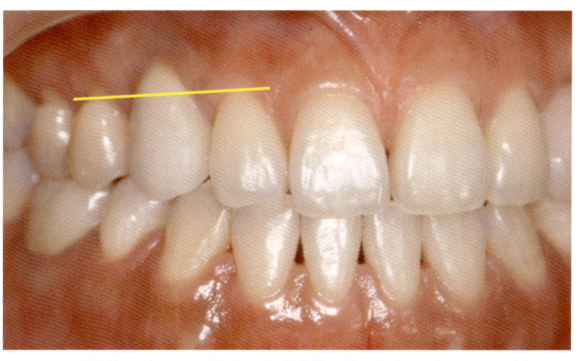

図13-5　術後3年の口腔内。唇側歯頸部歯肉は大きく退縮し、周囲歯肉の連続性は失われている。

	初診日より1年4ヵ月後	術後5日	術後3ヵ月
治療計画にもとづき矯正治療開始。咬合の安定と前歯部の被蓋の改善、C⏌部インプラント埋入のためのスペースを確保。	矯正治療終了。C⏌部への抜歯後即時インプラント埋入を行ったが、インプラントが予定位置より約2mm唇側、1mm遠心へとズレてしまう。	患者さんに「インプラント手術でのお詫びとご報告」と題する書面を提示し（図13-7）、手術の経緯と状況を説明。	二次手術後、トリートメントクラウンの装着を行い、歯冠形態と周囲歯肉とのバランスを図ったが、歯頸部歯肉の根尖側方向への退縮を防ぐことはできなかった。

図13-6　症例1の治療の流れ。

第13章　特講：歯科医師が患者さんに詫びるとき

症例1のインプラント手術後に患者さんに送ったお詫び状

○○さま

インプラント手術でのお詫びとご報告

平成15年6月22日

　この1年、当院で治療をさせていただきありがとうございます。
　さて、過日6月19日木曜日は、たいへんお疲れさまでした。
　右上犬歯部は本来「永久歯の犬歯」が生えるべきところに「乳歯の犬歯」が根も短く残っている状態で、形態、位置に審美的、機能的にも良い状態ではありませんでした（このことは十分にご理解いただいていることと存じます）。
　治療方法としてはこの「乳歯の犬歯」を抜いて、手前の歯と後ろの歯でつないで治す「ブリッジ法」や人工歯根の「インプラント法」、あるいは「入れ歯」などの治療の選択方法がありました。それぞれに利点や欠点（リスク）があり、たとえば欠点としては、ブリッジでは両隣の歯を削ること、インプラントであれば手術をともなうこと、入れ歯ではガタガタすることが挙げられます。これらの点をふまえて、今回は右上の犬歯部ではインプラント法を取り入れて治療を進めてきました。
　19日木曜日は通法に従い、乳歯の犬歯を抜歯し、インプラント（人工の歯根）を埋入する手術を進めていきました。ところが、手術前に想定した以上に「骨の硬さが位置によって異なり」、つまりドリリング（穴を開けること）が軟らかい方向へズラされてしまい、理想的な位置への埋入が行えませんでした。できる限り、位置が理想的なところになるよう方向修正を試み、器具やインプラントそのもので修正をしましたが、最終的には近遠心的に1mm、頬舌的に2mm、ズレています（この状態でのレントゲン、口腔内写真などがございます）。
　一般的にはこの程度の位置のズレは手術時での誤差範囲（外科手術での正確さ）内ですし、なんら問題にはなりません。20日土曜日の段階でも感染、炎症などの問題はまったくみられませんでした。また、骨との接合、炎症、感染などには問題はございませんが、○○さまの手術の最大の課題である「審美性の獲得」に影響を及ぼすことが懸念されます。もちろん、歯としての機能も大切ですが、それ以上に、前歯では「審美性」は重要な要素です。無論、どんなに完璧な手術とセラミックスでも「天然の歯」ではないので多少の形態や色、質感の違和感はございます。が、できる限り「天然の歯」に近い綺麗で美しい「インプラントの歯」を作らなければなりません。
　現在、レントゲン、模型などから最終的なセラミックスが入った時の状況を想定し、形態、位置を配慮して審美性の状況をシミュレーションしています。この診断で問題がないことが確認されれば事なきを得るのですが、もし、審美性の獲得に大きな障害となるようであれば、大変申し訳ないのですが、今回のインプラントの除去も含めて再度手術の許可をいただきたくお願い申し上げます。
　○○さまには、ご心配やご迷惑をお掛けし、大変申し訳なく思っております。そのことをふまえてご理解とご協力をお願い申し上げます。

医療法人社団清貴会　小川歯科　天王洲インプラントセンター　歯学博士　小川勝久

図13-7　症例1の患者さんに対するお詫び状の書面（実物より改変）。手術の5日後に患者さんへ提示した。治療に問題が生じた経緯、現在の状況の説明を正確に行い（黄色網かけ部分）、真摯に謝罪すること（赤色網かけ部分）が重要だと考える。

2）症例2：インプラント埋入後に下唇とオトガイ部に麻痺が発症したケース

2003年、左側下顎臼歯部へのインプラント埋入を行ったが、のちに下唇およびオトガイ部に麻痺が発症した。

その後、麻痺の範囲は縮小傾向を示すも消失しなかった。この際も「インプラント治療での経過とお詫び」と題し、その原因と経緯を記載し、患者さんに対して真摯に説明を行った。

麻痺は結局消失することはなく、患者さんから批判や叱咤されたこともあったが、18年後の2021年6月現在も引き続き当院へ通院している。

症例2：インプラント埋入後に下唇とオトガイ部に麻痺が発症したケース

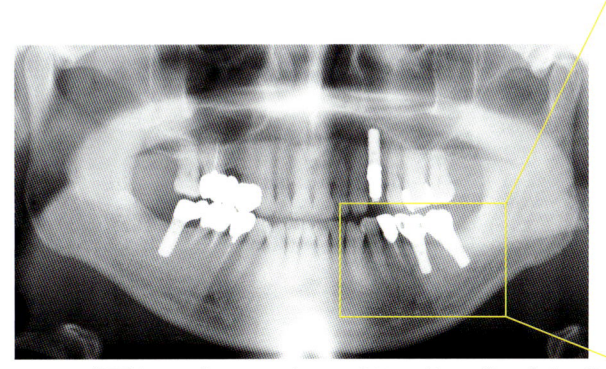

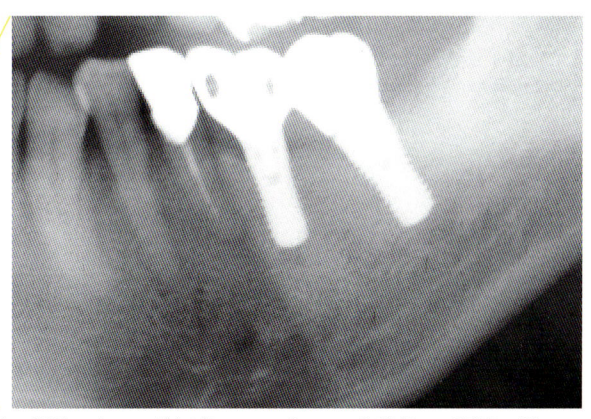

図13-8 ⌊6̄7̄部へ2本のインプラント埋入を行った際に麻痺が発症。術後2年のX線写真。インプラント先端部と下顎管の間には2mm以上の距離があるものの、麻痺は消失しなかった。

	術直後	術後1年2ヵ月	現在
⌊6̄7̄部に2本のインプラントを埋入。術後のパノラマX線写真では、インプラント先端部と下顎管との間に2mm以上距離があることが確認される。	左下口唇の一部とオトガイ付近に麻痺が発症したため、すぐに患者さんと一緒に大学病院を受診。麻痺消失に向けた治療を行う。	麻痺の範囲は縮小したものの消失せず。患者さんに「インプラント治療での経過とお詫び」と題した書類を提示し（図13-10）、原因と治療の経緯について真摯に説明を行う。	最終的に麻痺は消失しなかったが、患者さんは現在も引き続き筆者の医院に通院している。

図13-9 症例2の治療の流れ。

第13章　特講：歯科医師が患者さんに詫びるとき

症例2のインプラント手術後に患者さんに送ったお詫び状

□□さま

インプラント治療での経過とお詫び

平成16年7月27日

　平成12年3月より当院（医療法人社団清貴会　小川歯科）をご利用いただきありがとうございます。また、当院や私を信じて「インプラント治療」にご理解とご協力のうえ、治療をさせていただきお礼申し上げます。

　にもかかわらず、平成15年5月6日での「左下第一および第二大臼歯の欠損における2本のインプラント治療」での埋入手術では、結果として「左下口唇の一部とオトガイ付近に違和感（麻痺）」が残ることになってしまいました。まず、本当に申し訳なく、お詫び申し上げます。

　手術には細心の注意と丁寧な処置をもって当たりましたが、下歯槽神経の一部になにかしらの損傷やダメージがあったものと認めております。レントゲンや諸検査では、なんら異常は認められませんでしたが、麻酔での処置が原因であったと考えています。
　その後の継続したインプラント治療（被せ物などの治療）には問題がなく、噛み合わせは機能的にも十分とは思いますが、当該部位の感覚に違和感が残っていることから、満足できるものでないことも十分承知致しております。大変申し訳なく重ねてお詫び申し上げます。

　また、平成15年5月15日からの▽▽歯科大学での治療も1年以上経過したにもかかわらず、「こわばり感」といったものが完全には消失せず残っており、担当の△△助教授からの報告では'検査数値'では問題はないとのことですが、□□さまのお気持ちとしては納得されていないことも私は、重々承知いたしております。
　一般的には、このような場合（レントゲンなどから神経損傷が認められず、神経管とのインプラントの距離が2mm以上ある場合）には、数ヵ月～数年（1～2年）で症状は消失に向かうことが多く報告されています。しかし、完全に消失しないケースがあることも事実です。
　また、自分の治療を正当化したり、誤魔化したりするつもりは、毛頭ございません。が、しかし、外科的処置をともなう歯科治療では、このようなことが起こることも事実でございます。

　□□さまには、私の力が足りず、またご協力いただいたにもかかわらず、このような結果になり、本当に申し訳なく重ねてお詫び申し上げます。今後はこのようなことが二度とないように、よりいっそう努力し、一生懸命に治療を行っていく所存です。ご理解とご容赦を重ねてお願い申し上げます。

　本当に申し訳ございませんでした。

医療法人社団清貴会　小川歯科　天王洲インプラントセンター
歯学博士　小川勝久

図13-10　症例2の患者さんに対するお詫び状の書面（実物より改変）。下歯槽神経麻痺の原因と治療経緯、現在の状況を説明するとともに（黄色網かけ部分）、治療にミスがあったことを正直に認め、謝罪を行った（赤色網かけ部分）。

13-2 医事紛争を未然に防ぐためのポイント

医療訴訟になった場合、いわゆる「詫び状」や「お詫び」が、歯科医師側がミスを認めたことの証拠となり、裁判に不利にはたらくのではないかとの懸念や意見もあろう。

しかし、「裁判に勝つこと」よりも「裁判にならないこと」が、歯科医師と患者の双方にとって有益となる。そのためには、ミスが起こった時点での事態の説明や報告が必要不可欠であると筆者は考えている。

また、近年は他の医師や医院における治療の良否について、患者さんの弁護士が意見を求めて来院することも少なくない。過去の判例において裁判所向けに患者さんが出した陳述書や、医院に対する証拠保全申立書(158〜159ページ、本章付録:図13-13参照)を読んでみればわかるが、歯科医師と患者さんとが真摯に向き合い、信頼関係の保全に努めていれば、たとえミスが生じても、双方ともに深く苦慮することはないと思われる。

事実を隠し、偽っても、その代償は大きくなるばかりであり、歯科医師も患者さんも精神的苦痛をともなう。前述のとおり、現在はインターネットや雑誌・書籍にて医療の情報が公開され、患者さんは自身が受けた治療の良否を知り得ることが多い。しかしその反面、間違った認識や知識を得てしまうことも少なくない。

そのため、多くの医師や医院は、治療計画書のみならず、「手術承諾書」(図13-11)や「治療同意書」(図13-12)を提示し、患者さんの納得や同意を得ている。そして、その文中には「不慮の事態には真摯に対応する」旨の記載があることが多い。

患者さんに署名してもらう手術承諾書の例

手術承諾書

　　　　　　　　　　　　　　　　　　　　○○歯科クリニック　　　○○　○○殿

住所
氏名
生年月日

　私はこの程、歯科治療の説明指導を受け、十分に了承、納得しましたので、下記の手術に同意します。なお、医学的常識に基づく施術が行われたにも拘わらず発生した万一の不可抗力の事態に対しては、一切の異議申し立てを致しません。

　　　　　　　　　　　　　　　　　記
　　　　　1．傷病名　　上顎前歯部欠損
　　　　　1．麻酔方法　浸潤麻酔キシロカイン1.8ml　ct
　　　　　1．手術術式　インプラント埋入術、二次手術、骨造成術、サイナスリフト
　　　　　1．摘要

　　　　　　　　　　　　　　　　　　　　　　　　　年　　　　月　　　　日

　　　　　　　　　　　　　本人　　　　　　　　　　　　　　　　　　　　印

　　　　　　　　　　　　　保証人　　　　　　　　　　　　　　　　　　　印

図13-11　手術承諾書の例(実物より改変、船登彰芳先生のご厚意による)。

患者さんに提示する手術同意書の例

オッセオインテグレーテッドインプラント手術同意書

　今回＿＿＿＿＿＿＿＿様にインプラント治療、および歯周治療を行うこととなりました。治療が終了した折には、今まで体験したことのない快適な食生活ができることと確信しております。しかし、治療においては高度な技術も要求されるのと同時に、生体の軟組織・硬組織には複雑な状況に稀に遭遇することも事実です。つきましては確認事項として下記同意書を読んでいただいたうえで自筆で署名をお願いいたします。ただ、下記のことが起こらないように十分配慮したうえで治療することはもちろんですが、万が一起こった場合は当方は誠心誠意それに対する治療に当たらせていただくことも付け加えておきます。

〇〇歯科クリニック　〇〇　〇〇

1. 私はオッセオインテグレーテッドインプラントシステムについて、その目的とその利点・欠点についての説明を受けました。
2. 私はこのインプラントシステムの外科処置で起こりうるところの危険性・合併症についての説明を受けました。この危険性および合併症とは、一過性の唇、舌、頬、歯肉、歯などの感覚麻痺、近接歯の損傷、上顎洞・鼻腔への穿孔、またこれらに対する炎症・疼痛・過敏症・組織治療遅延および術部顔面部の内出血です。
3. 私は喫煙、飲酒による組織治癒の遅延およびインプラントの骨結合不全を起こすことを理解しております。
4. 手術中に、インプラントを埋め込むのに十分な骨の存在および部位がない場合には、インプラントの手術を中止し、断念することを了解しております。
5. 私はこのインプラントの手術が複雑で結果が予想どおりに成功しない場合もあることを理解しております。その場合、再手術に応じます。
6. 手術終了後、完全に意識および体調が整うまで、自動車などの運転を致しません。
7. 処方された薬剤の服用により、吐き気・眠気・咳・湿疹などの一時的な副作用が現れることがあります。この場合、医師の指示に従います。
8. 術前、術中、術後にX線撮影および記録写真撮影を行うことを了解しております。
9. オッセオインテグレーテッドインプラントの手術を希望し、手術に同意するとともに、必要な場合には医師の指示に従います。

年　　　月　　　日

住所＿＿＿＿＿＿＿＿＿＿＿＿＿＿＿＿＿＿＿＿＿＿＿＿＿＿＿

氏名＿＿＿＿＿＿＿＿＿＿＿＿＿＿＿＿＿＿＿＿＿＿＿　印

> 患者さんの同意を得て、患者さんが守るべき義務を明確にするとともに、「万が一（問題が）起こった場合は当方は誠心誠意それに対する治療に当たらせていただく」旨を付け加えることで、歯科医師側も責任を持って治療に臨むことを明確に伝えている。

> こうした同意内容は、患者さんに対して手術前後の注意を喚起する効果もある。

図13-12　手術同意書の例（実物より改変、船登彰芳先生のご厚意による）。

■ 本章のまとめ

　もし、治療においてミスを犯してしまったとき、私たちは、辛く、苦しく、情けない気持ちになる。しかし、治療を受けた患者さんの痛みと心情を察したとき、歯科医師側が真摯に真実を説明して謝罪し、理解と容赦を得る以外に解決の方法はないことがわかるであろう。

　そのため、当院では、ミスが起こった場合には、できるだけ早い時期に「手術報告書」や「経過とお詫び」といった文章を提示し、誠意をもって説明を行い、患者さんに理解と容赦を得るように心がけている。

　ただ、法的には、医師側に注意義務違反や相当の瑕疵を認めた場合に罪が問われるのであり、謝罪をもって量刑が免じられるわけではないことも付け加えておく。

　裁判に勝つことでなく、人が人を治す医療の中で、患者さんを思いやり、信頼関係を保つことこそが、手術を行った歯科医師の責任であり、義務であると考える。

付録：患者さん側の弁護士が裁判所向けに作成した証拠保全申立書の例

証拠保全申立書

平成15年△月×日

東京地方裁判所　御中

申立人代理人弁護士　　○○　○○
同　　　　　　　　　　△△　△△

当事者の表示　別紙当事者目録記載のとおり

申立の趣旨

　東京都□□区□□町□－□－□所在の相手方●●審美歯科の××院に臨み、相手方●●審美歯科こと◆◆◆◆保管にかかる別紙検証物目録記載の物件の提示命令及び検証を求める。

申立の理由

1　証明すべき事実
　相手方が平成10年×月○日から、申立人に対し、歯の審美施術を行うに当たり、十分な説明をしなかった事実。
　また、当初説明した施術内容と実際行った施術内容が異なっていたこと及び、かかる施術内容に関して申立人の同意を得なかった事実。

2　保全の必要性
(1)　本件申立に至る経緯等
　①申立人は平成10年×月○日に、左上顎3番の歯が他の歯に比べて並びが悪かったことから、その歯の矯正をしてもらおうと、友人と一緒に、相手方●●審美歯科（以下「相手方医院」という）に相談に行った。当時、相手方医院は混雑していた。申立人は、その場で、相手方医院の××分院なら診察を受けられるといわれ、同日、友人とタクシーで××分院に向かい、当時、××分院で働いていた相手方▼▼▼▼医師（以下「相手方医師」という）に、左上3番の歯を矯正していた旨を相談した（歯の番号については、末尾添付の「歯の配列図」参照。以下同じ）。その際、相手方医師は、申立人に対し、「右上顎の3番については抜歯をし、2番と4番の歯でブリッジを作ればよい。全体的なバランスをとるために、左上顎の1番から4番、右上顎の1、2、4、5番の歯も多少削り、その上にセラミックをかぶせて、見た目を整える」という説明をしたので、申立人は、「抜歯をするのは1本だけなら問題ない」と思い、同医師の施術を受けることを決心した。このときの同医師の説明については、同席していた友人も、申立人と同様に理解している。
　ちなみに、ブリッジというのは、歯が欠損している部分の補綴法の一つである。具体的には、支台装置とダミーからなっており、両者はろう着されて口腔内に装着される。機能的、審美的に天然歯に近似し、咀嚼能力もすぐれているといわれている（甲1）。

　②約1ヵ月後、申立人は1人で相手方医院の××院を訪れ、相手方医師の施術を受けた。施術はタオルのようなもので目隠しをされ、歯茎に局部麻酔を注射された後、3時間半行われた。その日の施術が終わった後、申立人は相手方医師に、仮歯のようなものを入れられたのだが、申立人としては、抜歯は左上顎の犬歯のみだと思っており、その他は仮のセラミックの被せ物を付けられているのだと思っていた。しかし、後に判明したのだが、このときの施術で左上顎の3番だけではなく、右上顎の3番も抜歯され、さらに、左上顎1、2、3、5番、右上顎1、4番の元の歯の根元しか残らなくなるくらい削られていたのである。そして、最終的には、左上顎1～5番、右上顎1～4番すべてが、ブリッジという形になってしまったのである。

図13-13　患者さん側が訴訟に際して作成した裁判所向けの証拠保全申立書の例（実物より改変）。赤の網かけ部分に注目すると、治療内容に対する正確な説明・同意がなされておらず、双方の信頼関係の喪失につながったことがうかがえる。

③3回目の来院時には、本歯が入れられた。このときも、申立人は目隠しをされ、施術後本歯が入った状態を見せられただけであった。見た目は特に問題がなかったので、申立人は、当初の予定通り、左上顎3番だけを抜いて矯正ができたものだと思い込み、普通に生活をしていた。

④その後、平成13年ころ、申立人が右上顎の歯を見ると、歯と歯茎の間に隙間が開いていたので、当時まだ相手方医院の××院に在籍していた相手方医師に相談に行ったところ、「その部分だけやり直そう」ということになった。そこで、申立人は改めて左上顎の2～4番を施術してもらうことになった。

⑤しかし、平成13年ころ、平成11年に施術してもらった左上顎2～4番の被せ物が取れてしまい、取れた部分を鏡で確認すると、そこには削られた申立人の歯はなく、歯茎から生えた金色の金属があるだけだった（いわゆる差し歯の状態）。申立人は、自分の歯がなぜこのような状況になっているのかわからなかったので、▽▽クリニック（東京都▽▽区○×町△－△－△所在）に移籍していた相手方医師のもとを訪れ、同医師に説明を求めた。すると、同医師は、「左3番だけではなく、右上顎の3番も抜歯し、さらに、左上顎1、2、4、5番、右上顎1、4番も元の歯の根元しか残らなくなるくらい削り、その部分には金属を埋め、その上からセラミックを被せた」という、当初の施術方針とはまったく違う説明をした。さらに、平成14年には、歯茎に埋めた金属すら外れるようになってしまった。このような異常な事態が生じたのは、相手方医師が申立人に対し、歯の矯正施術を行うにあたり、十分な説明をせず、また、実際行った施術内容に関して申立人の同意を得なかったこと、さらに、施術を行った際、十分な検査、施術を行わなかったことが原因であり、相手方医院および相手方医師に過失があることは明らかである。

よって、申立人は相手方らに対し、診療契約の不履行または不法行為による損害賠償請求訴訟の提起を準備中である。なお、現在申立人の治療を担当している医師の見解では、「このまま申立人の歯を放置すると正常な日常生活は送れなくなってしまう。早めに何らかの措置を取らなくてはならない」、「そのためにはインプラントしかお勧めできない状態であるが、申立人の口腔内の骨は、無理なブリッジを組んだために薄く弱くなってしまった。そのため、インプラントの土台を形成するために骨の移植が必要であり、その費用も総額で300万円前後かかる」とのことである（甲2、甲3）。

(2) 保全の必要性
①証拠保全の一般的必要性
　医療過誤訴訟において、医療機関側が診療や何らかの措置を行うに際して作成した資料は、訴訟において自らの主張についての立証を行う必要のある申立人にとって必要不可欠の証拠である。しかし、これらの資料は、すべて医療機関の支配下にあるから、医療機関が、これらの資料を処分・改ざんする一般的・抽象的危険性が存在する。また、これらの資料の中には、保存期間が法定されているものとそうでないものとがあり、法定保存期間の定めがない資料については、廃棄・紛失の可能性が高く、さらに、保存期間が法定されている資料であっても、訴訟において紛失などの理由で提出が拒まれることが往々にしてある。

②本件における証拠保全の必要性
　申立人は、代理人を通じて、相手方医師に対して、本件施術ミスの原因について説明を求め、重ねて、相手方医師から相手方医院に働きかけて相手方医院所有の診療記録の写しを入手して申立人に開示するように求めた。しかし、相手方医師の代理人は、「申立人は施術に同意していたはず」などと主張し、かつ、診療記録の写しもたった3枚しか開示しなかった。なお、相手方医師の代理人の話では、相手方医院が診療記録全部の開示を拒んだということであった。
　このような相手方の態度に照らすと、申立人が相手方および▼▼▼▼医師らに対して損害賠償訴訟を提起した場合、相手方は、自己の手中にある本件施術ミスに関する診療記録などの改ざんに及ぶ危険性が存在し、これらが改ざんされれば、本案訴訟における申立人の立証活動に大きな障害をもたらすことになる。

3　よって、申立人は、そのような事態を未然に防止するため、本件申立に及んだ次第である。――※以下省略――

図13-13（つづき）　証拠保全申立書の例（実物より改変）。黄色の網かけ部分に注目すると、歯科医師側が治療後にきちんとした状況説明や謝罪を行わず、言い訳や情報の隠ぺいがさらなる信頼関係の喪失につながったことがうかがえる。

本書で供覧した症例の総括および反省点

本症例の総括として、術後12年を経た現状と結果から反省点も加えて、ここで考察してみたい。

まず、「本当にインプラント治療で良かったのか、ブリッジ治療や接着ブリッジではどうだったのか？」という点である。ブリッジ治療は隣接する健全歯質を削合しなければならず、選択しないで正解であった。接着ブリッジを選択しても、抜歯に起因する硬・軟組織の吸収は避けられず、患者の審美的要求に応えるには、硬・軟組織移植が必要になったと思われる。しかしながら、接着ブリッジ法の応用（図A）はインプラント治療のリスクを回避でき、その安全性から、本症例に適した治療オプションであるとも言える（矢谷博文．オールセラミックカンチレバーブリッジの生存率と合併症：文献的レビュー．日補綴歯会誌 2020；12(3)：209-224．より）。

次に、選択した術式についてであるが、矯正的挺出の応用は、抜歯時に起こる軟組織の吸収を予期し、あらかじめ周囲の軟組織を増やせること、抜歯手技も簡便になることから非常に有効であった一方、術式によっては当該歯が唇側に振られやすく、十分に注意が必要である。

そして、インプラント埋入においては、Simplant®やモデルサージェリーにて診断したところ骨移植量がさほど多くなかったことから、抜歯即時インプラント埋入法に骨移植を同時併用する方法も有効であったと思われる（図B、C）。ただ、術者の経験や技量にもよるが、これらの術式を選択した場合、減張切開による当該歯部の完全な縫合が必要となり、審美部位の軟組織の裂開や連続性の消失をまねく恐れもあった。

今回の骨移植も含め、インプラント埋入に際して大きくフラップを開けて行ったが、結果的に若干の軟組織の後退をまねいてしまった（図D、E）。同部位に外科的侵襲を複数回加えることは、抵抗力の弱い歯間乳頭や薄い軟組織の吸収を惹起するため、骨移植後はフラップレス埋入法も有効であろう（図F、G）。しかし、フラップレス埋入の応用では、移植骨の接合状況を明確に把握できず、ブロック骨の剥離などのトラブルが発生したときの対応を含め、埋入位置・深度・角度を正確に設定するのが難しい。なお、骨移植時のピエゾサージェリー、軟組織移植時のマイクロ機器の応用は非常に有効であった。

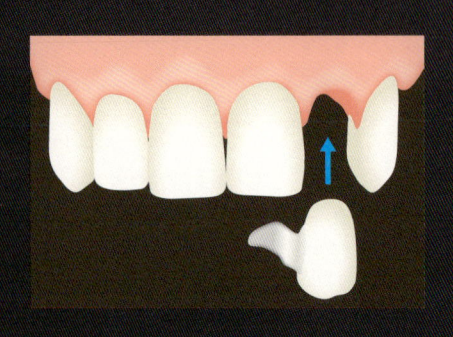

図A　接着性ブリッジを応用する場合は、片側に接着する技法を用いる。

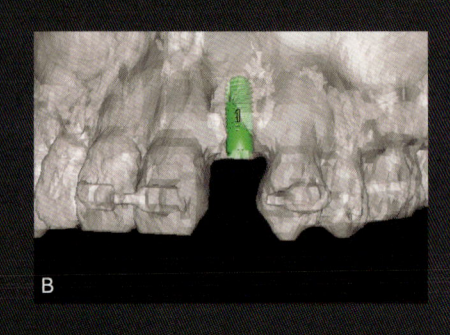

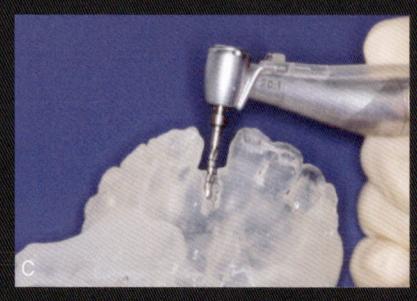

図B、C　経験豊富な術者なら、この程度の状況であれば、骨移植を併用した抜歯後即時埋入法も有効かもしれない。

繰り返しにはなるが、術者の経験や技量の差を加味しても、一概にどの術式がもっとも安全で確実であったかは判断しがたい。すなわち、経験豊富で高い技術力を持った術者であれば、MIの概念から抜歯即時やフラップレス埋入などの最小の外科的侵襲で最良の結果を得られる。経験が浅い術者であったなら、フラップを開け、確実に骨形態を明示して安全に手術を行い、最悪の結果を避ける方法や術式が最善とも言える。注意点として、埋入位置の「ズレ」は審美領域におけるインプラント治療では審美性獲得の「致命傷」となる。最終補綴を見据えた適切なサージカルガイドの製作は必須であろう。

　最終補綴では、2008年当時でも、GarberやBelserらが提唱した「補綴主導型インプラント埋入」や「補綴前の硬・軟組織の再建」の考え方は理解していたつもりだが、固定様式にまでは深く考えが及ばなかった。

　本症例では切端部にスクリューホールが近接したため、組織親和性の高いジルコニアアバットメントにセラミッククラウンを合着させる、セメント固定式とした（図H）。しかし、最終補綴装置装着後、経年的な顎位の変位からセラミックスの破折などの問題が起こり、結果的に上部構造の修理・再製作を余儀なくされることも少なくない。また、アバットメントスクリューなどが緩み、ガタつき・不具合が生じる。このような問題から、近年では前歯部においても長期予後を見据え、修理や再製作しやすいようにできる限りスクリュー固定式での補綴が推奨されている（図I）。

　以上、述べてきた事柄・反省点を踏まえても、患者さんから「なんでも美味しく食べられ満足している」との言葉を聴くと、本症例におけるインプラント治療という選択は間違いではなかったと筆者は考えている。

図D、E　同部に何度もフラップの切開を加えることで、周囲軟組織の瘢痕や吸収が起こる。また、ブロック骨の剥離が起こる可能性もある。

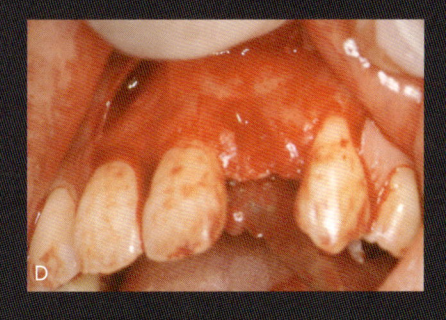

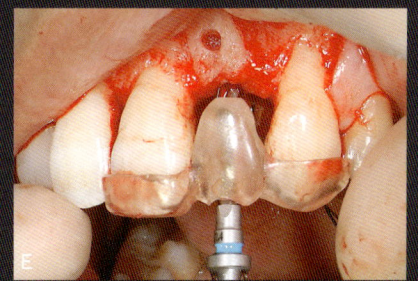

図F　数度の外科手術により1|1周囲の軟組織の後退を引き起こす結果となった。

図G　歯間乳頭部周囲に切開を加えず、唇側の薄い骨を明示して行う、アピカリー・リージョン・フラップ法は有効な方法でもある。

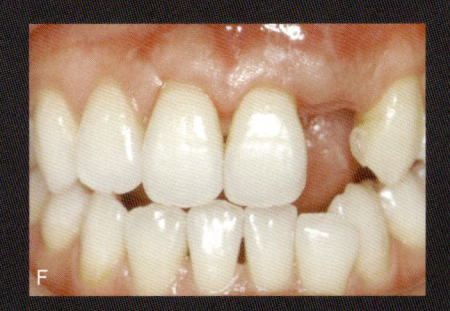

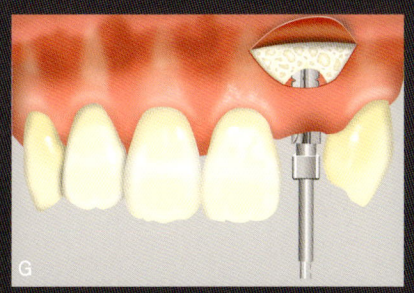

図H　ジルコニアアバットメントは、組織親和性も高く審美性獲得に有効である。

図I　顎骨の骨量や形態を考慮し、スクリュー固定が可能な埋入方向とするのが望ましい。このときに唇側にインプラントが振られないようにしなければならない。

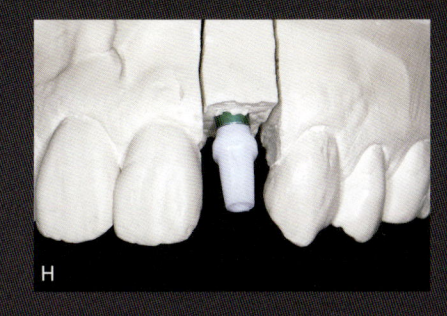

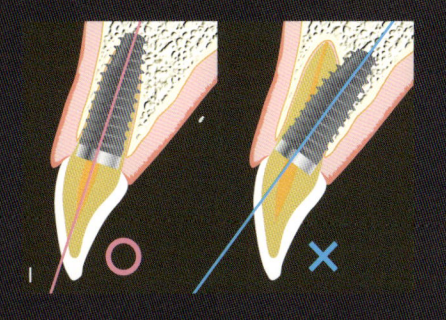

161

索引

い
印象用コーピング……………………………… 104, 106
インプラントホール…………………………… 88〜90
インプラント埋入シミュレーション
　　　　　　　………… 19, 20, 34〜36, 87

え
HVC 分類 ……………………………………………… 74
エレクトロフォーミング……………………………… 126

お
オープントレー法……………………………… 104, 106

か
カスタムアバットメント……………………………… 123
カスタムインプレッションコーピング……………… 123
カスタムトレー………………………………… 104, 105
仮着セメント………………………………………… 136
ガム模型……………………………………………… 112
カラーマッチング……………………………… 132, 133

き
CAD/CAM …………………………………………… 130
矯正的挺出……………………………………… 26〜28, 31

く
クリアブラケット……………………………………… 28

く
クローズドトレー法………………………………… 106

け
形状記憶ワイヤー……………………………………… 28

こ
口腔衛生指導…………………………………… 140, 141
口腔内写真……………………………………… 11, 132
口腔内スキャナ……………………… 21, 23, 108, 109
咬合診断……………………………………………… 13
コーンビーム CT ……………………………… 19, 29, 30
骨移植…………………………… 40, 41, 61〜68, 94, 95
コントラスター……………………………………… 11
コンピュータガイドシステム……………… 34〜36, 44

さ
サージカルテンプレート………………… 86, 87, 89〜91

し
CT 撮影 ………………………………………… 19, 29, 30
歯肉圧排……………………………………………… 107
歯肉貫通部…………………………………………… 112
手術室…………………………………………… 46, 48, 54
手術承諾書…………………………………………… 155
手術同意書…………………………………………… 156
上皮下結合組織移植………………………… 74〜77, 79, 80
静脈内鎮静法……………………………………… 51〜53

162

す

ストレートタイプのインプラント……………… 86, 87

せ

接着性ブリッジ………………………………… 94, 95
セルフケア……………………………………… 140, 141

そ

ソニックブラシ………………………………………… 142

ち

チームワーク……………………………………………… 47
チェアサイドステイン………………………………… 135
治療計画書…………………………………………… 14〜16

て

ティッシュカルプティング………………………… 116, 117
テーパードタイプのインプラント………… 86, 87, 93

と

陶材築盛…………………………………………… 132〜134
トランジショナルカントゥア………………………… 113
トンネル形成……………………………………………… 75

は

抜歯後即時インプラント埋入……………………… 39〜41

ひ

PMTC………………………………………………… 140, 142
ヒーリングアバットメント……………………… 102, 103
ピエゾサージェリー……………… 61, 62, 65, 68, 70
光造形模型……………………………………… 37, 38, 43

ふ

プロビジョナルクラウン………………… 13, 118, 119
プロフェッショナルケア………………………… 140〜142

ま

埋入位置…………………………………………………… 92, 93

も

モデルサージェリー……………………………… 37, 38, 66

り

リコールハガキ…………………………………………… 145

163

あとがき

　上顎前歯部に代表される審美領域のインプラント治療では、感染や抜歯に至る原因から、多くの場合で周囲骨量や軟組織の不足から、矯正的技法・骨移植・上皮下結合組織移植といった付加的な処置や手術から多くのリスク・数回のリスクを背負うこととなる。

　機能回復が大きな目的にあったインプラント治療に、「審美」という別の課題が背負わされることは、有意義な反面、本来のインプラント医療の視点から、変更・修正したほうが、患者にとって良い場合も少なくない。

　無論、医療の進歩に沿って、あるいは患者や社会の要求に応える研究・努力は大切で必須であろう。しかしながら、患者からの貴重な経験という練習を積むことで医師の技術修得の多くが行われている現実では、失敗や合併症といったことも、必ず起こる可能性があることを忘れてはならない。

　安易にインプラント治療を選択するのではなく、術者の技量・経験も含め、患者にとっての安全を踏まえて最良の治療方法を選択すべきであると筆者は考えている。

　深く考えを巡らし、のちのちの遠い先のことまで見通した周到綿密な計画を立てることを「深謀遠慮」という。歯科医療も「深謀遠慮」を踏まえ、従来のブリッジ治療を見直し、接着性ブリッジを含めてインプラント治療を考え、審美領域の欠損補綴の選択肢を見直すことが必要な時期に来ているのかもしれない。

2012年　冬　診療室にて
小川勝久

左より、当院歯科衛生士：印南裕加、筆者、本書で治療経過を追った患者さん、当院歯科衛生士：玉城絵里奈、当院歯科衛生士：平野伊美。(2011年12月、小川歯科にて)

新版 あとがき

　本書は、『クインテッセンス・デンタル・インプラントロジー』誌にて2009年5月から2011年3月までの2年にわたって連載された「1症例を通してみるインプラント治療の流れと関連器具・器材」の論文を元に加筆したものである。当時の企画・編集を担当してくれた故・赤石 学氏のご指導やご高配がなければ到底書き上げることはできなかった。改めて御礼を申し上げる。

　最終校正が近づくと、筆者の診療終わりに赤石氏と一緒に夜遅くまで原稿の校正や推敲を行い、レストランやバーで歯科医療やインプラント治療について熱く語り、時には氏から温かく励まされ、楽しい日々を過ごすことができた。懐かしい思い出である。

　この新版を出版するにあたり、本書が、前書に恥じない内容になっているか、氏の墓前に捧げ、訊ねてみたい。優しさ溢れる氏から「内容が拙い」と叱咤されるかもしれないが、医療が日々進歩・改善していくなかで、術後12年の反省と考察を示すことができた点に関しては評価してもらえるのではないかと密かに期待している。

　読者には、前書および本書で解説したインプラント治療や硬・軟組織移植の知識・手技を生かして、患者の状況や要望に沿う安全・安心な歯科医療を提供していただきたいと切に願う。赤石氏から託された志を継いで次世代の歯科医療につなぐことで、この新版もより意味のあるものになると考えている。

　本書を盟友・赤石 学氏に捧げる。

2021年　初夏　診療室にて
小川勝久

著者略歴・協力企業一覧

小川勝久(Katsuhisa Ogawa)

1982年　城西歯科大学卒業(現明海大学歯学部)
1982年　城西歯科大学勤務(歯科補綴学第二講座助手)
1988年　埼玉県坂戸市ホワイト歯科医院勤務
1992年　東京都品川区天王洲にて医療法人社団清貴会 小川歯科開院
2009年　神奈川歯科大学 顎口腔機能修復科学講座 クラウンブリッジ補綴学分野 非常勤講師
2013年　神奈川歯科大学 口腔統合医療学講座 補綴・インプラント学分野 客員教授(現在に至る)
2016年　天王洲小川会発足(現在に至る)

主な著書
- 『審美領域におけるインプラント治療を考える　成功に導く為の位置と時期』(砂書房, 2007)
- 『1からはじめるインプラント治療』(クインテッセンス出版, 2013)
- 『別冊歯科衛生士 新版 みるみる理解できる 図解スタッフ向けインプラント入門』(クインテッセンス出版, 2016)(共著)
- 『Tooth Preparation[支台歯形成](DD Basics 1)』(デンタルダイヤモンド社, 2020)
- 『別冊 Quintessence DENTAL Implntology　OJのスペシャリストたちがおくる インプラント 基本の「き」』(クインテッセンス出版, 2021)(共著)

●協力企業一覧

株式会社アイキャット
朝日レントゲン工業株式会社
株式会社 アヘッドラボラトリーズ
インビザライン・ジャパン株式会社
株式会社インプラテックス
長田電機工業株式会社
アイ・エム・アイ株式会社
株式会社オーラルケア
オムロン コーリン株式会社
カボデンタルシステムズジャパン株式会社
コアフロント株式会社
京セラ株式会社
株式会社ジーシー
株式会社ジェイ・エム・シー
株式会社シオダ
株式会社松風
ジンマー・バイオメット・デンタル合同会社
スリーエムヘルスケア株式会社
株式会社セキムラ
株式会社ソニックテクノ
デンタルテクニカ
デンツプライシロナ株式会社

10DR Japan 株式会社
東邦歯科産業株式会社
株式会社トライマント
株式会社ナカニシ
株式会社ナナオ
株式会社ニコン
株式会社日本歯科工業社
株式会社日本歯科商社
ノーベル・バイオケア・ジャパン株式会社
白水貿易株式会社
株式会社日向和田精密製作所
フェザー安全剃刀株式会社
ペントロンジャパン株式会社
株式会社マイクロテック
株式会社マテリアライズ デンタル ジャパン
メディカルスキャニング
株式会社茂久田商会
株式会社モリタ
山田歯研産業
株式会社ヨシダ
株式会社YDM
和田精密歯研株式会社

クインテッセンス出版の書籍・雑誌は、歯学書専用通販サイト『歯学書.COM』にてご購入いただけます。

PCからのアクセスは…
歯学書 検索

携帯電話からのアクセスは…
QRコードからモバイルサイトへ

QUINTESSENCE PUBLISHING 日本

新版 1からはじめるインプラント治療 完全マニュアル

2021年8月10日　第1版第1刷発行

著　者　小川勝久（おがわかつひさ）

発行人　北峯康充

発行所　クインテッセンス出版株式会社
　　　　東京都文京区本郷3丁目2番6号　〒113-0033
　　　　クイントハウスビル　電話(03)5842-2270(代表)
　　　　　　　　　　　　　　　(03)5842-2272(営業部)
　　　　　　　　　　　　　　　(03)5842-2273(編集部)
　　　　web page address　https://www.quint-j.co.jp

印刷・製本　サン美術印刷株式会社

Ⓒ2021　クインテッセンス出版株式会社　　禁無断転載・複写
Printed in Japan　　　　　　　　　　　　　落丁本・乱丁本はお取り替えします
ISBN978-4-7812-0826-8　C3047　　　　　　定価はカバーに表示してあります